Tiempo de México

LA ESPOSA DE UN DIPLOMÁTICO EN MÉXICO

Primero vivo

Edith Coues
O'Shaughnessy

LA ESPOSA DE UN DIPLOMÁTICO EN MÉXICO

OCEANO

EDITOR: Rogelio Carvajal Dávila

LA ESPOSA DE UN DIPLOMÁTICO EN MÉXICO

Título original: A DIPLOMAT'S WIFE IN MEXICO

Tradujo STELLA MASTRANGELO de la edición original en inglés

Eugenio Sue 59, Colonia Chapultepec Polanco
Miguel Hidalgo, Código Postal 11560, México, D.F.
☏ 5279 9000 ☎ 5279 9006
✉ info@oceano.com.mx

PRIMERA EDICIÓN

ISBN 970-777-085-6

IMPRESO EN MÉXICO / PRINTED IN MEXICO

Índice

Comentario preliminar

El libro de Edith O'Shaughnessy tiene el mérito de ser una de las escasas fuentes sobre el huertismo que presenta los hechos desde una perspectiva distinta: la de una testigo ajena a la versión oficial, el montaje interesado o al despliegue manipulador de documentos, versiones, datos, etcétera. Sin proponérselo, la autora invierte el relato histórico, a partir de una cercanía con Huerta y de un conocimiento del entramado diplomático y aun político de su gobierno. El protagonista de las cartas de la señora O'Shaughnessy es, sin duda, Victoriano Huerta, quien visto así de cerca, va cobrando dimensiones humanas y despertando cierta simpatía. En su relato epistolar los actores secundarios son los tradicionales héroes revolucionarios de ese momento: Villa y Carranza y, en menor medida, Zapata. Las figuras van quedando matizadas: el malvado resulta menos abyecto y su posición cobra alguna validez; los buenos van enseñando el cobre y mostrando una cara no tan noble.

Hechos que conocíamos de manera parcial se van dilucidando al enterarnos de otros puntos de vista y al observarlos desde un ángulo distinto: precisamente el de la mirada extranjera de la esposa del encargado de negocios de la embajada estadunidense. Los hechos son presentados así, desde la visión de una mujer sensible, educada, católica, inteligente y culta. Esto permite al lector formarse su propia opinión sin prejuicio alguno. En esas páginas la estadunidense da rienda suelta a su habilidad compositiva y a su afición por la historia, mismas que le valieron el reconocimiento en el internado Notre Dame, de Maryland, donde estudió.

En las páginas de otras fuentes, durante el periodo narrado por ella, la ciudad de México prácticamente desaparece del mapa y su protagonismo urbano es suplido por la fuerte presencia de los estados en rebelión. En esta oportunidad, qué mejor que atisbar tras el telón y ver el escenario cotidiano capitalino que siguió desarrollándose a lo largo de la dictadura de Huerta. Si ya Edith O'Shaughnessy nos narra la atmósfera política y diplomática, bien podemos permitirnos, para completar el cuadro, ver algunos aspectos de la historia paralela a esos acontecimientos y sentir un poco el palpitar de la sociedad capitalina; asomarnos momentáneamente al quehacer diario de la población, ese que no vio la señora O'Shaughnessy o que pasó por alto, en tanto gobernaba el más vituperado de los antihéroes nacionales. Con esta sucinta revisión sólo intentamos dar testimonio de esa suma de eventos diarios que envuelven la vida de la gente, independientemente de los problemas que aquejen su vida personal, su ciudad o su nación. Los sucesos cuya inercia se sigue dando muy al margen de simpatías o antipatías de cada individuo hacia el gobierno en turno.

Esa ciudad que doña Edith atravesaba en automóvil, casi a diario, o que en ocasiones caminaba a tramos, había ensanchado sus límites urbanos desde mediados del siglo XIX. En la búsqueda de lugares con mejores condiciones para la población, situados en regiones altas, con aire fresco y variada vegetación, y menos expuestos a las inundaciones, el crecimiento había integrado poblaciones o municipios de sus alrededores, como Tacuba, la Villa de Guadalupe, Tacubaya, Mixcoac, San Ángel, Coyoacán y Tlalpan, así como las haciendas más cercanas; entre ellas la de la Teja, la Condesa, la Aragón y la de la Ascensión. Y los ranchos El Cebollón, La Vaquita, Los Cuartos, El Chopo y Santo Tomás.

El siglo anterior la colonia Santa María había sido la pionera dentro del concepto porfiriano de nuevos espacios urbanísticos, para el engrandecimiento de la capital y para ser habitada por miembros de la clase media alta y alta. La primera década del XX vio nacer veintiocho colonias más; entre ellas la de la Teja, luego convertida en la Juárez, y la Cuauhtémoc, la Roma y después la Hipódromo Condesa, para clases adineradas. Para sectores medios con menos pretensiones, la Tlaxpana y Santo Tomás, El Chopo y San Álvaro, por el rumbo de Atzcapotzalco. Para los grupos sociales de menos recursos, Peralvillo y Vallejo, y los fraccionamientos populares del Cuartelito y la Viga.

La ciudad de México asimilaba las oleadas de inmigrantes que huían de la provincia, a causa de la rebelión, y que hacían aumentar la demanda de vivienda. En la década posterior al estallido maderista la población de la capital del país se incrementó de 720,753 habitantes a 906,063. Esta cifra era alarmante pues triplicaba la de 1900. Aproximadamente treinta por ciento de la población vivía en los alrededores y el setenta por ciento restante se hallaba concentrada en la ciudad.

Los recién llegados provocaron una fuerte demanda de espacios habitacionales. Para satisfacerla, de 1910 a 1920 se crearon quince colonias destinadas a cubrir las necesidades de las clases medias. Algunas de las nuevas colonias fueron la Buenos Aires, en 1911, y la San Miguel Chapultepec, en 1913. Posteriores al gobierno de Victoriano Huerta se crearon la Balbuena, en 1915; la Escandón, en 1916; y la San Pedro de los Pinos, en 1920. La inversión en bienes raíces quedaba completamente garantizada, pues el control de la propiedad urbana no entraba en los proyectos de ninguna de las facciones revolucionarias, ocupados como estaban sus miembros en la mejor y más justa distribución o devolución de los predios agrícolas.

La embajada estadunidense tenía su sede precisamente en la colonia Roma, en la esquina de las calles de Puebla y Veracruz. A doña Edith le tocó la suerte de poder disfrutar el despunte de ese magnífico suburbio; justo en el momento en que la colonia era digna representante urbanística y arquitectónica de aquellos esfuerzos porfiristas de hacer de la ciudad de México una urbe moderna capaz de competir con cualquier capital del mundo; aunque el ojo extranjero de la señora O'Shaughnessy prefería y quedaba subyugado por la arquitectura barroca, principalmente de los templos; acostumbrada seguramente a las formas europeizantes, no le provocaba tanto asombro una arquitectura similar a la que se desarrollaba en el viejo continente.

En 1913 y 1914 la Roma seguía su urbanización y se continuaban ofreciendo a la venta tres tipos de lotes. Grandes, de mil a cinco mil metros cuadrados, concebidos para quienes quisieran construir enormes mansiones campestres suburbanas o para quienes se decidieran por la construcción de edificios departamentales con calles privadas. Los terrenos medianos tenían entre los seiscientos y los mil metros, destinados a casas de tipo urbano. Finalmente los pequeños predios medían entre cuatrocientos y seiscientos metros.

En la célebre colonia Roma encontraron buen acomodo otras sedes diplomáticas. Además de la estadunidense, las embajadas de Honduras, en la calle de Jalapa, y la de Japón, en la Plaza Orizaba, eran también vecinas.

Aparejado al crecimiento urbano, llegó también el desarrollo de los sistemas de transporte, para acortar las distancias con el centro de la ciudad. Los nuevos suburbios se conectaban al centro con modernas rutas de tranvías eléctricos. En algunas zonas aparecieron ferrocarriles urbanos y suburbanos como las vías hacia Tacuba y los circuitos Santa

María-Buenavista y el de San Cosme-Santa María; en otros sólo se incorporaron nuevas rutas: Villa de Guadalupe, Tlalpan, San Ángel, Mixcoac, Ixtapalapa, Atzcapotzalco, Xochimilco, Coyoacán, Santa Fe y la Piedad. En cuanto al ramaje ferroviario conectado a los estados de la República, la ciudad tenía cuatro estaciones de ferrocarril: de la estación Colonia, ubicada en los terrenos donde hoy se encuentran el Jardín del Arte y el Monumento a la Madre, partía el Ferrocarril Nacional de México hacia Laredo y hacia Toluca, Morelia y Uruapan; de la Estación Peralvillo, el Hidalgo Nordeste con destino a Pachuca y Tulancingo; de Buenavista el Central Mexicano conectaba la capital con El Paso y tenía un ramal de Torreón a Durango y una corrida directa a Guadalajara; de la estación de San Lázaro salía el Interoceánico rumbo al puerto de Veracruz.

La piedad católica de doña Edith la llevaba con frecuencia a la lejana iglesia de San Lorenzo, por los actuales rumbos de la Plaza de Garibaldi, aproximadamente en la esquina de Perú y Allende. Ahí se sentiría más a gusto lejos del bullicio de otras iglesias atiborradas de esos "aztecas" por los que sentía tanta pena, pero de quienes se mantenía distante. De rodillas, tal vez, rogaría por sus seres queridos y pediría que el presidente Wilson rectificara su política en beneficio de Huerta. Para esa época los viejos templos virreinales continuaban siendo los escenarios religiosos por excelencia. La iglesia de Santa Brígida, localizada aproximadamente cerca de la esquina que forman Eje Central y avenida Juárez, donde se halla el edificio de La Nacional, la Profesa, en la calle de Madero y Nuestra Señora de Lourdes en el Colegio de Niñas, entre lo que hoy conforman 16 de septiembre y Venustiano Carranza, eran algunos de los templos preferidos para las bodas; en cada ocasión se engalanaban con ricos cortinajes, sinnúmero de luces y aromáticas flores. Sin embargo, pronto serían desplazadas por la modernidad.

Las nuevas colonias comenzaron a alzar modernas estructuras dedicadas al culto católico. A pesar de que Santa María la Ribera fuera urbanizada el siglo anterior, la construcción de su templo, La Sagrada Familia, se inició en 1906. En la colonia Roma, desde 1910, se había dado inicio a la construcción de una iglesia en la esquina de Orizaba y Puebla. Se le llamó también La Sagrada Familia. De estilo ecléctico y patrocinada por padres jesuitas, la obra tuvo que ser suspendida, entre 1913 y 1917, a causa de la Revolución. De estos nuevos templos, doña Edith visitaba en ocasiones el Sagrado Corazón en la colonia Juárez.

A diferencia de los espantosos hoteles veracruzanos que aterraban a la estadunidense, en la capital del país se podía confiar en los servicios de diferentes hoteles. El Iturbide, en el Palacio del mismo nombre, ahora propiedad de Banamex, en Madero 17; el hotel Basch, en la 6ª de Ayuntamiento, ofrecía baño con agua caliente y teléfono en cada habitación; el Gillow, junto a la iglesia de la Profesa; la Bella Unión, en la esquina de 16 de Septiembre y Palma; el del Bazar, frente al Casino Español, en Isabel la Católica; el Regis, en avenida Juárez, y muchos más.

Mientras en política la "espera vigilante" de Woodrow Wilson movía en México los asuntos, casi en cámara lenta, la vida de la capital se desperezaba día a día en medio de los prodigiosos amaneceres que tanto maravillaron a Edith O'Shaughnessy, cuya pluma nos regala paisajes y colores y luminosidades del valle de México que ya sólo habremos de ver con los ojos de la imaginación.

Al igual que los teatros, después de la tercera llamada, en la ciudad de México la acción comenzaba al alba. En las casas de los ricos se encendían los grandes fogones de varias parrillas y el carbón que las alimentaba era avivado por la veloz mano de alguna criada que manejaba ágilmente el aventador. Conforme la gente descendía en el estrato social esos fogones iban prescindiendo de algunas hornillas, hasta quedar convertidos en el solitario brasero de los pobres. Las cocineras indígenas del servicio doméstico, las mismas que la señora O'Shaughnessy no acababa de entender, lidiaban con metates y molcajetes para moler granos y elaborar picosas salsas; los muros de las paredes acumulaban cualquier cantidad de cazuelas de barro; y las cucharas de madera, molinillos y cedazos de cerda colgaban del garabato que pendía del techo, junto con embutidos y carne seca. Por supuesto todas las cocinas de las familias acomodadas ya tenían las modernas cajas enfriadoras que diariamente eran abastecidas por las fábricas de hielo a las puertas de sus hogares, al igual que los pedidos de agua gaseosa de Tehuacán.

El común denominador en las mesas de acaudalados, pobres y clasemedieros era el pulque. El platillo de los humildes era "sota, caballo y rey", como se le llamaba, con ironía burlona, a la eterna tríada de tortilla, frijol y chile. Éstos eran consumidos todos los días mientras que la clase media añadía a esos tres componentes de su dieta: caldo, una sopa aguada o una seca que casi siempre era un arroz a la mexicana, acompañado de algún guiso de carne no muy cara como albóndigas o rabo de mestiza; igualmente se preparaban huauzontles, peneques, chilaquiles y demás platillos que, para nuestra fortuna, todavía subsisten. Por supuesto, la mesa de los pudientes era más abundante en guisados, y éstos se hacían con ingredientes de la mejor calidad; si había alguna visita, el pulque era sustituido por buenos vinos franceses, y la tortilla por el pan. Muy seguramente eran platillos mexicanos, como la moronga y el menudo, y las bebidas de variada consistencia, como el pulque, los que doña Edith trató de eliminar de su mesa, ante la arraigada y persistente costumbre de las cocineras. La fruta mexicana no le gustaba mucho, pero los turrones, las yemitas, las cocadas, las pastas de almendras o castañas, el piñonate, los chongos, los ates y la cajeta ¿le disgustarían también?

En los desayunos y meriendas de los hogares mexicanos no podía faltar el pan dulce, y al centro de las mesas pobres o ricas se colocaba una buena selección de pechugas de huevo, parecidos a los brioches; borregos, imitación del animalito de cuernos retorcido; los volcanes, con cimas de azúcar; los grageados, por supuesto cubiertos de grageas; los chimisclanes, especie de cocol indígena; las roscas de manteca y los huesitos; los entrelazados y los palillos; sus precios variaban entre cincuenta centavos y un peso. También se consumía el pan blanco: bolillos a dos centavos; teleras, pambazos, roscas españolas, virotes y pelucas, costaban un centavo. La leche se vendía entre diez y doce centavos el litro.

El norte revolucionario aún no había irrumpido por completo en la capital, como tampoco su cocina un tanto agringada, y los gustos europeizantes y afrancesados de la aristocracia porfiriana todavía prevalecían en la ciudad de México. Si en sus casas se daban el gusto de buenas comidas mexicanas, en los restaurantes de mayor postín podían paladear los internacionales. Algunos restaurantes de moda eran el Café Colón; ya desde entonces el San Ángel Inn; el Chapultepec a la entrada del bosque, mismo que, gracias al relato de la esposa del diplomático, nos enteramos hacía las veces de despacho oficioso de Huerta. Este restaurante se encontraba a la derecha de la entrada principal del bosque, por donde ahora está el mercado de flores, y recibía en sus instalaciones a todo tipo de comensales para cualquier clase de celebración: desde el presidente en una simple comida diaria hasta los alumnos de la preparatoria que celebraban ahí su baile anual o para los five o'clock teas de la señora O'Shaughnessy.

Además estaban el Café de París y el Imperial, donde nacieron las famosas enchiladas suizas. En algunos se podían paladear ya algunos platillos como el filete Wellington, los ostiones Rockefeller o la ensalada Waldorf, y no sólo los manjares de la cocina francesa que tanto arraigo habían tenido. Gran variedad de restaurantes y cocinas; sin embargo, no da la impresión de que la esposa del diplomático los frecuentara; tal pareciera que sólo unos cuantos eran sus preferidos.

La cafetería El Globo, también conocida como oficina informal del presidente, en las actuales calles de Madero y Bolívar, era visitada a menudo por Huerta para tomar café y cognac. Así lo hizo después de haber puesto su renuncia y poco antes de emprender su viaje al destierro. Se cuenta que al salir, los transeúntes que lo vieron subir a su auto, lo despidieron con un tributo de aplausos: unos, por consideración al caído y otros, por su valerosa actitud.

En lo que se refiere a gastronomía francesa, el restaurante Sylvain seguía siendo uno de los favoritos. Su dueño, el cocinero francés Sylvain Daumont, había sido contratado por la familia De la Torre y Mier, una de las más ricas del país y emparentada políticamente con don Porfirio, pues uno de sus miembros, Ignacio, estaba casado con su hija Amada. Sylvain abandonó el famoso Lido de París y llegó a México con un contrato de exclusividad para deleitar los paladares de los De la Torre y de sus distinguidos invitados. Justo al año, el cocinero francés dejó con un palmo de narices a sus importadores y se independizó, para abrir su famosísimo restaurante. Así, los platillos de carne de caza, especialidades de Sylvain, como el filete de venado con puré de castañas, el salamis de agachonas, exquisito estofado de una avecilla acuática mexicana, pudieron ser el deleite de un amplio círculo. Primero, en el establecimiento del callejón del Espíritu Santo, hoy Motolinía, y después de un año, en la casa ubicada en el número 51 de la calle del Refugio, antes Tlapaleros y hoy 16 de Septiembre, a donde se mudó luego de acondicionarla lujosamente. Muy cerca se encontraba también el Montaudon cuya sopa de tortuga, pescados y mariscos bien podían competir con los servidos en los mejores restaurantes parisinos. Los buenos guisos mexicanos como las jaibas en chilpachole o el inefable blanco de Pátzcuaro rivalizaban con cualquier platillo francés como el pot au feu, la petite marmite, los œufs cocotte o las omelettes aux fines herbes y los petite croustades Richelieu. No se puede dejar de mencionar el conocido Gambrinus, donde se detuvo a Gustavo Madero. Con menos pretensiones había varios más para la clase media: la fonda Maison Raté, cuyo nombre hacía alusión a los exorbitantes precios de los elegantes, era propiedad de Benito Flores, que hacía la competencia a los anteriores con platillos de la cocina mexicana, y que contaba a toreros y artistas entre sus clientes asiduos; el Prendes, en 16 de septiembre; el Peter Gay en Plateros, hoy Madero, con sus famosas mesas de botanas en su Bar Rhum; la Ópera;

el Café de Tacuba; la taquería Beatriz; la cervecería Wagner, donde ciertos clientes comenzarían a abandonar la costumbre de tomar pulque y se aficionarían a la cerveza. Fue hacia finales del siglo XIX y principios del XX cuando en el norte del país comenzó el auge de las primeras industrias que la producían. Cabe decir que durante el gobierno provisional de Victoriano Huerta se prohibió el funcionamiento de las cantinas populares y, por los comentarios de doña Edith, parece ser que con mucho éxito pues el san Lunes disminuyó en la capital.

Todo el comercio abría de las ocho de la mañana a las ocho de la noche. Los almacenes de prestigio seguían siendo Las Fábricas Universales, El Nuevo Mundo, El Palacio de Hierro, El Puerto de Liverpool, El Puerto de Veracruz y El Centro Mercantil. Es probable que doña Edith, que era una mujer elegante y lucía la moda del modisto británico Worth, nunca se apareciera a comprar en ellos, quizá por miedo a terminar vestida como las féminas de la nueva clase en ascenso, aquellas esposas de políticos a las que criticaba tanto por vestirse con colores tan horrendos como el oro viejo y el magenta.

Aparte de su afición por las antigüedades y baratijas de La Lagunilla, la O'Shaughnessy ¿se asomaría alguna vez a los aparadores de la joyería La Esmeralda, de La Perla o La Joya para averiguar si de alguna de ellas provenía el diamante de la señora Huerta tan censurado por algunos? ¿Vería en la sombrerería Tardán o en High Life sombreros y levitas como los que usaba el presidente provisional? En sus andanzas por Plateros, ¿entraría a la sedería El Paje?, ¿compraría algo en la cristalería El Surtidor? ¿Algún artículo religioso en Las Fábricas de Lyon? ¿Se fijaría en las cortinas y tapetes que vendía La Ciudad de Bélgica? Las camisas de Nelson ¿se parecerían a las que vendía la camisería de Paul Marnat o la Villa de París? La verdad no sabemos si alguna vez compró algún medicamento en la droguería de La Profesa o en la de La Palma; como tampoco sabemos si puso un pie en la botica Sanborn.

La culta señora O'Shaughnessy ¿iría a la Librería Botas, a la Porrúa o a la Librería Biblos, en avenida 16 de Septiembre, a comprar tomos sobre historia de México?, materia que parecía conocer bastante bien aunque se confundiera pensando que Hidalgo estaba vivo en 1821, ¿o sólo se conformaría con los libros que le prestaba don Luis García Pimentel de su biblioteca?, ese invaluable acervo que se perdió con el saqueo constitucionalista y que la dama tanto lamentó al enterarse tiempo después.

También con la llegada del constitucionalismo se acabó el presupuesto para los hospitales. Quién sabe si en el Hospital General, el doctor Botello, el médico brasileño a quien doña Edith vio hacer curaciones casi milagrosas por el rumbo de Tacubaya, haya continuado haciendo avances en la cura de la tuberculosis con el pneumotórax artificial, o los médicos legistas del Hospital Juárez siguieran llevando a cabo los exámenes de los cadáveres remitidos a sus instalaciones por cada una de las comisarías.

La esposa del diplomático nos habla de la calma en la ciudad, pero no por ello dejaba de haber incidentes y accidentes cotidianos. De vez en cuando en las calles de la capital aparecían recién nacidos abandonados por sus madres; había uno que otro asalto a comercios o a casas habitación. En la temporada de lluvias de 1913 el río Consulado inundó las colonias Vallejo y Peralvillo, pues el guarda de las compuertas no las quiso abrir para que no se perdieran las siembras de los llanos de Aragón. Había innumerables quejas en contra de los conductores de tranvías, en tanto que los peatones llegaban a sufrir el atropello de los vehículos, tal como el "pelado" que fue arrollado por el vehículo en el cual iba doña Edith. Esas terribles máquinas que inspiraron alguna vez un socarrón verso de José Juan Tablada: Automóvil, ataúd dinámico / para entierros al por mayor, / a la lumia es epitalámico / himno, tu áspero estridor... / Y sobre el asfalto resbalas, / reptil que quiere tener alas, / dejando estelas de humo obscuro / y flatulencias de carburo... Era aún tan reducido el número de autos que podían circular por calles o avenidas de dos sentidos y en toda la ciudad no había más que uno que otro expendio de combustible en alguna esquina para que cargaran los cadillacs, los white, los fords, los reo y los buicks.

No podían faltar los incendios. Los de La Profesa y el de El Palacio de Hierro conmocionaron a los capitalinos. El del gran almacén pudo haberse propagado hasta el palacio municipal y El Puerto de Liverpool, a no ser por la atinada intervención de Eduardo Iturbide, gobernador de la ciudad, y de los heroicos bomberos. El propio presidente se presentó durante el siniestro para ordenar que se hicieran las averiguaciones pertinentes, ya que antes de extinguirse el fuego las habilillas y rumores comenzaron a correr con diferentes versiones sobre su origen.

Del alza de impuestos no se libraron los cigarrillos de El Buen Tono, ni los de la Cigarrera Mexicana, ni los de la Tabacalera Mexicana. Respectivamente estas fábricas estaban situadas en la plaza de San Juan, en Bucareli antes de llegar a Ayuntamiento y en la antigua casona de Buenavista, hoy Museo de San Carlos.

La vida social de los diplomáticos nos queda extensamente descrita por la esposa del encargado de negocios de la embajada. Su manera de divertirse y su constante ir y venir intercambiando visitas o desplazándose a días de campo. ¿Jamás una ida al cine? ¿Cómo? El cine mudo seguía siendo la sensación mundial y ¿la O'Shaughnessy no asistió a ninguna función para distraer al pequeño Elim? ¿Tan mala era la cartelera? Bueno, ni en sus recorridos por las calles de Plateros, Profesa y San Francisco, hoy Madero, menciona que sobre este último tercio de la rúa estaban los mejores cines de la capital.

Tal vez doña Edith no se dio cuenta de que en México la Decena Trágica les vino como anillo al dedo a los productores de películas que aún no tenían un repertorio importante que exhibir al público. El acontecimiento fue un buen tema y de él intentaron sacar provecho. Para presentar tomas de uno y de otro bando —alzados y gobiernistas— apostaron sus cámaras. En la calle de Balderas filmaron los temibles cañones de los seguidores de Félix Díaz; en la Rinconada de San Diego grabaron escenas de la artillería que defendía al gobierno constituido; en la esquina de Cuauhtémoc y Bolívar, las cámaras captaron una imponente ametralladora. Luego de concluidos esos desconcertantes y ajetreados días, los productores hicieron un recorrido por la zona afectada para mostrar edificios perforados por la metralla, casas semiderruidas, el famoso reloj chino a punto de caer, la casa de Madero incendiada y demás imágenes que pudieran tener un contenido dramático que hiciera estremecer al ávido auditorio.

Así, el martes 4 de marzo de 1913, en el teatro Guillermo Prieto se estrenó "la sensacional película en 3 partes, 52 números de gran duración" *La Revolución Felicista o Los sucesos de la Decena Roja*. No obstante, estas cintas podían perjudicar la imagen de los victoriosos golpistas con quienes había que quedar bien y, en siguientes producciones, mejor optaron por olvidarse de la incomodidad de ciertos asuntos políticos, tal como pretendía el nuevo gobierno. Por otro lado, a fuerza de repetirla una y otra vez la gente se fue cansando de verla y rápidamente los empresarios se dieron a la tarea de buscar nuevos temas.

El aniversario del fallecimiento de la suegra de Enhart, filmada el año anterior por los hermanos Alba, basaba su argumento en las peripecias diarias de una pareja cómica que actuaba en el teatro Lírico: Alegría y Enhart. Por supuesto el tema fue concebido exclusivamente para divertir al público. En alguna función se exhibieron noticiarios extranjeros en los que se veían tomas de las actividades que los estadunidenses realizaban en la frontera, preparándose para la eventualidad de una invasión a México. El repudio no se hizo esperar y a la salida del cine la gente se amotinó profiriendo gritos encolerizados de protesta, ¡vivas!, a México y ¡mueras! a Estados Unidos, además de manifestar ese sentimiento antiyanqui que la O'Shaughnessy captaba a la perfección. Aunque en sucesivas proyecciones los empresarios suprimieron las enojosas escenas, tuvieron que acatar el decreto del gobierno que prohibía tanto la exhibición como la producción de cintas que pudieran alterar el orden público.

En 1914 se filmó *Sangre hermana* en escenarios naturales de la región zapatista de Morelos, teniendo como protagonistas a los propios morelenses. Victoriano Huerta la vio en Chapultepec y su exhibición lo entusiasmó pues, a su modo de ver, el público podría atestiguar los "horrores del zapatismo" y saberse a salvo gracias a la valiente defensa de los federales. También se pensó que era una buena propaganda para que muchos dieran su aprobación a la leva.

Con un tono algo patriotero se filmó el documental *La invasión norteamericana. Sucesos en Veracruz*, en abril de 1914. La cinta estaba dividida en tres partes y se exhibió con el propósito de que los mexicanos cerraran filas en cuanto a la política antiestadunidense y engrosaran el ejército federal para oponerse a los invasores.

Después del huertismo, el cine iría atrayendo cada vez más a las masas al cambiar sus tramas que, hasta entonces, habían sido un tanto documentales de la vida social y política. Ahora iban a ser sustituidas por argumentos más elaborados donde empezarían a surgir los primeros actores del cine mudo mexicano.

La exhibición de películas nacionales y extranjeras se hacía en los cines más importantes. Los de la calle de San Francisco: el Pathé, el Salón Art Noveau, el Salón Rubiar, el Salón Verde, el Salón Cinematográfico y el Cine Palacio las habían logrado colocar también en el gusto del público. Un ejemplo lo da este último que, después de haber exhibido con enorme éxito *El hombre amarillo*, por fin presentaba la segunda parte de *Fantomas*: *Jove contra Fantomas*.

En junio de 1913 el famoso teatro Arbeu, instalado en terrenos del templo de San Felipe Neri, en la calle de Uruguay, tuvo que ser acondicionado para dar cabida a un público mayor y proyectar, en un hecho sin precedentes, la "más maravillosa película dramático-histórica que se ha producido en el mundo": *Quo vadis?* de Henryk Sienkiewicz, estrenada al mes siguiente. El acompañamiento musical de la cinta muda estuvo a cargo de la Orquesta Sinfónica del Conservatorio y los boletos se cobraron a precios elevados que fluctuaron entre los 25 centavos, los más económicos, y los seis pesos los más caros.

Así como el cine, el teatro era también el lugar al que la población acudía para disfrutar de los momentos de esparcimiento; no importaba estrato social, para todas las clases había algo al alcance de sus bolsillos. El teatro Arbeu servía para cualquier tipo de espectáculo. Se echaba mano de éste ya fuera para algún concierto, variadas funciones de opereta, diversas reuniones políticas y demás eventos que aglutinaran a un nutrido grupo de personas. Hacia mediados de 1913 se presentó Esperanza Iris con la Gran Compañía de Operetas Vienesas, dirigida por Manuel Gutiérrez, su futuro esposo. Precisamente en los meses de la dictadura huertista la Iris fue consolidando su carrera frente a un público que la adoraba y que en un arrebato de admiración la llamó S. M. la Reina de la Opereta, Esperanza I., y la convirtió en su tiple consentida. Al término de la función de la opereta *Eva* de Franz Lehár, no sólo llovieron aplausos, también flores y serpentinas le fueron tributadas a la Iris, y su camerino quedó atestado de regalos; fehaciente muestra de que su voz, su versatilidad, la redondez de su figura y su sonrisa infantil despertaban cada vez más el cariño del público. En un arrebato de romanticismo algún devoto admirador escribió: El Hado, te dotó de la belleza, / el Arte, te adornó con sus primores, / la Natura, te dio su gentileza, / y su acento los dulces ruiseñores.

La musa tabasqueña arrancaba los suspiros de las damas que querían ser como ella y de los caballeros que la querían a ella. Entretanto, en el teatro Mexicano, la Compañía Villegas Coss presentaba la obra francesa *La llamarada*; para los que gustaban de las tandas, el teatro Lírico ofrecía la zarzuela de moda, *El país de la metralla,* y anunciaba el próximo estreno de *Las mocitas*; el género policiaco estaba representado por el estreno del *Misterio del cuarto amarillo,* en el Colón. En el Principal debutaba el ventrílocuo Gran Fergolino y la Trouppe Ruse, Zíngaros del Cáucaso, que esperaban tener el mismo éxito logrado en las capitales europeas; en tanto que en el teatro Hidalgo se atendía al público que gustaba de los melodramas históricos, y se presentaba *La misa de gallo,* en dos actos. Los empresarios abarcaban una enorme gama de espectáculos que satisfacían a todo tipo de auditorio. Cuando el verano de 1913 estaba a punto de finalizar, en el teatro Colón se presentaba la graciosísima comedia en tres actos *La casta Susana* y la tanda de moda *Sherlock Holmes*; en el Principal, *Las musas latinas*. En octubre este último programó *El vals de las sombras*; en el Mexicano, la función de Moda presentaba *Los reyes del tocino*, sátira en tres actos inspirada en las costumbres del país del Tío Sam, por tan sólo 25 centavos. Variedad de temas, variedad de géneros, variedad de precios. Nada parecía tentar a doña Edith para asistir al teatro.

Realmente ella se perdió también uno de los acontecimientos del año. Por no querer entender las delicias de la fiesta brava dejó de presenciar un espectáculo que desde los primeros tiempos de la conquista española había sentado sus reales en México. Especialmente la temporada 1913-1914, organizada por el empresario Pepe del Rivero, se recuerda como una de las más deslumbrantes de nuestra historia taurina. Tal vez por eso el especial entusiasmo de la gente que asistía en tropel levantando polvaredas en los alrededores de la embajada estadunidense.

El cartel se engalanó con las contrataciones del matador español Juan Belmonte, el Fenómeno de Triana, que tanto hacía por revolucionar dentro del ruedo, y del mexicano Rodolfo Gaona, el Califa de León. Completaron el lucimiento de la temporada el madrileño Vicente Pastor, así como Luis Freg, Don Valor, oriundo de la ciudad de México y Manolo Martín Vázquez. El novillero mexicano Samuel Solís y el diestro gaditano Sebastián Suárez, Chanito, tomaron la alternativa en esa temporada. Durante quince festejos, que abrieron el 2 de noviembre, los diestros hicieron vibrar de emoción al público que los aclamó con entusiasmo desbordante. Las verónicas, los indescriptibles pases y las faenas de muleta de Belmonte produjeron gran asombro y quedaron plasmadas en una película que el público no se cansaba de ver repetidamente en los cines. Gaona no se quedó atrás y en su presentación ofreció una de las tardes más brillantes de su carrera, demostrando su destreza con el capote, las banderillas, la sarga y el estoque; no sólo recibió una oreja sino una de las ovaciones más nutridas de la temporada. Tal vez desde entonces el nombre de sus pases quedó plasmado en las gaoneras, jugoso corte de res, delicia de la cocina mexicana. Entre las ganaderías que destacaron estuvieron La Tarasquilla, Piedras Negras y San Diego de los Padres. Además, la de San Nicolás Peralta, propiedad de Ignacio de la Torre y Mier, socio de la plaza El Toreo, ubicada en el pentágono que desde entonces forman las calles de Durango, Oaxaca, Salamanca, Valladolid y Colima. Su estructura de hierro, importada por

Óscar Braniff, y sus 23 metros de altura eran imponentes; su redondel de 45 metros de diámetro dejaba atrás a cualquiera de sus antecesoras, como la de Bucareli o la de Chapultepec.

El presidente Huerta asistió a varias corridas recibiendo, por supuesto, la dedicatoria de los astados. La destreza de los toreros lo llenó de admiración por lo que agasajó a Gaona, con champaña, en conocido restaurante; a Belmonte le extendió una invitación a su casa, en Tacubaya, para conocerlo personalmente. Después de la cena ambos quedaron recíprocamente bien impresionados, al grado de que Huerta prometió regalarle un estoque hecho con su espada, mismo que el diestro hispano recibió poco tiempo después y pudo emplearlo al confirmar su alternativa en su reaparición madrileña.

Tanta era la afición que los diputados aprehendidos en octubre, para no extrañar la vida en libertad y las corridas de la temporada, trataron de pasarla lo mejor posible y con el mismo ánimo con que emprendían sus actividades políticas se dedicaron a organizar una corrida de toros dentro del penal. Durante algunos días practicaron y elaboraron carteles para anunciar el evento en la plaza de toros "La Libertad", el patio de Lecumberri, donde realizaron el paseíllo y toda clase de suertes, haciéndola de toreros, unos, y de toros, otros.

Aparte de las corridas de toros, los mexicanos asistían a diversos espectáculos. Si bien el futbol y el frontón no eran todavía deportes profesionales sí eran diversiones en las que, junto con las peleas de gallos, el pueblo apostaba hasta la camisa con gran exaltación. Las prácticas de box comenzaron a llamar también la atención entre el público mexicano tan afecto a las distracciones. Los ricos practicaban tenis y en algunas escuelas se comenzaban a organizar partidos de beisbol.

Los miembros de la sociedad capitalina asistían a diferentes sitios para ver y dejarse ver; la Sala Wagner, en la calle de Capuchinas, hoy Venustiano Carranza, era la preferida para que los miembros de las mejores familias mostraran sus aptitudes musicales frente a sus amistades; también las academias de música y los maestros particulares lucían ahí a sus pupilos.

Uno de los paseos predilectos de la estadunidense era Xochimilco, que junto con Ixtacalco daban la bienvenida a las fiestas campestres. Creemos que doña Edith nunca fue a éste último como tampoco asistió a la magnífica celebración del Viernes de Dolores en el Canal de la Viga. Lástima. La última semana santa de su permanencia en México se perdió ese alboroto que iniciaba a las seis de la mañana con el alegre hervidero de gente y el constante transitar de autos y de caballos por la calzada; ora montados por elegantes charros, ora por sencillos rancheros, mientras en el canal navegaban las canoas engalanadas de flores llenas de visitantes. ¿Qué habría hecho si al pequeño Elim le daba hambre? Ahí había toda suerte de antojitos: enchiladas, pambacitos, quesadillas. ¿Por cuál de estas delicias se habría decidido? ¿Le habría comprado un vaso de agua fresca de frutas? El día culminaba con cualquier cantidad de pleitos provocados por los excesos del pulque. Si alguien la enteró de estos desenlaces, quizá prefirió quedarse en casa o asistir a algún lugar más apropiado y tranquilo pues debido a la noticia del "incidente de Tampico" se le quitó el humor para alejarse de la embajada.

El Tívoli del Eliseo era el sitio para la gente bien. Situado aproximadamente en la esquina de Puente de Alvarado y la calle de los Guardas, hoy Insurgentes, era el sitio obligado para los festejos de las colonias extranjeras. Ahí organizaban sus kermesses los estadunidenses para conmemorar el 4 de julio; los franceses, el 14 de julio; los españoles, el 8 de septiembre, día de la Virgen de Covadonga. Su enorme terreno, sembrado de enormes árboles, albergababa también restaurantes, salones de baile, boliches y kioskos de varios tamaños.

El lugar por excelencia para que la aristocracia varonil se apartara del peladaje y ¿por qué no? de sus esposas, era el Jockey Club, lugar al que, por supuesto, Nelson O'Shaughnessy iba de vez en vez. El pomadoso club estaba alojado en la Casa de los Azulejos, que actualmente hospeda a la cafetería Sanborn's de más tradición. El club cubría completamente las necesidades de entretenimiento de esa elite que se resistía a perder sus privilegios, frente a las gavillas de rebeldes norteños que amenazaban con irrumpir de un momento a otro, al igual que los zapatistas que merodeaban en los alrededores. Ahí, en sus lujosas instalaciones, los socios podían apostar fortunas jugando a las cartas, ya fuera poker, whist o baccara; fumar en sus salones y entregarse a la charla política; dormir la siesta en los gabinetes destinados para tal efecto; sumirse en la lectura; concretar sus negocios o establecer alianzas matrimoniales, en tanto paladeaban suculentos platillos de la gastronomía francesa o degustaban finos borgoñas, riojas o burdeos o se deleitaban con champañas Roederer o Veuve Clicquot. Las sesiones del club también podían transcurrir mientras se jugaba billar o boliche, se tomaba un relajante baño esperando que nada desestabilizara esa forma de vida. Podían, incluso, dedicarse al llamado "rodeo", como bien lo narra la autora del libro, para ver pasar damas y damiselas frente al zaguán del club.

El Jockey recibía una subvención de la Secretaría de Hacienda y entre sus directores se encontraban dignos exponentes de los "científicos" porfiristas. Encabezaba la vieja lista Manuel Romero Rubio, el suegro de Porfirio Díaz, y no podía faltar los nombres de José Y. Limantour, Pedro Rincón Gallardo, Guillermo Landa y Escandón, Ramón Alcázar e Ignacio Torres Adalid.

Las actividades del Jockey Club no se limitaban al espacio de su construcción. En julio de 1902 la asociación adquirió una superficie cercana a los trescientos mil metros, con el propósito de construir un hipódromo que sustituyera al antiguo y polvoriento hipódromo de Peralvillo. La construcción del de La Condesa no se inició sino hasta 1908 en un terreno rodeado de vegetación y cercano a las colonias distinguidas del momento. Su inauguración fue en octubre de 1910 y los caballos de los Landa y Escandón, de los Amor, de los Rincón Gallardo arrancaron sobre una excelente pista. Desde las cómodas y elegantes tribunas todos ellos cruzaron los dedos para que sus animales fueran los ganadores del primer derby mexicano. Las damas estaban más preocupadas por saber quién de ellas portaría el mejor atuendo, que atender a las apuestas varoniles. Al llegar los primeros tiempos revolucionarios el hipódromo continuaba sus actividades rutinarias, pero a partir de 1913 su actividad se diversificó y lo mismo había competencias de polo que carreras de autos o motocicletas promovidas por el Club del Automóvil, ubicado en la actual Casa del Lago. Una de éstas se llevó a cabo en abril de 1914, siendo ganador José Ignacio Limantour, Totó, hijo y sobrino, respectivamente, de Julio y José Y. Limantour. Este pionero del automovilismo recorrió en esa ocasión 21 kilómetros (diez vueltas) en diecinueve minutos y 57 segundos; una velocidad promedio de aproximadamente 63 kilómetros por hora. En el Hipódromo de La Condesa se realizaban carreras de caballos dominicales organizadas por diferentes grupos en ocasiones diversas. También servía de marco para eventos políticos como la revista y el desfile militar que presenció Edith O'Shaughnessy.

La inestabilidad política no era obstáculo para que la vida social siguiera su curso y con frecuencia se organizaban bailes, kermesses, five o'clock teas. La señora Emilia Águila de Huerta ya para entonces estaba rodeada por las esposas de los acaudalados miembros de la alta sociedad, y junto con ellas organizaba funciones en beneficio de la Cruz

Roja en el teatro Arbeu. Dolores Barros de Rincón Gallardo, Susana Elguero de García Pimentel, Carmen Sánchez de Algara, le ayudaron a organizar en el Frontón Nacional una fiesta a beneficio de las víctimas de Tacubaya, así como una función a beneficio del semanario *El Alfabeta,* cuyo fin era la instrucción de la población. Señoras de postín que dos años antes no la hubieran volteado a ver, ahora se afanaban por ayudarla.

En enero de 1914 mucha gente pudo admirar por los cielos la veloz figura de un globo aerostático propiedad de Alberto Braniff. Llevando en su canastilla al pintoresco Joaquín de la Cantolla y a su dueño, había despegado en terrenos baldíos del Paseo de la Reforma y aterrizado en Tlalpan. Los espectadores nunca se imaginaron que éste sería el último vuelo de Cantolla, pues, después de la intrépida hazaña, en la quietud de su casa, ese mismo día, le dio un ataque cerebral causándole la muerte tiempo después.

Tanto doña Edith como cualquiera sabemos que la prensa y el presidente habían llegado a un acuerdo para propiciar una atmósfera de calma que favoreciera la paz, y los periódicos bajaron su tono. Si para muchos ese hecho se consideró abyecto en términos políticos, para la gente común y corriente nada hubo más tranquilizante que alejarse indolentemente de los dimes y diretes de la política. Ahora el blanco de los caricaturistas lo presentaban los estadunidenses envueltos en el enojoso asunto del reconocimiento: Woodrow Wilson, presidente de Estados Unidos, William J. Bryan, secretario de Estado, y John Lind, el controvertido agente confidencial, de origen noruego, exgobernador de Minnesota, que nunca entendió o no quiso entender dónde había puesto los pies.

La vida seguía su curso al mismo tiempo que detractores y partidarios de Porfirio Díaz, Madero y Huerta dejaban correr sus plumas en las páginas de los diarios de manera mesurada. Solamente el grupo de los científicos salía muy mal librado en algunas columnas pues lo acusaban de haber corrompido la maquinaria gubernamental de los dos primeros y de hacer intentos por lograr lo mismo con la de Victoriano Huerta. La propia señora O'Shaughnessy nos cuenta que la pluma más adicta y parcial al huertismo fue la de uno de nuestros orgullos dentro de la lírica hispanoamericana, Salvador Díaz Mirón, en el periódico *El Imparcial*. En la capital se dejaba sentir el antimaderismo y una gran mayoría apoyaba el decidido gobierno de Huerta.

Además de los acontecimientos políticos, en los diarios y revistas se veían avisos de todo tipo. Se anunciaba el sorteo de la Lotería Nacional que, en el caso del 16 de septiembre, su premio mayor era de 500,000.00; para la "gente de trabajo" se ofrecía calzado a muy buenos precios: bota oscarin para señora a 3.50, choclo glacé a 4.00, borceguí reforzado a 4.50, choclitos para niño 1.50; la Zapatería del Elefante, en avenida Isabel la Católica, vendía los botines para dama a 7.50 y 8.00, dependiendo el modelo; la compañía National Clothing, ubicada en la 1ª de Santo Domingo hacía trajes de casimir sobre medida desde 19.25 hasta 60.00; en la Gran Sedería, gabardinas para dama desde 22.00 hasta 60.00; corsés a 3.50 en el Puerto de Veracruz; en la calle de Tacuba se conseguían roperos de dos lunas a 85.00, y tocadores de encino a 45.00.

Los fonógrafos Phrynis se vendían en la avenida 5 de Mayo, en la Nysssen Raphael y Cía., a 30.00 con todo y una dotación de tres discos dobles Odeón de 10" y 500 agujas; en la avenida 16 de Septiembre se conseguían las máquinas de escribir Oliver; en la calle de Hombres Ilustres, frente a la Alameda, la agencia de Inhumaciones P. Leyendecker ofrecía entierros desde 5.00 más el servicio de ferrocarril, en caso de ser necesario; los teléfonos que la funeraria Eusebio Gayosso ponía a las órdenes del público eran el Ericsson 836 y el Mexicana 1006, por si alguien quería informes de Recaudación de Panteones, Cajas Mortuorias o un servicio fúnebre en sus instalaciones de la calle de Mariscala 3.

La Flor de México, en Capuchinas y Bolívar, se anunciaba como la mejor dulcería y pastelería de la capital; y el remedio Wilson contra las chinches se podía adquirir en la Droguería Tacuba, a 30 centavos el frasco o a 3.00 la docena. Esta publicidad y los consejos para prevenir enfermedades mediante la observancia de la higiene, hacen pensar que los problemas de salubridad de la población seguían siendo apremiantes.

Se anunciaba la Emulsión de Scott para las personas pálidas y el tónico reconstituyente Quina Laroche. Médicos ingleses, alemanes y mexicanos garantizaban la cura de gonorrea, impotencia, esterilidad, reumatismo, problemas de la sangre, comezón. Todos competían con sus diferentes métodos e incluso los ingleses ofrecían 500.00 oro por cada padecimiento que su silla eléctrica no aliviara. También con electricidad, otros curaban las arrugas de la cara. Por su parte los oculistas ofrecían enderezar en dos minutos los ojos bizcos con un nuevo método; también alentaban la cura de la vista empañada, la caída de párpados y la comezón; una buena oferta de anteojos rebajaba los de 6.00 a 2.95; los dentistas anunciaban las dentaduras sin paladar. Algunos, seguramente charlatanes, prometían el crecimiento del busto; un infalible método para engordar; y 1,000.00 si el tratamiento Crystolis contra la calvicie no funcionara.

Las páginas femeninas de los periódicos aconsejaban el peinado idóneo para las mujeres: cabello levantado para las de frente estrecha; flequillo de rizos para las frentes amplias; raya en medio para ocultar sienes con entradas pronunciadas; peinados simétricos para las féminas de nariz aguileña; a las de nariz corta se les recomendaba peinarse en aparente desorden con una "aigrette" o una flor adornando su cabellera. Se les cuestionaba ese afán quimérico por obtener la igualdad. ¡Imposible lograrlo debido a su innata fragilidad! Muchos opinaban que la mujer estaba envenenada por esa idea y, en consecuencia, quería alejarse del sufrimiento propio de su sexo, para dejar de ser el "ángel del hogar", y no comprendían por qué la mujer se negaba a "pasar por la vida como una visión de gracia y de esperanza". Si llegara a conquistar la igualdad algún día, advertían los conservadores recalcitrantes, podría matar "el amor de aquél de quien su corazón no puede prescindir a pesar de sus aspiraciones de virilidad". Los autores de esos artículos seguramente se referían a la injerencia de las mujeres de clase media en la vida pública y a su creciente participación en movimientos sociales, permitida desde tiempos porfiristas.

En otros temas el señor Crisóforo B. Peralta, de 28 años y diputado a la legislatura de Veracruz, dio a conocer, en una entrevista, los pormenores de su hallazgo, el pozo petrolero Potrero del Llano, mismo que acababa de dar en arrendamiento a la Compañía Petrolera El Águila y cuya producción era de cien mil barriles diarios y no de diez mil como se creía. Los servicios urbanos no funcionaban lo bien que la población hubiera querido. No podían faltar las quejas contra la Compañía Mexicana de Luz que no rendía cuentas de los depósitos hechos por los consumidores y tampoco entregaba los recibos correspondientes, establecía contratos leoninos y hacía cortes de energía a su antojo; la consideraban la suegra del pueblo mexicano por sus actos inmorales y en una manifestación de obreros estaban dispuestos a demostrar que podían ser más fuertes que la Compañía de Luz.

Algunas columnas periodísticas comentaron el intento de un grupo de hacendados morelenses por echar a andar un proyecto que favoreciera la inmigración japonesa con el propósito de surtir mano de obra a sus devastados campos de cultivo, aprovechando las buenas migas que se habían establecido entre los gobiernos de México y Japón.

Afortunadamente se comenzó a generar animadversión ante la posible invasión de campesinos nipones viendo que podría existir el peligro de que las cosas desembocaran en un problema similar al de Texas en el siglo anterior. En alguna de las pláticas entre doña Edith y don Luis García Pimentel ¿le hablaría éste de sus haciendas azucareras en Morelos?, ¿le comentaría que él era uno de los promotores del asunto?

Si a asuntos absurdos nos vamos ¿por qué no comentar el del Fondo Piadoso de las Californias? Madame O'Shaughnessy estaba muy orgullosa de que su marido hubiera podido cobrar dos de las anualidades correspondientes al pago de dicho Fondo. Mientras Nelson recogía el dinero ella lo esperó en el auto. Mientras veía los tranvías eléctricos y los árboles del Zócalo, ¿cuántos niños harapientos y mugrosos pasarían frente a ella? Seguramente en medio del bullicio callejero habría dulceros vendiendo alfajores a seis centavos, yemitas acarameladas a tres y huevos reales y macarrones de leche a un centavo y los pregoneros gritarían: mercarán chicuilotitos vivsss; cabeeeeezas calieeeentes de hornoooo; tieeerra pa las macetaaaaas; mercarán paaaaaats. Pero volviendo al Fondo, estamos casi seguros de que la dama ni siquiera se imaginaba que el dinero, que pronto iba a custodiar celosamente a su salida de la capital, eran producto de uno de los más largos, espinosos e injustos asuntos diplomáticos que se han suscitado entre su país y el nuestro. Su información se quedaba corta, y tal vez no estuviera enterada de que ese Fondo perteneció a México desde que fuera organizado por los padres jesuitas Kino, Salvatierra y Ugarte en el siglo XVII, y que con las donaciones de las personas más acaudaladas del virreinato los jesuitas pudieron mantener varias misiones en aquellas alejadas regiones. Tras los vaivenes de nuestra vida independiente, y de algunas peripecias inherentes al Fondo, vino la guerra de 1847 y al firmarse el Tratado de Guadalupe Hidalgo se daba por terminado todo tipo de reclamaciones originadas antes de su firma. No obstante lo inadmisible que pareciera, en 1859, los obispos californianos de Monterey y San Francisco, Thadeus Amat y Joseph Alemany, iniciaron una amañada querella para apoderarse del Fondo Piadoso que ya para entonces ni siquiera existía. Ellos presentaron ante el gobierno de Estados Unidos una reclamación contra el gobierno de México, solicitando el apoyo para exigir el pago por los réditos del Fondo que reclamaron como suyo, a partir de 1842. Tras dos Arbitrajes Internacionales, La Haya sentenció a México, en 1902, a pagar una cantidad por anualidades vencidas, así como el pago a perpetuidad de 43,050.99 en moneda de curso legal, cada 2 de febrero. Lejos estaba Edith O'Shaughnessy de imaginarse que el problema no terminaría hasta 1967, cuando el presidente Gustavo Díaz Ordaz logró cancelar la reclamación y dar un pago concluyente de 716,546.00 dólares.

Era obvio para la estadunidense que la dictadura huertista estaba apuntalada por el dinero y por los intereses de banqueros, grandes comerciantes, hacendados, clero y por el ejército federal de mandos exporfiristas. Es decir, la clase alta, en su mayoría. Pero ¿se daría cuenta de que Huerta trataba de atraer a las clases populares urbanas para reforzar su gobierno? ¿Se enteraría que mientras ella estaba en Europa, el dictador intentaba granjearse a los obreros? Y que éstos salieron beneficiados pues con tal propósito, aparte de reglamentar las jornadas laborales de mujeres y niños, se les autorizó para que el primero de mayo realizaran la primera celebración del día del trabajo. Entusiasmadas, algunas sociedades obreras organizaron diversos eventos. La manifestación que salió del Zócalo recorrió las calles de Plateros, Profesa y San Francisco, hasta el Hemiciclo a Juárez; en ella se distinguieron Antonio Díaz Soto y Gama, Rafael Pérez Taylor, quienes una vez en el monumento al prócer liberal no perdieron oportunidad de hacer uso de la palabra, aprovechando el espacio que les abría el nuevo gobierno. El contingente se encaminó a la cámara de diputados e hizo la entrega de un pliego petitorio solicitando que la jornada obligatoria de trabajo fuera de ocho horas, una ley para reglamentar las indemnizaciones por accidentes y que fuera tomada en consideración la personalidad jurídica del obrero. Un mitin tuvo lugar en el teatro Arbeu y por la tarde hubo festejos en Balbuena y en el Tívoli del Eliseo para gozo y disfrute de los trabajadores. ¿Le comentaría su esposo a doña Edith que el descanso dominical fue otorgado a los trabajadores también para ganárselos? Estos grupos expresaron su agradecimiento en otra concentración frente a Palacio Nacional, y aunque no muy convencidos de que el día de descanso de labores fuera ocupado ahora por la instrucción militar, la multitud se disolvió en perfecto orden.

¿Alguna vez con sus amigos diplomáticos, doña Edith intercambió pareceres respecto a la instrucción militar? Si es que en algo les importaba que esa educación se propusiera reforzar a los combatientes del ejército federal en contra de las grandes piedras en el zapato del huertismo. Ya fuera frente a los rebeldes o frente al propio ejército estadunidense, el ejército federal tenía que estar preparado. Tal vez la señora O'Shaughnessy no sabía que aparte de los obreros también se había echado el ojo a lo más granado de la juventud, y qué mejor que los alumnos de la Escuela Preparatoria para ser incluidos en el proyecto de reforzar al ejército. A esas prácticas militares seguramente acudieron algunos integrantes de la después famosa generación del 15. A pesar del descontento que muchas familias de clase media pudieran tener con la presencia de Huerta en el poder, siguieron enviando a sus hijos a la Escuela Preparatoria, ante la imposibilidad de pagar alguna institución privada que tuviera el alto nivel de ésta.

Por hallarse en el extranjero, seguramente la O'Shaughnessy no supo que con los alumnos de más edad se formó un escuadrón de caballería y con los menores la banda y el cuerpo de zapadores; la infantería estaba constituida por los sumisos "perros". En un principio las prácticas no fueron más que marchas alrededor de los corredores del viejo Colegio de San Ildefonso, pero a partir del mes de agosto de 1913 los alumnos recibieron entusiasmados sus primeros máuseres para practicar en los llanos de San Lázaro. Poco a poco se acostumbraron a su uso y a su peso; al dominar su manejo también se sintieron capaces de derrotar a cualquier enemigo; así lo demostró la gallardía con la que desfilaron ese lluvioso 16 de septiembre enfundados en sus uniformes de paño verde y sus gorras a imitación de las que usaban los oficiales balcánicos.

Además de la instrucción militar se contemplaron otras actividades. En abril de 1913 el aeródromo de Balbuena fue el escenario para las primeras pruebas del lanzamiento de bombas aéreas por si se llegara a presentar el momento de utilizarlas. Bajo la supervisión del general Manuel Mondragón, ministro de Guerra, Miguel Lebrija, el millonario que tanto hizo por la aviación mexicana, piloteando el avión Deupperdussin de 80 caballos de fuerza, equipado con bombas Martín Hale, sobrevoló muy de mañana el aeródromo para arrojar los proyectiles desde una altura de 300 metros. El exitoso experimento fue presenciado además del ministro de Guerra por los generales Félix Díaz y Aureliano Blanquet, por los pilotos aviadores hermanos Aldasoro y por un selecto grupo que felicitó efusivamente al intrépido piloto.

Muchos fueron los apoyos que Victoriano Huerta recibió cuando diferentes grupos pensaban que él podía enderezar la ruta que Madero había desviado. Entre ellos el de la Iglesia católica que se sintió vulnerable frente a la amenaza de los grupos rebeldes. El arzobispo José Mora y del Río llegó a prestar dinero al gobierno para cubrir el pago del ejército federal. En un principio los católicos pretendieron llevar a cabo su programa de acción social, pero diferentes intereses, sus propias contradicciones internas y la insistencia en imponer un candidato del Partido Católico a la presidencia, los llevaron a un distanciamiento con el mandatario.

Por su parte, los estudiantes de la Escuela Libre de Derecho felicitaban al dictador por asumir una actitud patriótica y digna ante el gobierno estadunidense; además exhortaban a todos los mexicanos a unirse y cerrar filas con el propósito de sostener la dignidad nacional.

Así como en febrero recibió la aceptación de la cámara de diputados y la de senadores, en agosto y septiembre de 1913 el gobierno de Huerta continuó recibiendo adhesiones. También le cayó de perlas un préstamo de los banqueros y hacendados de Michoacán, así como el apoyo de todas las filiales de la Cámara de Comercio de la República; la Confederación Nacional Fabril Mexicana ofreció la aportación de dos mil pesos diarios para el establecimiento del tránsito ferrocarrilero entre Torreón y México que facilitara el traslado de las materias primas de la comarca lagunera.

Los Caballeros Templarios Mexicanos se dirigieron a Huerta para decirle muy almibaradamente que siempre estarían donde se hallara el hombre patriota y honrado que les diera la paz, la justicia y la libertad constitucional; igualmente hacían hincapié en que debido a los procedimientos patricios y enérgicos aplicados por su gobierno se había enaltecido y agigantando el cariño de los buenos ciudadanos. A las claras se veía que esos "caballeros" bien podían estar de acuerdo en que el fin, la paz, justificaba los medios, la dictadura. Para ellos el intento democrático maderista sólo había traído el desconcierto, y había que erradicarlo. Pensamiento no muy alejado del que tenía la esposa de Nelson O'Shaughnessy. Para muchos era mejor Huerta que el caos que se avecinaba, si resultaban vencedores los constitucionalistas.

Doña Edith conocía a Nemesio García Naranjo y a Federico Gamboa como miembros del gabinete de Huerta. ¿Sabría ella que pertenecían al Ateneo de México? ¿Habría oído hablar de esa ilustre agrupación? ¿Intuiría que sus conocidos, junto con otros sesenta y siete más, serían considerados como las grandes glorias intelectuales de México? Por su silencio es casi seguro que no; y mucho menos que estuviera al tanto de que uno de los principales integrantes era el gran humanista hispanoamericano Pedro Henríquez Ureña, originario de República Dominicana, y en ese entonces radicado en nuestro país.

Doña Edith habría estado complacida de saber que en México

no todo era lucha de facciones y que en medio de ellas los ateneístas invertían todos sus esfuerzos en consolidar instituciones que pudieran mantener a salvo la nación, mediante la constante renovación de la cultura. Le habría gustado saber que en la Escuela Nacional de Altos Estudios los integrantes del Ateneo procuraban la enseñanza de nuevas tendencias ideológicas y daban preferencia a las disciplinas humanísticas por encima de las científicas; que 1914 era el segundo de labores y ya casi el quinto de existencia del plantel, y la devoción de los ateneístas por la cultura se intensificaba cada vez más en esos tiempos en que la revuelta norteña sólo presagiaba agitación. Por sus oídos tal vez nunca pasaron los nombres de algunos encargados de la docencia como Alfonso Reyes, Jesús T. Acevedo, Luis G. Urbina, Mariano Silva y Aceves, Henríquez Ureña, Federico Mariscal, Antonio Caso y Ezequiel A. Chávez. Menos aún el de alumnos como Antonio Castro Leal, Manuel Toussaint, Alberto Vázquez del Mercado, Xavier Icaza, Vicente Lombardo Toledano, Manuel Gómez Morin.

Ese grupo ateneísta no se dispersó con el huertismo. Por el contrario. Si bien hubo una división entre sus miembros ya que algunos, como Vasconcelos, Fabela, Pani y Guzmán, fueron seducidos por el constitucionalismo, otros más se inclinaron por el huertismo e incluso llegaron a colaborar con él, en un afán de politizar su proyecto cultural. Tal es el caso de Gómez Robelo, procurador de Justicia; González Martínez, subsecretario de Instrucción Pública; Lozano y García Naranjo, secretarios de Instrucción Pública; Rafael López, secretario de Lozano; Acevedo, Director de Correos; Torri, secretario del anterior. Desde estas posiciones trataron de elaborar reformas del sistema educativo. Eminentes miembros del Ateneo dirigieron durante el huertismo los tres principales reductos educativos del país: Ezequiel A. Chávez fue rector de la Universidad Nacional; Antonio Caso, director de la Escuela Nacional de Altos Estudios; y Genaro García, director de la Escuela Nacional Preparatoria. En esta última se comenzó a dar un giro al enfrentarse al positivismo de Gabino Barreda, su fundador, y se dieron los pasos para igualar las ciencias con las humanidades. Trataron de inculcar nuevos ideales basados en la enseñanza de una cultura moral, estética e histórica, para lo cual Henríquez Ureña anunció la creación de la Facultad de Filosofía y Letras donde se podrían impartir tales disciplinas.

A los pocos días de su regreso a México la señora O'Shaughnessy, después de una prolongada ausencia, quizá no se enteró de que el 14 de octubre se había efectuado el nombramiento del nuevo rector de la Universidad Popular, fundada el año anterior por los ateneístas. Para asumir el cargo Alfonso Pruneda dejó la dirección de la Escuela de Altos Estudios, y Federico Mariscal fue el vicerrector.

Los integrantes del Ateneo instituyeron largos ciclos de conferencias sobre temas diversos, donde intervenían tanto maestros como alumnos: Mariscal hablando de arquitectura; Castellanos de arqueología; Pruneda y otros de higiene sexual; de literatura, Caso, Castro Leal y Toussaint; de pequeñas industrias, Francisco M. Ortiz; Guillermo Zárraga de historia del arte; de civismo, Torres Quintero; y de historia patria, Ramos Pedrueza. En otro momento organizaron actividades musicales y exhibiciones cinematográficas. Entre el público asistente lo mismo había obreros, estudiantes, empleados, comerciantes y uno que otro profesionista.

La Librería Biblos, de Francisco Gamoneda, brindaba su total apoyo al ciclo de pláticas del Ateneo. Entre finales de noviembre de 1913 y mediados de enero de 1914 sobresalieron algunos conferencistas: Luis G. Urbina, disertando sobre literatura; Ponce, sobre música; Caso, sobre filosofía; Henríquez Ureña, sobre Juan Ruiz de Alarcón, que por su brillante exposición fue sacado en hombros; y Federico Gamboa, sobre novela mexicana. A este ciclo asistió toda clase de público: los huertistas, los que no tomaban partido, al igual que los simpatizantes del constitucionalismo y, por supuesto, casi todos los ateneístas. Alfonso Reyes, ya en el autoexilio se enteraba, por carta de Acevedo, que el Ateneo seguía trabajando y obteniendo triunfos en su lucha por la cultura. El impasse de calma que se vivió durante el huertismo permitió la acción de los ateneístas; ellos y muchos más se dejaron llevar por la "tanteada" de Huerta y creyeron ver en su gobierno un intento restaurador del viejo régimen porfirista. Desde la Secretaría de Instrucción Pública, García Naranjo se proponía la restructuración de la escuela primaria para tratar de incluir a la población rural y alejarla de la marginación; apoyaría también a la Escuela Preparatoria y a la Universidad para elaborar una revisión de planes. A la caída de Victoriano Huerta, la mayoría de los integrantes del Ateneo optó por salir de México. Los que cometieron el imperdonable error político de formar parte de la facción derrotada, lo hicieron por razones obvias; los que permanecieron al margen de la política, en un destierro voluntario. Otros más se decidieron por un exilio interior, confiados en que sus alumnos habrían de tomar la estafeta cultural.

En esta época la pintura mexicana estaba por crear su propia revolución. Bajo la dictadura de Huerta se fundó la primera Escuela de Pintura al Aire Libre, dependiente de la Escuela de Bellas Artes, institución dirigida por el pintor regiomontano Alfredo Ramos Martínez. En un principio la escuela de pintura se estableció en Santa Anita, Ixtapalapa; su propósito era apartarse del academicismo decadente y dotar a la pintura de un impulso creador más vivo. José Clemente Orozco fue uno de sus integrantes, aunque después se alejó de ella, incluso, satirizándola. Posteriormente salieron de esa escuela importantes exponentes del arte en nuestro país.

Uno de los artistas que prepararon el camino del cambio fue el ateneísta aguascalentense Saturnino Herrán. Con las herramientas que le habían heredado, respectivamente, Germán Gedovius y Antonio Fabrés en materia de pintura y de dibujo, de manera aislada, fue adquiriendo un sello personal alejado de la temática y la técnica academicista. En 1913, a sus 26 años, trabajó en obras que ahondaban en lo mexicano: *El jarabe, La ofrenda,* quizá una de sus obras más famosas, *De feria* y *Los forjadores*. El siguiente año, atendiendo a una convocatoria de la Academia de San Carlos, Herrán comenzó a trabajar en el boceto de la obra que muchos opinan fue la más ambiciosa de su vida. Concebida para decorar un friso, *Nuestros Dioses,* título del mural, abordaba el tema de la fusión de la raza indígena y de la hispana, y en esto Herrán se anticipó a otros pintores que posteriormente desarrollarían el mismo asunto. Dicho sea de paso, el proyecto no se llevó a cabo. De ese mismo año son *El gallero, El último canto, El bebedor* y *La tehuana,* otro de sus lienzos más socorridos para dar a conocer su pintura.

Durante la dictadura de Huerta, la vida cotidiana de la ciudad de México volvió a gozar de una calma que casi hacía pensar a sus habitantes que las glorias de la paz porfiriana estaban aún presentes. Pese a las críticas que se le hacen a este gobierno habrá que admitir que en él, la cultura tuvo cabida y hubo un espacio para las artes y el entretenimiento. No en balde muchas familias acomodadas permanecieron hasta el último momento, en la esperanza de recobrar su patrimonio y su lugar privilegiado en la escala social. Desde que la intervención fue un hecho consumado y, más aún, una vez que la renuncia de Huerta fue conocida, muchas personas escogieron el camino del exilio y los que permanecieron en la capital fueron víctimas de la zozobra ante el horizonte carrancista, villista y zapatista.

Edith O'Shaughnessy salió de la ciudad de México tras el rompimiento de relaciones diplomáticas, al saberse las noticias de la invasión. A la muerte de su esposo Nelson, en 1928, decidió radicar en Viena y allí permaneció más de diez años. Poco tiempo después de haberse mudado a Nueva York, murió allí en 1939, a la edad de 69 años. Su hijo Elim, nacido en Berlín, en 1907, siguió la carrera diplomática al igual que su padre. Antes de narrar los difíciles momentos del periodo huertista, la señora O'Shaughnessy ya había escrito *Días diplomáticos*, y en éste rescató los años del porfiriato. Su interés por nuestro país no decreció y fue así como, posteriormente, escribió, entre otros temas, *Páginas íntimas de la historia de México*. La publicación del libro que nos ocupa, en 1916, levantó manifestaciones tanto de protesta como de aceptación por la crítica al gobierno de Wilson; Nelson O'Shaughnessy tuvo que renunciar ante el congreso, no sin antes expresar su desacuerdo con la política del presidente de Estados Unidos hacia México. Esa estadunidense enamorada de México siempre lamentó el desorden y el caos que afligieron a la capital de la república y a nuestra nación luego de la caída de Victoriano Huerta.

Silvia L. Cuesy

BIBLIOGRAFÍA

Así fue la Revolución Mexicana, Secretaría de Educación Pública, México, 1986.
Alberto Barranco Chavarría, *Crónicas de la ciudad*, Clío, México, 1999.
Emmanuel Carballo, y José Luis Martínez, *Páginas sobre la ciudad de México, 1469-1987*, Consejo de la Crónica de la Ciudad de México, México, 1988.
Gustavo Casasola, *Seis siglos de historia gráfica de México*, Gustavo Casasola, México, 1978.
—, *Historia gráfica de la Revolución mexicana*, Trillas, 1973.
Silvia Cuesy, *El Fondo Piadoso de las Californias*, mecanoscrito, 1989.
Fernando Curiel, *Paseando por Plateros*, Martín Casillas, México, 1982.
—, *La revuelta: interpretación del Ateneo*, Instituto de Investigaciones Filológicas de la Universidad Nacional Autónoma de México, México, 1999.
Victoriano Huerta, *Memorias*, Vértice, México, 1957.
Alfonso de Icaza, *Así era aquello/Sesenta años de vida metropolitana*, Botas, México, 1957.
Salvador Novo, *Historia gastronómica de la ciudad de México*, Porrúa, México, 1979.
Edith O'Shaughnessy, *Huerta y la Revolución vistos por la esposa de un diplomático en México*, traducción, prólogo y notas Eugenia Meyer, Diógenes, México, 1971.
Guillermo E. Padilla, *Historia de la plaza El Toreo, 1907-1968*, s.e., Monterrey, 1970.
Jeannette Porras, *Hipódromo Condesa*, Clío, México, 2001.
Aurelio de los Reyes, *Medio siglo de cine mexicano (1896-1947)*, Trillas, México, 2002.
Edgar Tavares López, *Colonia Roma*, Clío, México, 1998.
Bertha Tello Peón, *Santa María la Ribera*, Clío, México, 1998.
Zapett Tapia, *Saturnino Herrán*, Consejo Nacional para la Cultura y las Artes, México, 1998.
Antonio Zedillo Castillo, *El Teatro de la Ciudad de México Esperanza Iris*, Departamento del Distrito Federal, México, 1989.

HEMEROGRAFÍA

La voz del pueblo, 1 de junio-agosto de 1913.
El Mundo Ilustrado, julio-diciembre de 1913.
El Heraldo Nacional, octubre de 1913-enero de 1914.
México-Patria, diciembre de 1913-enero de 1914.
El Mundo Ilustrado, enero-junio de 1914.
El paladín, 1 de enero-agosto de 1914.

Prefacio

Aun cuando los acontecimientos registrados en estas cartas son conocidos por todo el mundo, tal vez adquieran otra significación vistos a través de los ojos de alguien que ha amado a México por su belleza y ha llorado por los desastres que lo han sacudido.

Todavía no ha llegado el momento para hacer una historia completa de los acontecimientos que condujeron a la ruptura de relaciones diplomáticas, pero después de pensarlo mucho he decidido publicar estas cartas. Fueron escritas a mi madre, día tras día, siguiendo una costumbre de muchos años, para consolarnos, a ella y a mí, de nuestra separación y sin pensar en publicarlas. A pesar de sus omisiones, podrán arrojar alguna luz sobre las dificultades de la situación en México, que hemos hechos nuestras y que todos los estadunidenses desean ver resueltas de tal forma que se dé testimonio de la firmeza de aquellas cualidades que nos hicieron grandes.

Victoriano Huerta, figura central de estas cartas, ha muerto, y con él muchos otros, pero la tragedia de la nación continúa. Es por eso que, por encima de cualquier ideología de partido o conveniencia personal, ofrezco esta sencilla crónica. El libro mexicano aún está abierto, las páginas que acaban de volverse están manoseadas y ensangrentadas. Se están escribiendo capítulos nuevos e importantes para nosotros y para México y yo lamentaría eternamente que me faltara el valor para escribir mi pequeña contribución.

Hoy hace dos años que se interrumpieron las relaciones diplomáticas entre los dos países. Hace ya más de dos años que los constitucionalistas encabezados por Villa y Carranza recibieron nuestro pleno apoyo moral y material. El resultado ha sido una expedición punitiva enviada a México para capturar a Villa, así como establecer relaciones inciertas y poco satisfactorias con el hostil gobierno de facto de Carranza. En cuanto el hermoso México, sus industrias están muertas, sus tierras baldías, sus hijos e hijas en el exilio, o pasando hambre en la "tesorería del mundo". Lo que ofrezco a continuación —y no es fácil hacerlo— va con una trémula esperanza de servicio.

Edith Coues O'Shaughnessy
The Plaza, Nueva York, 23 de abril de 1916

I

Llegada a Veracruz. El señor Lind. Visita a los barcos de guerra. Llegamos a la ciudad de México. El segundo coup d'état *de Huerta. Una recepción de seis horas en la legación china. Búsqueda del dictador toda una tarde.*

Adorada mamá, ya habrás visto por los cables en tu *Herald* de París que Elim y yo llegamos a Veracruz ayer, sanos y salvos, y esa misma tarde partimos hacia el altiplano en el automóvil presidencial, puesto a disposición de Nelson desde la noche anterior a nuestra llegada.

Fue un día largo. Todos nos habíamos levantado al amanecer y caminábamos por la cubierta o nos asomábamos por la borda del barco, algo inquietos frente a la incertidumbre que en México estamos a punto de compartir. Alrededor de las seis empezamos a distinguir las torres de Veracruz y el Pico de Orizaba; rivaliza con las más hermosas imágenes del Fujiyama al mostrar su cabeza de ópalo por encima de un banco de nubes oscuras y tormentosas. Un mar cálido y gris rompía sobre los escollos a la entrada del puerto, y las palmeras solitarias de siempre se veían sobre la Isla de Sacrificios. Al pasar entre dos grandes buques de guerra grises, justo frente a la boca del puerto, no pude evitar un pequeño estremecimiento ante la advertencia que representaban. En el muelle se apiñaban los inolvidables y pintorescos indígenas vestidos de blanco, con sombreros de copa muy alta, que inmediatamente hacían pensar en el invariable misterio de México.

Por fortuna, como el cielo estaba ligeramente nublado, el intenso calor había disminuido, y aún así no era día para pensar en lucir ropas y atuendos: tanto la cara como las ropas de todos estaban grises y alicaídas. Nelson llegó cuando estábamos bajando al muelle, porque su tren se había retrasado. Su cara fue la última que descubrimos entre los diversos funcionarios que iban y venían durante el incómodo remolque del *Espagne*. Como sabes, hemos estado separados desde hace ocho meses. Fui la primera de los pasajeros que dejó el barco, y como no teníamos que pasar por las formalidades migratorias, rápidamente dejamos atrás el pequeño cobertizo húmedo, semejante a un caldero, que era la aduana donde estaban a punto de extorsionar a los pasajeros acalorados y agitados. Subimos a un carruaje destartalado cuya cubierta posterior volaba al viento y atravesamos la arena hacia el hotel Terminus, donde se alojan los Lind. Las fascinantes casitas color de rosa con sus coquetos balcones verdes eran como las de antaño, pero el brillo y color del trópico parecían haber desaparecido bajo el cielo cálido y gris.

El hotel Terminus sigue siendo el mismo horror de moscas, pulgas e incomodidad en general, aunque el ancho corredor de arriba, sobre el que se abren los dormitorios, estaba bastante limpio. Finalmente nos llevaron a una sala grande donde esperaba la señora Lind. Después de los saludos me desplomé en una mecedora. Un gran ventilador eléctrico, junto con la brisa de la ventana que miraba hacia el mar, restauraron un poco mi energía.

A los pocos minutos apareció el señor Lind, en mangas de camisa y sombrero Panamá (supongo que llevaría otras cosas además, pero eso es lo que recuerdo), y me impresionó muchísimo. Al parecer es un hombre de innumerables capacidades naturales y de un gran magnetismo: alto, delgado, de cabellos muy claros, inconfundiblemente escandinavo, con los ojos azules azules de los noruegos bajo cejas rectas. Puedo imaginar fuego detrás de esa fachada nórdica. La conversación se inició con observaciones conciliatorias y sonrientes, como acostumbran los expertos en cualquier situación cuando se encuentran por primera vez. Lo encontré muy agradable. Incluso su aspecto y actitud tenía algo parecido a Lincoln. Pero su entrada en el escenario mexicano fue bastante abrupta y, como el ambiente le era del todo desconocido, por supuesto, hubo algunas fricciones. Mientras lo miraba no podía alejar de mi mente aquello de "verter vino nuevo en odres viejos" y todo el resto del texto bíblico.

Los Lind, que tienen una hermosa casa en Minneapolis y otra "sobre el lago", están aceptando las cosas tal como las encuentran, con aire de "todo por el bien de Estados Unidos y para disciplinar a México". Pero de todos modos, lo difícil es residir en el Terminus y tener que caminar tres veces al día a lo largo de las ardientes calles hasta llegar a otro hotel para conseguir una muy dudosa comida.

El hotel Diligencias, donde almorzamos, está más adentro de la ciudad, tiene menos moscas, está un poco más limpio y mucho más caliente. En un día como ayer, en cuanto uno se aleja de la brisa del mar da lo mismo pensar que uno está en Veracruz o en el Hades. El Diligencias es el hotel al que De Chambrun atribuye la famosa historia de cuando la camarera de su mujer volvió a la recámara por algo que había olvidado y encontró a los sirvientes que habían quitado las sábanas de las camas y las estaban planchando en el suelo para los siguientes huéspedes *sans autre forme de procès*.* La comida fue agradable, con el acostumbrado menú de huachinango, pollo y arroz, aguacates y helado tibio, servido con un acompañamiento de suposiciones sobre la política mexicana. Después nos lanzamos a la calle desierta y abrasadora (toda la gente decente estaba dedicada a la siesta), y de regreso al hotel Terminus, nos sentíamos agotados.

A las cuatro vino el teniente Courts para conducirnos al buque insignia *Louisiana*, y pedimos a Hohler, el *chargé*** británico que estaba en Veracruz esperando la llegada de sir Lionel y lady Carden, que fuera con nosotros. El almirante Fletcher y sus oficiales estaban esperando a Nelson junto al pasamanos y, mientras subíamos, la banda tocaba el bienamado himno nacional. Estuvimos allí alrededor de una hora, que nos pareció demasiado breve, sentados en la cubierta pulquérrima donde soplaba una brisa deliciosa. El tiempo pasó en una acalorada conversación con el almirante Fletcher sobre la situación. Él es un hombre encantador e inteligente, tiene ojos oscuros y sinceros y expresión seria y atenta, todo en armonía con su impecable uniforme blanco. Se sirvió champaña y se hicieron brindis. Elim fue llevado a pasear por el barco, acompañado por uno de los oficiales menores, después de echarme una mirada que indicaba la magnitud de su aventura. Después de cálidos apretones de manos y expresiones de buenos deseos nos marchamos, y Nelson recibió su saludo de once cañonazos. Los ojos se me llenaron de lágrimas. "¡Oh mi tierra! —pensaba—, ¡oh hermandad!", pero Elim en tono de susto preguntó: "¿Por qué le están disparando a papá?".

A continuación fuimos al *New Hampshire* a saludar al capitán Oliver. Hubo más brindis e intercambio de expresiones amistosas. Los retratos del santo padre y de otros prelados que he conocido daban un toque familiar al camarote del capitán Oliver. Después, en el maravillo-

* sin otro tipo de proceso *(N. de la T.)*

** chargé d'affaires: encargado de negocios *(N. de la T.)*

so crepúsculo tropical, la lancha de vapor nos llevó velozmente de regreso a la ciudad, donde apenas tuvimos tiempo de recoger en el Terminus nuestras pertenencias y a la criada, y bajar a la estación. El señor Lind nos despedía con la mano mientras el tren echaba a andar. Debo decir que su personalidad me ha cautivado.

Nuestro tren, precedido por uno militar, era muy lujoso. No faltaba ninguna de las comodidades de casa, desde el menú completamente estadunidense hasta los camareros de color con uniforme blanco, todo a expensas del pobre Huerta que está en quiebra. ¡Apenas probé bocado pensando en ello!

Tuvimos una noche tranquila mientras ascendíamos ágilmente por esas encantadoras laderas; por las ventanas entraba un aire cálido, perfumado y exótico. Al amanecer, conteniendo el aliento, miré hacia afuera y vi de nuevo esos incomparables picos color de rosa: el Popocatépetl y el Iztaccíhuatl, imperturbables guardando el hermoso altiplano, indiferentes a los desórdenes del hombre.

En México, el capitán Burnside y el personal de la embajada estaban esperándonos en la estación, y en un momento me encontré de nuevo recorriendo esas calles familiares y llenas de vida; los indios de siempre, inexpresivos y silenciosos, ocupados en sus sencillos asuntos. La embajada es una casa enorme —de piedra gris almenada, estilo castillo del Rin— afortunadamente bien acondicionada para los Lind por una administración complaciente. Sopla un aire de malestar que no presagia nada bueno. Los Lind sólo estuvieron aquí diez días, y me parece improbable que regresen algún día. Él es un hombre muy sensato, y sabe que aquí, como en todos lados, hay lugar para muchos hombres pero sólo una *maîtresse de maison*.*

Ahora tengo que ponerme a trabajar. Quiero mover todo el mobiliario de la planta baja, y organizar algún tipo de decorado. Hay varias cajas que guardan lo acumulado en nuestra primera estancia en México: libros, jarrones, cojines y demás. Felizmente, el cómodo juego de sillones de cuero verde de la biblioteca de Henry Lane Wilson, además de algunos tapetes y libreros bonitos, también fueron traídos para el "agente confidencial", y los usaré en mi sala en lugar de un juego francés bastante incómodo tapizado en rosa. Las recámaras ya están agradablemente amuebladas con las pertenencias de los Wilson.

Anoche vino la querida señora Lefaivre, y hoy almorzaremos

* señora de la casa *(N. de la T.)*

en la legación. ¡Qué bienvenida tan cálida de su afectuoso corazón! Han venido muchas personas y todo el día han estado llegando tarjetas y flores.

PD. Ayer, Torreón cayó en manos de los rebeldes y se cometieron muchas atrocidades contra los súbditos españoles. El ministro español está muy intranquilo. Esto es un golpe serio para Huerta, ya que se supone que él debe sofocar la revolución. Si no lo hace perderá su *raison d'être** y posiblemente también su cabeza.

11 de octubre

Anoche Huerta dio su segundo *coup d'état*;* se está volviendo muy hábil. Rodeó la cámara de diputados mientras los honorables caballeros estaban en sesión, conspirando contra la Constitución. Los hizo arrestar cuando salían al vestíbulo, y entiendo que hubo una considerable estampida en la cámara de los mismos diputados cuando sospecharon que algo andaba mal. Él los acusa de obstruir su política de pacificación por todos los medios bajos y antipatrióticos de que disponen, que son numerosos.

Ahora ciento diez de ellos están alojados en la famosa Penitenciaría a la que se dirigía Madero en su último viaje. Nelson no volvió hasta las dos de la mañana, andaba con el ministro español (decano del cuerpo diplomático), yendo primero a la Secretaría de Relaciones Exteriores para tratar de obtener garantías para la vida de los diputados encarcelados, de allí fueron a la Penitenciaría donde les mostraron una lista de *ochenta y cuatro* y les aseguraron que no sufrirían. Para los restantes veintiséis las perspectivas eran sombrías. Los empleados pasaron aquí el resto de la noche, enviando despachos a Washington.

A Huerta parece importarle muy poco a quién mata. No tiene mayor sentimiento por la vida humana (la suya o la de cualquier otro). Es un hombre fuerte y astuto; si consiguiera algunas aves negras con aspecto de patriotas, para trabajar con él, y si Estados Unidos no estuviera presionando, eventualmente podría traer paz a su país.

Todavía no he vuelto a acostumbrarme a la extrema belleza de las mañanas de México: una luz deslumbrante de muchos colores que opacaría al arco iris se filtra hasta mi habitación mientras escribo, glori-

* razón de ser *(N. de la T.)*
** golpe de Estado *(N. de la T.)*

ficando cada objeto y cada rincón. He hecho quitar las fundas a los muebles color de rosa; sobre mi *chaise-longue* hay una colcha y cojines también rosas, y el resplandor es indescriptible.

Habrás visto que las cámaras han sido convocadas para el 15 de noviembre, pero pese a los preparativos de legislación hay algo bélico en el aire. Por la embajada pasan escuadrones de soldados y se toca mucho el hermoso himno nacional. Portan muy bien sus insignias, y su música militar sería bien apreciada en cualquier parte.

En Washington están tomando las noticias del *coup d'état* con su café...

Todavía no he visto a Von Hintze,* aunque vino ayer temprano, trayendo de regalo un licor fortificante "para la altura" y flores. Más tarde fui con Elim hasta la legación. Entiendo que Von Hintze ve la situación más bien *en noir*.** Pero él es un conocedor en materia de asuntos mexicanos, puesto que su primera experiencia, al llegar hace tres años, fueron los horrendos asesinatos de Covadonga... Entre sus atributos se cuenta cierto aire distante y exclusivista y su psicología es algo misteriosa, aun para sus amigos, pero es muy inteligente y encantador, hombre de mundo muy simpático, realmente un *cher collègue*.***

Nelson acaba de salir de la casa con levita y sombrero de copa porque los jefes de las misiones diplomáticas han sido convocados en Relaciones Exteriores para escuchar el argumento oficial del *coup d'état*. Me interesa mucho la explicación, que tal vez será algún hábil acomodo de los hechos al estilo latinoamericano. Aquí uno tiene la sensación de estar en la escuela, siempre aprendiendo algo nuevo para la mentalidad anglosajona.

Ahora debo apresurarme a bajar y enfrentar algunos de mis asuntos "del interior". Mi casa es tan grande que, aun con los muchos sirvientes que ahora hay en ella, no parece "bien dirigida" y la respuesta a las campanillas se da de vez en cuando. En cualquier momento es posible encontrar a uno o más de los sirvientes, junto a los portones del jardín, saludando a los que pasan: es un pequeño hábito indígena y es incurable. Lo que necesito es un *maître d'hotel* europeo que les grite con sus modales arios, tal como tenían los Wilson. De su administración hay algunos buenos especímenes aztecas que quedaron y que pienso con-

* el ministro alemán *(Nota de la edición original.)*

** en negro *(N. de la T.)*

*** querido colega *(N. de la T.)*

servar: Aurora, una doncella indígena grande y muy bonita, de los llanos de Apam; María, jefa de lavanderas, de manos finas y delicadas como las de una reina, y algunos más. No tengo cocinero ni mayordomo. Berthe está ocupada desempacando y planchando: todo estaba arrugado por la humedad y el calor penetrante del viaje por mar.

La embajada tiene dos gendarmes encargados de vigilar el portón, en lugar de uno como generalmente se da a las legaciones: el viejo y amable Francisco, que lleva doce años al servicio de Estados Unidos, y uno nuevo y guapo llamado Manuel. El auto está todo el día parado frente a la entrada. Jesús, el chofer, se ve muy bien: es un joven indígena de rasgos finos, cuerpo ágil e ingenio rápido. He oído que tiene mucho éxito con el sexo opuesto pese a estar casado. Elim sale siempre conmigo y le encanta sentarse en el asiento delantero con su perro, un melancólico terrier irlandés enviado por el señor Armstead desde Guanajuato.

El cambio ahora está muy bajo. Cien dólares equivalen a doscientos ochenta pesos mexicanos. Muy bueno para los que reciben sus recursos del exterior, pero a esta gente la está matando y todo indica que va a empeorar. El precio de los artículos sube rápidamente, no tanto los alimentos nacionales sino todo lo importado. Oigo el claxon del auto y debo concluir. Tengo mucho interés en oir la versión oficial del *coup d'état*.

12 de octubre, por la noche

Bueno, el cuerpo diplomático, uniformado, fue recibido en la cancillería con gran ceremonia, por parte del robusto Moheno, secretario de Relaciones Exteriores, de quien hablaré en otra ocasión. Insistió principalmente en los grandes esfuerzos que está haciendo el general Huerta para restaurar la paz y mencionó también los grandes obstáculos que encuentra en su camino, diciendo que desde que se abrió el congreso esos impedimentos han sido particularmente evidentes y lo traban a cada paso. Agregó que si bien el acto de clausurar el congreso es inconstitucional, México debe ser comparado con un enfermo que necesita una operación inmediata, y que el gobierno se enfrentaba al dilema formulado por Gambetta (les encanta encontrar un símil europeo de su situación): "¡Ceder o renunciar!", que en este caso habría equivalido a la disolución nacional. El punto esencial del discurso, sin embargo, es que las elecciones se celebrarán este mes.

Sir Lionel presentó sus credenciales ayer, dando así a Huerta el sello aprobatorio de su gobierno. Al parecer fue una escena de amor; desde luego Huerta estaba enormemente complacido con esa prueba de reconocimiento de Inglaterra, en el delicado momento de su nacimiento y de su primer esforzado grito como dictador.

Desde que los diputados fueron apresados ha habido una fila constante, integrada por sus madres, sus esposas, sus hijas que acuden a la embajada pidiendo ayuda, aunque por supuesto nosotros no podemos hacer nada. Pequeñas mujeres sencillas, de ojos y vestidos negros, o mujeres de pecho alto y labios gruesos, con diamantes en las orejas y una preferencia en el vestir por el magenta o el oro viejo; la mayoría de tendencia maderista, hasta donde puedo ver. Dos de aspecto menudo, sencillo y sombrío, que estuvieron aquí hasta muy noche, dijeron que van todos los días a visitar la tumba de Madero. Temen que maten a los diputados, pero a mí me parece difícil que un viejo astuto como Huerta llegue a extremos innecesarios con los gélidos ojos del mundo puestos en él. Todo lo que quiere es tenerlos encerrados, donde no puedan votar, o descalificarlo. Es verdad que en la cámara no perdieron oportunidad de crearle dificultades, hasta que él se aburrió del "bloqueo" continuo. No arrestó a ninguno de los miembros del partido católico, la mayoría de los cuales habían tratado de apoyar el orden por medio de él. A fin de cuentas, son el elemento conservador y pacifista de México.

Al senado simplemente lo disolvió. No le habían dado tanto trabajo. Uno de los jefes del partido católico vino ayer a ver a Nelson, para hablar sobre la conveniencia de presentar a alguien como candidato a la presidencia; una conversación informal por su parte. Por desgracia para México los hombres de su clase rara vez se identifican con la vida política, y durante el régimen de Madero eran invisibles por completo. El partido clerical tiene muy poco dinero y siente que la batalla es desigual y el resultado muy incierto. Nelson, por supuesto, no se comprometió en el asunto, que según dijo está fuera de su jurisdicción. Agregó que no ve ninguna razón para que el partido no presente algún tipo de representación, igual que los demás. Huerta, desde luego, es totalmente anticlerical.

Ayer fue el primer aniversario de la independencia de China; tal vez sea porque está tan lejos, pero al parecer ellos hicieron *su* revolución con muy poco ruido de platos rotos. Hubo una recepción en la legación china con horario abierto entre cuatro y diez. Yo fui alrededor de las cinco. Cuatro veces me levanté para irme, y cada vez el *chargé d'affai-*

res me detuvo en la puerta diciendo: "Usted ha estado ausente ocho años, no, quiero decir ocho meses, y no puedo dejarla ir". Al fin, después de prometer mi regreso a algún oriental insistente, situado cerca de la puerta exterior, logré escapar a las 7:30. Todos los diplomáticos estaban allí. Encontré a Von Hintze, parecía un visitante de otro mundo, sentado, inescrutable, junto a la hermosa y vivaz esposa del ministro guatemalteco. Ella llevaba un vestido de encaje negro sobre seda naranja y a su lado mi traje sastre blanco se veía muy severo. Cerca, de pie, estaba Stalewski, el ministro ruso, esperando su té. Sir Lionel y lady Carden llegaron apenas a las seis, y después madame Lefaivre: los diplomáticos occidentales gravitan naturalmente en torno a ellos mismos. Finalmente a las siete, cuando los salones de la planta baja estaban atiborrados como latas de sardinas, nos condujeron a la parte alta, donde se sirvió un buen "*champagne lunch*". Fue después de eso que me fugué. La esposa del *chargé* y algunas otras damas orientales, en impresionantes trajes occidentales, estuvieron en formación cerrada junto a la puerta de principio a fin, con una imperecedera sonrisa oriental.

Nelson pasó la tarde buscando al dictador, a quien no había podido encontrar desde el famoso *coup*. Espera inducirlo a la clemencia hacia los diputados. Huerta tiene una forma muy efectiva de salirse de una situación: simplemente se escabulle y no reaparece hasta que los acontecimientos han tomado su curso. De acuerdo con el decreto del 11, todos los poderes del ejecutivo se han centralizado. Agregando en él los poderes de Gobernación (Interior), Hacienda (Tesorería) y Guerra, aunque sólo durante el tiempo absolutamente necesario para el restablecimiento del poder legislativo. Con el poder de Gobernación ha declarado inválida la inmunidad de los diputados al arresto, sujetándolos a la jurisdicción de los tribunales, si resultan culpables de algún delito o crimen; la mayoría de los diputados no está recibiendo más que lo que merece. Cierto, hay razón para quejarse de su falta de civismo; parece ser que aquí hay poco o nada de material disponible para construir un Estado con autogobierno, y lo que necesitan es un dictador (o una intervención). Hace alrededor de cincuenta años, Juárez les quitó el miedo al infierno, y Madero eliminó el respeto por el *supremo gobierno* tal como lo representaba la mano férrea de Díaz. Parece que no queda nada que contenga a esos quince millones, con sus sesenta y tres lenguas y sus mil idiosincrasias, razas y climas.

Huerta tiene una esposa bonita, de rostro tranquilo, y once hijos. Esto y una casa alquilada (nunca ha residido en Chapultepec ni en el Palacio), aparentemente son sus únicas posesiones en el mundo, hasta ahora. Dudo que tenga la inclinación o se tome el tiempo para recibir una cantidad indebida de sobornos. Por lo que he oído es muy hábil en materia de problemas humanos y parece estar lleno de vitalidad y de una perseverancia incansable de tipo indio. Dicen que cuanto más bebe más claro tiene el cerebro.

Los nueve españoles que fueron muertos en Torreón, hace unos días, por negarse a entregar sus bienes y su dinero, tuvieron que realizar ritos tan amables como cavar sus propias tumbas antes de su ejecución. Villa ha declarado guerra sin cuartel contra los españoles: deben salir de *su* México con sus pertenencias, y se propone hacer que la Iglesia se vaya con ellos.

Por todas partes elogian el modo como Nelson maneja las muchas y complicadas cuestiones que surgen, y es *persona grata* para todos los implicados. Aunque es sabido que el cumplimiento de órdenes provenientes de Washington debe hacerse al pie de la letra y de inmediato, en sus propios asuntos los mexicanos pueden contar con su tacto, su cortesía y cualquier servicio compatible con su posición.

Me imagino que el señor Lind comprenderá pronto la inutilidad de una estancia indefinida en territorio mexicano. Hasta el momento no hay resultados, y lo considero un hombre acostumbrado a ver resultados.

II

Albergue a Bonilla. Sir Lionel y lady Carden. Carranza. Sirvientes mexicanos. Primera recepción en la embajada de Estados Unidos. Huerta recibe al cuerpo diplomático. Día de elecciones y algunas sorpresas.

13 de octubre

Manuel Bonilla, un antiguo maderista, fue ministro de Caminos y Comunicaciones (llamado a veces "Highways and Buyways", "carreteras y compra caminos), ahora senador por Sinaloa, acaba de llegar suplicando que le demos asilo. Lo buscan para matarlo. Él se parece mucho a sus perseguidores. Por supuesto hicimos preparar una habitación para él, donde pueda quedarse tranquilo hasta que se presente una oportunidad para sacarlo del país. En su habitación, dicho sea de paso, está la cama que la señora... rechazó cuando le mostraron la embajada, diciendo: "¡Qué! ¿Dormir en la cama de una asesina?". La asesina era la querida, amable y bella señora Wilson, mi antigua *chefess*,* y los asesinados, *supongo*, Madero y Pino Suárez.

El presidente Wilson ha enviado un mensaje al gobierno provisional desaprobando por completo la disolución del congreso, diciendo que cualquier violencia ejercida sobre cualquier diputado será considerada como una ofensa contra Estados Unidos y que, además, Estados Unidos no reconocerá a ningún presidente elegido mediante tales procedimientos. Nelson acaba de irse a la cancillería para dar él mismo la noticia. Moheno es un indio de Chiapas, grande, robusto y de cabello rizado, con apariencia siniestra. En general me recuerda a algún tenor italiano, es inteligente, aunque quizá "listo" sea una mejor palabra. Estos infelices están entre el diablo y el profundo mar, es decir, entre su propia ilegalidad y nosotros.

* jefa *(N. de la T.)*

Los Carden tuvieron hoy su primera recepción. La legación es una casa nueva, artística y muy cómoda, cercana al Paseo; es el tipo de casa que los diplomáticos ingleses encuentran esperándolos en todas partes. Sir Lionel estuvo aquí dieciséis años como cónsul. Fue el primer representante del gobierno británico después del asunto de Maximiliano; por eso, aunque ha estado ausente muchos años, se encuentra en *pays de connaissance*.* Es guapo, perfectamente cuidado, alto, de piel fresca y bigote blanco, inconfundiblemente británico. Ella es una agradable mujer estadunidense, pero los dos se ven pálidos y exangües después de muchos años en La Habana y Guatemala. Ninguno de nosotros presenta su mejor aspecto bajo las palmas y los cactus. Sir Lionel tiene treinta años de experiencia diplomática en América Latina.

14 de octubre

Se multiplican las pruebas de una conspiración directa de los diputados contra el gobierno provisional. Si se rasca a un diputado maderista seguramente aparece un revolucionario de algún tipo. La tarea de restablecer la paz parece casi imposible. Por todas partes hay traición y venalidad. La nota que Nelson entregó ayer a la cancillería todavía no ha recibido respuesta, a pesar de que Moheno se refirió a ella en una entrevista de prensa, diciendo que le había sido presentada por el *chargé d'affaires* O'Shaughnessy, "Caballero de la cultura más exquisita" que no debe ser considerado responsable del "lenguaje destemplado de su gobierno" —¡bastante insolente! Aun cuando Nelson está tratando a los funcionarios con todo el cuidado posible, todos piensan que preparan una respuesta feroz para mañana. Son capaces de mandar ellos mismos, en cualquier momento, un ultimátum a Washington, y entonces sí que estaremos en problemas.

Entra a raudales un sol cálido y celestial. Estas mañanas de octubre, después que han terminado las lluvias, son las joyas más brillantes en la corona de belleza de México.

Nelson está tan harto de los asesinatos y la destrucción que observa de primera mano, que se niega a leer nada sobre México. En realidad sólo cree en su propia opinión. Pero yo me intereso en los comentarios del exterior. Acabo de leer en la *North American Review* un artículo de Sydney Brooks, que da la visión inglesa de la situación. Apa-

* territorio conocido *(N. de la T.)*

rentemente el artículo expone que si ya hubiésemos reconocido a Huerta, a esta altura, él estaría mucho más adelantado en el camino de la pacificación. También hay una cita de *Le Temps*, en el *Imparcial* de hoy, en el mismo sentido. Sin embargo, Nelson comienza a pensar que para traer la paz hace falta nada menos que una intervención. Los elementos de paz parecen ya no estar en la república. Intervención *es* una palabra muy grande, pero no tiene por qué significar el exterminio de los estadunidenses ni de sus intereses en México. Muchos franceses permanecieron aquí durante la Intervención francesa y llegaron a viejos; los estadunidenses podrían hacer lo mismo. Cualquiera que sepa realmente qué fácil es espantar la paz de una república latinoamericana, y qué difícil es traerla de vuelta, lo pensará dos veces antes de ahuyentarla.

Elim acaba de regalarme un gran ramo de geranios rosa de las macetas que hay frente a la entrada. Me gustaría que escogiera un lugar más alejado para hacer sus depredaciones. Los gendarmes y los juegos callejeros lo atraen como un imán. Los mexicanos siempre son amables con los niños. No hay tanta diferencia entre los chiquitos y los adultos como en los países más sofisticados.

Bonilla, nuestro ministro escondido, se mantiene muy silencioso. Por lo que he oído, sólo con sentirse seguro ya es un lujo. No he tenido ningún trato con él, más allá de intercambiar mensajes de cortesía y poner un sirviente a su disposición. Me dicen que es muy particular en cuanto a mantener sus ventanas cerradas y los postigos bien sellados por la noche, y se pone nervioso si alguien toca a su puerta.

Huerta tiene muy poco respeto natural por la vida humana. De todos modos, ésa no es la especialidad de los dictadores exitosos. Sólo una mano de hierro es capaz de mantener en orden a esta raza apasionada, tenaz, misteriosa, dotada e indisciplinada, compuesta de incontables elementos diferentes. En Estados Unidos, donde por supuesto, como todos sabemos, todas las personas y todas las cosas son exactamente como deben ser, no se entiende esto muy bien.

14 de octubre

Esta noche corre un rumor muy persistente de que la respuesta de México al mensaje del presidente Wilson, entregado ayer por Nelson, será romper las relaciones diplomáticas, en cuyo caso nosotros tendremos que marcharnos de inmediato a Veracruz. Los ciudadanos particulares de la ciudad pueden tomarse su tiempo para viajar; *nosotros* tendríamos que irnos rápido. Ni siquiera he desempacado, la ropa del viaje todavía está colgada en la azotea. Todo esto me quita el aliento; apenas siento que estoy de regreso y no puedo aceptar la idea de irme. Repentino cambio de planes. Llegaremos a Nueva York tras una incertidumbre de nueve días ¿y después, qué? El servicio diplomático estadunidense es lo más incierto del mundo.

Más tarde

Mientras escribo, la casa está llena de ires y venires expectantes. Nelson, que es admirable para calmar a esta gente, ha visto a Moheno y después de una larga discusión lo ha persuadido para que la cancillería modifique el tono beligerante de su respuesta a Washington. Desde anoche ha habido tres reuniones del gabinete para discutir la respuesta, y la mayoría está a favor de tomar medidas extremas. Sin embargo, no se hace más que postergar el día de la ruptura por algunas semanas o meses, aunque Nelson siente que la victoria está de antemano ganada por Estados Unidos. Pero llegará el día en que nos encontraremos marchando hacia el norte.

16 de octubre

Ayer al oscurecer sacamos a Bonilla, agradecido pero nervioso. El automóvil lo llevó hasta una estación situada más o menos a veinte kilómetros de la ciudad, donde tomó el tren hacia Veracruz para alcanzar el barco alemán que salía hoy. Según cierta línea de razonamiento legal, él está aproximadamente en sexto lugar para ser presidente; después de Madero, Pino Suárez, Lascuráin y otros que fueron asesinados o han desaparecido de las inciertas glorias del cargo. Se va a Washington a unirse a los maderistas, supongo, a pesar de que ha dado su palabra de honor de no aliarse con los revolucionarios. Sólo con esa promesa pudimos dar asilo a un enemigo del gobierno ante el que Nelson está acreditado.

El árbol genealógico legal (si no moral) de la presidencia de Huerta es el siguiente: Madero, presidente constitucional; Pino Suárez, vicepresidente constitucional (sus renuncias fueron aceptadas antes de su encarcelamiento por Pedro Lascuráin, secretario de Relaciones Exteriores y hombre honorable y temeroso de Dios, dicho sea de paso); Lascuráin se convirtió en presidente según el procedimiento legal, dado que el poder ejecutivo estaba vacante; al parecer fue presidente unos veinte minutos (lapso algo corto aun para América Latina), lo que le dio tiempo de nombrar a Huerta para el cargo de secretario de Gobernación. Después de la renuncia de Lascuráin, presentada, según entiendo, con rapidez, automáticamente, siguiendo la ley, el poder ejecutivo pasó a Huerta con carácter provisional, y bajo la promesa constitucional de llamar a elecciones. Ésa es la forma técnica como Huerta llegó a ser presidente, y de acuerdo con la Constitución mexicana no hay dudas sobre la completa legalidad de la operación.

17 de octubre

Día tranquilo; muchos rumores pero nada de hechos. Todo el tiempo los carrancistas aumentan su fuerza como partido; y al parecer la fuerza les llega desde "arriba", quiero decir desde una *latitud* más al norte. Por desgracia, vistos de cerca no son mejores que "los otros". Carranza no es un villano sediento de sangre, sino del tipo físicamente tímido, codicioso, callado, sin conciencia y ávido lector de libros. Es, en una palabra, "constitucionalista". Puede conmover a un buen anglosajón hasta las lágrimas, aunque debo decir que todos los dirigentes revolucionarios de México han utilizado excelentes banderas. La de Madero estaba por encima de cualquier crítica: "Sufragio efectivo y no reelección". Esto último muestra que pueden ir mucho más lejos que nosotros en la expresión de un puro y destilado patriotismo o democracia, ya que aquellos de nosotros que son llamados a la dignidad del cargo no son enteramente capaces de librarse de desear un segundo periodo.

Además, Carranza, que no tiene nada de la habilidad de Huerta ni de su fuerza, ha tenido la suerte de dar una nota convincente con sus largas barbas y su venerable aspecto, imitado por todos sus seguidores hasta donde lo permite la naturaleza. Me dicen que Nueva York y Washington están llenos de mexicanos mayores muy respetables, delgados y de barbas largas. Sin embargo, los que han observado la larga carrera de Carranza dicen que su fuerza motriz en la vida ha sido una codicia callada, incansable, implacable. Su extraña falta de simpatía hacia Washington se explica por el hecho de que, en realidad, detesta a todos los extranjeros, de cualquier nación, que prosperan en México. A mí me parece que se pueden olfatear dificultades. La carencia de color político particular y de principios, junto con su mediocridad general, lo han mantenido en la oscuridad. Ahora por fin se encuentra accidentalmente vestido y bastante aceptable para la Gran Nación del Norte con el manto elegante y exclusivo del constitucionalismo. Me pregunto si alguna vez él se cuestionará por qué razón *es* tan popular en Washington.

Me dicen que la señora Madero, esa pobre figura enlutada, menuda y digna de lástima, vio al presidente Wilson poco después de los asesinatos, y tal vez el trágico relato de ella haya determinado su política.

Aun así, el hecho es que Huerta controla el ejército y la maquinaria visible del gobierno, que para los elementos conservadores representa (bien o mal es un detalle) su Constitución, la única forma en torno a la cual los asuntos de la nación pueden disponerse con alguna definición.

El otro día tuve una larga conversación con el ministro... Él parece pensar (por supuesto, todo cortésmente velado) que la política de Estados Unidos es debilitar a esta gente mediante el no reconocimiento y, después, cuando estén agonizando, entrar con facilidad y sin mayor gasto, evitando así la intervención armada ahora. Situación que sería mucho mejor para los mexicanos pero más costosa para nosotros. Todos los *chers collègues* velan tras observaciones irreprochablemente discretas su idea, no muy halagadora, de lo que, sin duda, entre ellos llaman nuestro "jueguito".

Disfruto de los espacios de esta enorme casa, abierta al sol y al aire por todos lados. Su falta de mobiliario se ve ampliamente compensada por la suntuosa inundación de luz y de aire. Voy a recibir el martes, y supongo que vendrá mucha gente.

22 de octubre

Ayer tuve mi primera recepción. Vinieron alrededor de cincuenta personas, los *chers collègues* y algunos de la colonia, principalmente aquellos cuya trayectoria se cruza en ocasiones con la órbita diplomática. Había flores en todos los recipientes disponibles. Yo misma preparé un ponche delicioso, aunque sea yo quien lo diga, y la señora Burnside sirvió el té; pero extrañé mucho los rostros familiares de los amigos de nuestra primera estancia: el señor James Brown Potter y los Riedl, el señor Butler y muchos otros.

El lunes daré un "bridge" para lady Carden. Todavía no puedo recibir a nadie para comer o cenar, pero quiero dar un pequeño aviso acerca de su llegada. Los Carden son una adición importante a nuestro cada vez más reducido círculo.

Gran Bretaña se mantiene firme en el reconocimiento de Huerta, lo que aumenta mucho su prestigio ante los ojos de los suyos; le conviene, sobre todo en vista de las próximas elecciones. Entendemos que la fórmula será Huerta y Blanquet, por más que Washington frunza el ceño.

No conozco las cualidades reales de Blanquet, que hasta ahora ha sido un seguidor fiel de Huerta y su ministro de Guerra. El dramático hecho de que en el pelotón de fusilamiento de Querétaro él fue quien dio el *coup de grâce** a Maximiliano, siempre ha opacado todo lo demás. Los retratos de Maximiliano en el Museo Nacional lo muestran como un pobre caballero rubio de ojos azules, totalmente incapacitado para manejar la situación, aunque lleno de las mejores intenciones. Era como un conejo o cualquier otro animal indefenso apresado en una trampa. Cuando uno ha visto archiduques en su propio terreno comprende que no están hechos para luchar con los descendientes de Montezuma. Aunque no veo que nosotros, con toda nuestra "eficacia", estemos teniendo mucho más éxito.

Gran Bretaña podrá ser muy cortés, pero no cederá un ápice de lo que ha decidido sobre su política mexicana, que incluye cuestiones grandes, no sólo de prestigio sino de petróleo, ferrocarriles, minas, etcétera. En realidad la respuesta británica al señor Bryan, en el periódico de hoy, dice muy claramente que Inglaterra estará encantada de seguir cualquier política de Washington, siempre y cuando no interfiera con lo que la cancillería británica ha decidido hacer. Simplemente no pueden entender que nosotros no protejamos las vidas y los intereses estadunidenses. Su política aquí es sólo comercial, mientras que la nuestra, por desgracia, ha llegado a ser sólo política.

Se pronostica gran agitación para el domingo, día de las elecciones. Todo lo que tienen que hacer los tímidos es quedarse en casa, *si* su curiosidad lo permite.

Los derechos de importación aumentarán cincuenta por ciento a partir del veintiocho de octubre. Por fortuna esto beneficiará más a la parte de la población que vive de frijoles y plátanos que a los que quieren *pâté de foie gras* para el desayuno.

Hoy viene una cocinera altamente recomendada, pero ya me imagino qué cosas hará si dejo las comidas a su criterio: plátano frito, guisados de cabra, etcétera. Viene acompañada por su hijita de tres

* tiro de gracia *(N. de la T.)*

años. Una de las lavanderas también tiene consigo a una criatura, y he oído que el resto de la servidumbre intenta traer a toda su descendencia. Pero la casa es tan grande que algunos agregados más o menos no hacen ninguna diferencia, y no lamento, en estos tiempos inciertos, albergar bajo mi techo a algunos niños silenciosos y morenos, de piel suave y ojos brillantes. La hermosa doncella indígena que vino a la ciudad desde su pueblo porque su padrastro tenía demasiadas atenciones con ella, se ha ido. Simplemente desapareció; pero como las otras sirvientas, cuando se les pregunta, no parecen preocupadas, supongo que está bien. Tienen costumbre de irse después de que cobran su sueldo del mes, aunque en general su partida es precedida por alguna formalidad como declarar que murió su abuelita o tienen una tía enferma. Adónde van es un misterio.

Mañana comeremos en casa de los Simon. Él es el inteligente *Inspecteur des Finances** francés del Banco Nacional. Tienen una hermosa casa en el Paseo y un excelente *chef* francés, y son muy hospitalarios. Ella es ingeniosa y culta; a veces la llamamos *"la belle cuisinière"*.** Por la noche cenaremos con Rieloff, el musical cónsul general alemán, que nos ofrecerá bellamente a Beethoven y Bach después de la cena. Aquí no tengo mucha disposición para salir después de la cena ya que Nelson está casi siempre ocupado enviando despachos hasta tarde. Hay algo en el aire, a casi 8,000 pies en el trópico, que desalienta la vida nocturna, y aun en tiempos normales las tertulias de cualquier índole no son frecuentes. A las diez las calles están desiertas y todos los mexicanos resguardados bajo algún tipo de techo. Incluso en las casas grandes las comidas nocturnas son de lo más sobrias y las personas se acuestan temprano, a fin de estar preparados para la extrema belleza de las primeras horas de la mañana.

Todos los extranjeros están nerviosos aquí. Los que a nivel del mar serían hogares pacíficos como de palomas, a esta altura se convierten en escenas de ruptura de todo tipo, y podrían hacerse estudios de toda suerte sobre el tema de la "presión del aire" en la vida de los hombres y las mujeres. No hay la suficiente acostumbrada cantidad de oxígeno en el aire. Así, disminuidos todos los procesos de combustión del cuerpo, los nervios soportan una tensión espantosa. ¡De ahí tantas lágrimas!

* inspector de finanzas *(N. de la T.)*

** la bella cocinera *(N. de la T.)*

Me pregunto si alguna vez recibiste el libro y la carta que te mandé desde el barco de Santander. Se los di, con abundante dinero para el correo y una buena propina, a un español atractivo, descalzo y de aire orgulloso, que había traído a bordo una carta para alguien. Le dije que eran para mi madre. Con una reverencia muy cortesana, el sombrero en una mano y la otra sobre el corazón, me aseguró que atendería al asunto como si fuera para su propia madre. Pues ¿quién sabe?

24 de octubre

Ayer al mediodía, Huerta, rodeado por todo su gabinete, recibió al cuerpo diplomático y, aunque antes hubo mucha agitación, cuando se examina lo que dijo resulta que nada ha cambiado. El mexicano es un maestro consumado para presentar la misma situación bajo algún otro disfraz conveniente, que desarma por su transparencia. La salida de lo que todos considerábamos una gran dificultad es asombrosamente simple: ¡no se elegirá presidente alguno! Huerta declara que él no será candidato y nadie más tendrá la mayoría necesaria.

Dicho en palabras sencillas: Huerta quedará a la cabeza del gobierno como dictador militar pleno. Después de la declaración formal del asunto se volvió hacia Nelson y le pidió que diera a Washington la seguridad de su buena fe, y reiteró que su único objetivo era la pacificación de México. A continuación, se volvió abrumadora, embarazosamente cortés, incluso tierno. Tomó el brazo de Nelson y lo llevó afuera para tomar una *copita* ante todo el cuerpo reunido, después de haberlo abrazado diciendo, con reminiscencia juguetona: "Queda usted arrestado". ¡Tales son las vicisitudes que entraña representar las barras y las estrellas en México! La gente me dice que los discursos de Huerta son, en general, obras maestras de brevedad, con algo de magnético y de humano. El apoyo inglés lo ha fortalecido, dentro y fuera del país.

Algunos periodistas indiscretos tomaron una instantánea de sir Lionel y Nelson, juntos, cuando salían del Palacio. Una *pièce de conviction** si alguna vez la ha habido. Sir Lionel se disculpó riendo de que a Nelson lo hubieran "agarrado con las manos en la masa".

La señora Lind partió ayer hacia Estados Unidos y le he escrito al gobernador, el cual podría sentirse solo, para decirle que será bienvenido si desea regresar a la ciudad de México. Podría instalarlo có-

* prueba acusadora *(N. de la T.)*

modamente —en una recámara con estudio contiguo— y en realidad nos gustaría verlo. Sin embargo, es posible que no desee venir para otra *fausse couche,** como uno de los colegas describió su primera visita.

Todos están esperando que haya desórdenes el domingo, día de las elecciones. En México no hay mucha diferencia entre los que hacen las leyes y los que las violan. Nosotros, los demonios extranjeros, tenemos dificultad para no inmutarnos cuando oímos la palabra "elecciones". El domingo, seguramente, encontrará a Huerta tranquilo en la silla.

25 de octubre

Ayer L..., agente confidencial de Félix Díaz, apareció a la hora del almuerzo. Es un individuo inteligente y razonable que anda en busca del reconocimiento de Estados Unidos a la candidatura de Díaz. A Félix Díaz le han ofrecido un tren especial, pero él teme, y no sin razón, aventurarse a lo desconocido, de modo que esperará los resultados presidenciales en Veracruz, con su hermoso puerto lleno de veloces naves.

Jueves 28

El gran día de las elecciones —el 26— pasó no sólo sin disturbios sino sin votantes ni votos. Los candidatos de quienes tanto se habló en los últimos días brillaron por su ausencia. Félix Díaz tuvo miedo de venir a la capital, a pesar de que se le dieron todas las "garantías", lo que sea que eso signifique. En Veracruz, se quedó en un hotel de segunda clase, al lado del consulado de Estados Unidos, porque sin duda las barras y las estrellas se veían cómodamente y con cierta ventaja desde la azotea. Ha perdido, al parecer por fatalismo, las ocasiones en que podría haber llegado a ser el gobernante de México. Es un caballero en nuestro sentido del término; su nombre está unido a muchas glorias de México, pero es probable que éste sea su entierro político. La oportunidad ya ha llamado a su puerta tres veces: en Veracruz, en 1912; después en la ciudad de México, en febrero de 1913, y de nuevo ahora en Veracruz, en octubre de 1913; y los destinos de México están todavía en otras manos.

Los *chers collègues* profetizan que estaremos aquí hasta el próximo mes de mayo, cuando probablemente se celebrarán nuevas elec-

* falso parto *(N. de la T.)*

ciones. El consenso general es que puedo ordenar las muy discutidas cortinas de la sala y lo demás, aunque no puedo entusiasmarme con la idea de encargar una serie de cosas que quizá sólo lleguen cuando yo me vaya. El comedor sigue pareciéndome un lugar terriblemente desolado, como todas las habitaciones que dan al norte en los trópicos.

Debo decir que uno tiene muy poco apetito a esta altura, donde los procesos de digestión son mucho más lentos que en altitudes habituales. Una vez que uno ha comido algún tipo de sopa, un plato de arroz con acompañamiento de huevos, tocino y plátanos (que cualquier mexicano prepara maravillosamente), o una de las deliciosas *omelettes* ligeras —tortilla de huevos— cubierta con algunas de las pequeñas y fragantes fresas silvestres, que aquí se dan casi todo el año, y sobre las cuales se echa un poco de vino para matar los microbios, ya tiene uno su "máquina cargada" como para veinticuatro horas.

Ha habido las acostumbradas discusiones sobre el brandy para el pavo —el "guajolote", como lo llaman los indios—, el ave ancestral de México. Los aztecas solían comerlo y continúan haciéndolo, y los buenos cocineros acostumbran darle una muerte feliz del siguiente modo: en la mañana del día en que se va a comer, generalmente se les oye cacarear y entonces viene el pedido de un poco de whisky o brandy "para el pobrecito guajolote". Entonces se permite a la infeliz (o feliz) ave beber hasta morir. Es un modo eficaz de hacerlo masticable, ya que a esta altura es imposible colgar la carne. De ese modo se vuelve suave, blanca y jugosa. Pero ¡ay! de quien intente comer un guajolote alimentado con grava.

Aquí la cuestión de la comida es difícil de cualquier manera, y yo en lo personal soy incapaz de resolverla. Las famosas frutas tropicales de esta parte del mundo son, en su mayoría, decepcionantes, con excepción del mango que tiene un sabor claro, limpio y ligeramente semejante a la trementina. Hay muchas variedades de plátano, pero es difícil conseguir uno decente como los que vende en Nueva York cualquier italiano en su carrito. La chirimoya tiene un sabor similar al del flan; el zapote chico, que parece una papa, tiene una consistencia blanda de lo más desagradable para nuestro paladar, y todos poseen semillas desmesuradamente grandes en el centro. Los duraznos, de excelente aspecto, pero duros, que adornan nuestras mesas, provienen de California, así como las uvas grandes y algo marchitas.

III

Excesos de federales y rebeldes en el norte. Algunos aspectos de la vida social. El círculo íntimo de México. Las dificultades crecientes de Huerta. Rábago. La "celebración del día de muertos". Puestos de indios en la Alameda. El futuro de América Latina.

El secretario de Relaciones Exteriores está ahora en la sala, de la cual huí, pues pidió hablar con Nelson. Está asustado ante la perspectiva de intervención y ha venido a averiguar qué es lo que Washington realmente tiene reservado para México. El otro día dijo que el suspenso está paralizando a la nación.

El vicecónsul británico en Gómez Palacio, señor Cunard Cummings, vino a comer. Ha tenido consumadas experiencias tanto con los rebeldes como con los federales en Torreón, y tiene historias terribles que contar de ambos grupos. Los métodos mexicanos no cambian aunque se les envuelva en distintas banderas. La diferencia no está en la bandera, sino en quien la lleva. Nos contó que una noche los rebeldes atacaron el hospital de su ciudad, lleno de heridos a los que él y los médicos habían logrado dar el mejor cuidado. A la mañana siguiente, cuando regresó, al pasar por el patio lo primero que atrajo su atención fue algo oscuro y pegajoso que goteaba desde el balcón. Arriba había una espantosa escena: los catres volteados, los frascos de medicina rotos. Por último pero no de menor importancia, los horrores *humanos* presentaban una visión atroz.

Otra historia es la del exdiputado De la Cadena, quien avanzó por el pasillo de una iglesia, con gran ruido de espuelas y espada, para agarrar al cura que estaba oficiando misa y arrojarlo a la calle junto con los instrumentos sagrados, para consternación y terror de los humildes creyentes.

Durante la última semana han volado dos trenes militares federales. En una estación fueron muertas noventa personas, un día antes habían matado a otras ciento dos en la estación Lulú. Ciertamente esto es la danza de la muerte.

30 de octubre

Anoche asistí a una cena muy agradable en la legación alemana. Usé mi vestido de satén negro de Spitzer, con las grandes mangas blanco y plata, que fue muy admirado. Aquí ya todos conocen la ropa de todos y agradecen cuando ven algo nuevo. Junto a mí estuvieron a un lado el ministro belga y al otro el de Japón. Von Hintze estaba enfrente, con lady Carden a su derecha y a su izquierda la señora De Rul, que llevaba un vestido de cuello alto y unas perlas magníficas. Estuvieron tres de los oficiales del *Hertha,* lo que dio origen a bromas sencillas sobre "Hertha" y "Huerta". Por supuesto la conversación sobre la situación se prolongó a lo largo de diversos platillos. La opinión es que en la ciudad hay suficientes elementos beligerantes para originar un estallido, sin la ayuda de acontecimientos externos.

Moheno, evidentemente, tenía noticia de la reunión de gabinete en Washington cuando vino ayer a ver a Nelson. Hizo abundantes manifestaciones de amistad, personal y política. Todos están un poco preocupados y es posible que eso ayude en las negociaciones.

31 de octubre

Ayer los May ofrecieron un almuerzo en honor de los belgas que vinieron a México para obtener la muy comentada concesión del ferrocarril, un asunto menor de cinco mil kilómetros. En esa casa todo está hecho de manera maravillosa, y tiene muchas obras de arte hermosas. En la mesa había un arreglo pequeño de crisantemos amarillos en un hermoso *surtout de table** de porcelana inglesa antigua con *fond* amarillo. La comida fue el triunfo de un chef francés sobre los ingredientes mexicanos. Como todas las casas que miran al norte, la de los May parece irremediablemente fría cuando uno entra en ella dejando atrás el brillante día de otoño. Simon, el inteligente *Inspecteur des Finances* francés, llegó justo cuando la comida iba a terminar. Su esposa había estado llorando casi todo el tiempo y todos estábamos un poco nerviosos; había habido rumores de un asalto al banco y temíamos que

* centro de mesa *(N. de la T.)*

a él y a los demás directores les hubieran pedido la bolsa o la vida. Los invité a todos a tomar el té el lunes. Graux, el ingeniero principal, tiene una linda esposa inglesa.

Cuando veo los *salons* de los demás completamente amueblados siento nostalgia de mis Lares y Penates, que están seguros en Viena; aunque debo decir que la sala ha empezado a verse hogareña y cómoda con sus mullidos sillones, el amplio escritorio, mesitas, lámparas, palmas, fotografías, libros y bibelots.

Por la tarde fuimos a un pequeño té en un mundo distinto al político. Fue ofrecido por madame De Riba, de soltera García Pimentel, del círculo íntimo de los aristócratas, donde se ve al gobierno desde cierta distancia y donde los extranjeros rara vez logran entrar. Son la clase de personas agradables y encantadoras que uno ve en el mismo grupo por todo el mundo. Me recuerdan el *cousinage** de la "gran sociedad" de Viena. Siempre están casándose entre ellos y, a pesar de que viajan, raramente hacen alianzas con extranjeros y tienden a regresar a su país, que, a pesar de sus incertidumbres políticas, es más bello que cualquier otro. En México hay muchas obras de arte que quedan de los tiempos de los españoles, y se encuentran en sus casas. Además, esas bellas, agradables y amistosas mujeres llevan ropas de París y joyas engarzadas por Cartier; los hombres se visten con sastres ingleses. La escena de ayer recordaba cualquier capital europea, y a ese círculo íntimo donde residen la belleza, la riqueza y la distinción. Sus miembros son todos favorables a una forma de gobierno paternal. Ellos mismos ejercen un dominio más o menos benévolo sobre los peones de sus grandes haciendas, y por experiencia comprenden la necesidad de un gobierno altamente centralizado en este país, donde de quince millones de habitantes, trece son indios y los otros dos son gachupines, mestizos y extranjeros de diversa índole. Huerta le dijo una vez a Nelson que los gachupines habían arruinado una buena raza. Y arroja la piedra hacia atrás, hasta Cortés, en una idea más bien nueva.

El contingente español para las corridas de toros llega hoy. Hay mucha excitación y todos pensamos que con ese estímulo los negocios deberían ir mejor. La falta de dinero es el meollo de toda la situación de México, y como Estados Unidos frunce el ceño ante cualquier nación que piense siquiera en un préstamo, el caso parece desesperado. Sin embargo, todos pueden pagar una entrada a los toros: si no los más caros

* parentesco *(N. de la T.)*

en sombra, la gente compra un boleto de sol, y alegremente se cocinan en la mitad soleada de la plaza.

Incluyo un recorte de periódico sobre Bonilla, el que estaba escondido aquí. Celebran sus metidas de pata o *bonilladas,* como las llaman. Como delicada expresión de su agradecimiento, al llegar a Washington envió a Nelson un telegrama abierto anunciando su llegada, sano y salvo, y terminando con mensajes de gratitud perfectamente calculados para crear problemas a su benefactor en ambas capitales.

Me encuentro muy bien aquí, en el centro de acontecimientos de vital interés que ocurren todos los días. ¡Un manjar lleno de vida! Sin duda, una de sus dulzuras es que no sé cuánto durará. Mi juego de té es la única cosa que realmente extraño. Entiendo que esto es provisorio, sin embargo, ¡todos los días llega la hora del té!

2 de noviembre

Anoche llegó de Washington lo que de hecho es un ultimátum para Huerta. Debe salir, él y todos sus amigos, o... habrá intervención. Nelson estuvo en el Palacio hasta la una de la mañana. Casi es pedir a Huerta que se suicide políticamente, y por desgracia él no se siente inclinado a hacerlo. Además está convencido de estar predestinado para traer la paz a México. Nelson trató de convencerlo de la completa imposibilidad de enfrentarse a Estados Unidos y lo instó una y otra vez a ceder. Pasé la noche perturbada con escenas de intervención; más devastación de esta hermosa tierra y el derramamiento de la preciosa sangre de mis propios compatriotas.

Estoy leyendo un libro español sobre la guerra de 1847, publicado en 1848. Las razones por las que se perdieron tantas batallas suenan enormemente familiares: generales que no llegaron con los refuerzos, el comisario que no apareció y soldados que desertaron. ¡Es todo tan parecido a lo que leemos hoy en los periódicos! No hay *tempora mutantur** aquí.

3 de noviembre

Si Huerta se siente acorralado con esta amenaza de intervención, es posible que responda: "que vengan". Las clases más altas de aquí

* tiempos cambiantes *(N. de la T.)*

parecen pensar que si eso es lo que nos proponemos más vale hacerlo pronto, antes que el país esté arruinado. El trago amargo se endulzará con el pensamiento de la prosperidad que vendrá después. Esta mañana vino A... y, después de una larga conversación sobre las dificultades de México, exclamó: "¡Vengan de inmediato y resuelvan esta situación imposible, o déjennos en paz. Nada está seguro, nada es sagrado!". Sus grandes intereses azucareros están en territorio zapatista y su destrucción lo ha arruinado casi por entero. Si nosotros intervenimos, es posible que la parte militar sea lo de menos: después vendría un enorme trabajo administrativo. Junto a esto, Cuba y las Filipinas serían juego de niños.

Esta mañana llegó una carta bastante críptica del señor Lind. Entendemos que está pensando en irse, porque siente que no puede hacer nada. Como dijo alguien, ha aprendido suficiente español para hablar sin decir nada. Sin embargo, creo que retirarlo es tan difícil para Estados Unidos como embarazoso fue mandarlo. También llegó una carta de Burnside desde Veracruz, hablando de los buques de guerra y sus posiciones en el puerto. Predice una migración hacia el norte para todos nosotros, en fecha cercana, pero ¿quién sabe?

4 de noviembre

Se anuncia la llegada de más naves de guerra. Según el periódico de hoy, tendremos alrededor de 6,000 hombres en Veracruz. Se están enviando a la frontera vagones de carga cerrados; debe significar preparativos para algún golpe definitivo por parte de Estados Unidos. Me parece que estoy viendo la vida desde un ángulo muy abierto. A pesar de la tensión subyacente aquí las cosas parecen seguir su rumbo habitual. Ahora iremos en automóvil a Tlalpan con el ministro belga para almorzar con los Percival. Es un día maravilloso, resplandeciente, y el rápido recorrido por el camino liso y recto hacia las encantadoras colinas que lo rodean será puro gozo. Las montañas tienen el secreto de cambiar de aspecto a medida que uno se desplaza, incluso manteniendo los ojos fijos en ellas. De ser un hálito, una emanación, pasan a ser realidades azules y moradas de belleza incomparable, con sombras oscuras adheridas a ellas por lanzas de luz.

Las delicadísimas negociaciones que Nelson ha estado conduciendo con Rábago, el secretario privado del presidente, sobre la posible renuncia de Huerta, se han filtrado, no desde México sino desde Estados Unidos, y sospechamos que fue *via* Veracruz. A la hora relativamente temprana de las dos de la mañana empezaron a llegar a la embajada los corresponsales de prensa. Ahora son las 11:30 y han seguido llegando desde entonces.

Nelson, por supuesto, niega estar llevando a cabo cualquier negociación. El periódico de la mañana informa que el señor Bryan parece encantado con el aspecto de la situación mexicana, debido a dichas negociaciones. Los corresponsales de aquí deben haber nacido en el cielo; su olfato nunca falla. Basta soñar con algo y aparecen en bandadas, pero si las cosas están en suspenso uno no sospecharía que hay algún corresponsal en la ciudad. Por supuesto tratan de atribuir un significado político a cada cosa que pasa. Por ejemplo, los oficiales del buque escuela alemán invitaron a varios de los ministros a hacer un viajecito hasta Veracruz y los ministros de Alemania, Rusia y Noruega aceptaron, y por eso los periódicos dijeron que había una reunión de plenipotenciarios en Veracruz. La realidad es que están de cacería por dos días y regresarán mañana.

Por fin Félix Díaz fue desembarcado en La Habana (para gran alivio, me imagino, del capitán del barco estadunidense *Wheeling*, en el que había buscado refugio) y ha caído el telón político de este acto en particular.

5 de noviembre

Rábago es un hombre muy listo, dotado en alto grado con el particular ingenio cáustico del latinoamericano, cuyo objeto natural aquí parece ser siempre el caleidoscópico gobierno de México. Fue su periódico, *El Mañana*, el que hizo más que ningún otro por matar a Madero, reflejando sus debilidades con la mayor perseverancia en un espejo de ridículo. Debido a su oposición a los Madero y a sus simpatías porfiristas, fue adoptado por la clase aristocrática y ha prestado un enorme servicio a Huerta como una especie de puente entre éste y aquéllos. Pero hasta dónde será escuchado su consejo de renunciar, mismo que jura haber dado a Huerta, es algo que todavía está por verse. Huerta tiene una psicología indígena profunda y extraña, totalmente desconocida para nosotros, que opera sobre la situación con resultados imposibles de predecir.

Fue divertido ver a los distintos ministros llegar a la embajada uno tras otro para asegurar a Nelson que no había habido ninguna conferencia de ministros con el señor Lind en Veracruz. Se proponen mantener el protocolo y por nada del mundo quieren ser sorprendidos coqueteando con una incógnita oficial a espaldas de Nelson... Si Huerta sospecha, me atrevo a decir que todo el procedimiento se arruinará. Hoy Nelson va a ir personalmente a llevar el ultimátum al presidente, y veremos lo que pasa. Todo es muy incierto pero muy interesante, en el lleno de magnetismo y muy colorido estilo latinoamericano. Hace que Londres, París y Nueva York parezcan muy superficiales.

Acabo de regresar después de dejar a Nelson en el Palacio, donde se supone que la respuesta al ultimátum llegará rápido. Todos los empleados de la embajada están listos para enviar los despachos.

De regreso me detuve en la Alameda para echar una mirada tardía a los puestos llenos de todos los artículos necesarios, según las ideas aztecas, para el día de todos los santos y la celebración de muertos. Incontables indios, pintorescos y misteriosos, inundan la ciudad, levantan sus puestos, se quedan unos días y después se marchan silenciosamente para no ser vistos hasta la siguiente ocasión: navidad. Por todas partes se venden grandes ramos de una flor amarilla —los indios la llaman "cinco llagas" o "flor de los muertos"— para colocarlos después sobre efímeras tumbas. Abundan las calaveras de juguete y los pequeños ataúdes de todo tipo. Un modelo favorito es uno en que se jala un hilo y un muerto levanta la cabeza, y cuando uno suelta el hilo cae hacia atrás con un ruido de matraca. Todo es un poco *macabre* y lo venden estos imperturbables indios del altiplano, que están lejos de ser una raza jovial. El pulque y sus otras bebidas suelen inducir al silencio y a la melancolía antes que a la hilaridad. Jamás cantan ni silban por las calles. Casi nunca bailan: si realizan algunos movimientos es casi siempre en forma solemne y en ocasión de alguna fiesta religiosa, en la que danzan y gesticulan en el patio de la propia iglesia adornados con extrañas guirnaldas.

La Alameda es un bonito parque en el centro mismo de la ciudad, y marca el lugar del antiguo tianguis, o mercado azteca. Abundan las flores y las fuentes y está lleno de eucaliptos y palmas muy hermosos; una banda excelente toca allí todos los días. La *pajarera* (el aviario) en torno a la cual se agrupan los niños es muy pobre considerando la belleza y variedad de las aves mexicanas y las tradiciones aztecas al respecto. El parque no tiene reja alrededor, se puede entrar en él desde la ancha avenida Juárez. El único inconveniente de los bancos de piedra colocados a intervalos es que los más prominentes tienen grabadas las palabras "Eusebio Gayosso", nombre de un sepulturero popular. En mitad de la vida ahí estás rodeado de muerte. Sin embargo, los eternos indios de siempre, asoléanse en los bancos con toda su prole y como no saben leer, tienen esa ventaja sobre cualquier *ilustrado* que quiera descansar un poco.

Nelson acaba de regresar con la respuesta tan ansiosamente esperada, que no tiene nada que ver con lo pensado. Probablemente Huerta está tratando de ganar tiempo. En respuesta al muy concreto mensaje del presidente Wilson, Huerta profiere palabras vagas aunque agradables. En el sentido de que siempre ha estado animado por los deseos más patrióticos, que siempre limitará sus actos a la ley y que después de las elecciones respetará escrupulosamente los deseos del pueblo y reconocerá a cualquier persona que sea elegida como presidente por un término que se cumpliría hasta el 30 de noviembre de 1916. Nelson recomienda retirar la embajada si Huerta no ha renunciado después del 23 de este mes, fecha en que debe convocarse a un nuevo congreso. Eso podría influir en Huerta, pero, de nuevo, también podría considerarlo como otro grito de que ahí viene el lobo.

El hecho es que nadie cree que vayamos a intervenir realmente. Las posibilidades de que nos vayamos en un barco de guerra en lugar de uno de la Ward Line* son muy grandes, y la "d" final sería la gran diferencia. Detestaría dejar este tipo de vida palpitante y colorida, pero no es el momento de tener sentimientos personales de ningún tipo.

Esta tarde cuando el automóvil avanzaba por la calle de Plateros hacia un hermoso ocaso claro y rojo, entre filas de autos y carruajes llenos de gente bien vestida, con hombres caminando al borde de la calzada como lo hacen en Roma en el Corso, me parecía imposible estar viendo a un pueblo sobre el cual pende una gran humillación nacional. Las multitudes se hacen más y más mexicanas cada día, con menos rostros estadunidenses.

Hoy almorzamos con los Iturbide. Todo estaba preparado en el mejor estilo, con hermosas porcelanas y platas antiguas. Él es descendiente del emperador Agustín de Iturbide, de trágica historia; es un joven encantador y muy inteligente que adornaría cualquier sociedad. Al otro lado tenía al señor Bernal, con una cabeza similar a la de Cristo, de extrema regularidad cincelada en pálidos tonos marfil. Todos parecían

* Sin la d, Ward se convierte en war, guerra *(N. del E.)*

temer que en vista de lo que para ellos es una actitud inexplicable de Estados Unidos, México padecerá la muy temida intervención en alguna forma. Todos ellos tienen hermosas casas en la ciudad pero viven la mayor parte del tiempo en sus haciendas, que manejan en el plan paternal, único plan que hasta ahora ha dado resultados aquí y que nosotros en Estados Unidos no entendemos en absoluto, puesto que no somos capaces de ponernos en el lugar de otra nación. Aquí, el negocio político real queda en manos de la clase media educada, cuyos miembros, en lugar de ser pilares de la sociedad, forman el estrato del que siempre surgen los políticos profesionales y los revolucionarios en embrión: los *licenciados*, a veces considerados como la maldición de México, y otros hombres de las profesiones civiles, en general venales en algún grado. El peón es fiel cuando no tiene poder y el aristócrata es noble; pero ningún país está seguro cuando sus mejores elementos están en los extremos.

Sin embargo, no soy pesimista con respecto al futuro del verdadero latinoamericano ejemplificado por ese estrato medio, en general mestizo. Siempre constituye la parte activa de la población y en sus manos parece estar el futuro del país. El español representado por las clases aristocráticas tiende a mantenerse aparte y siempre lo hará. El indio, salvo en el caso aislado de algún individuo poseedor de genio, que seguramente aparece de vez en cuando, no tiene las cualidades necesarias para ser el elemento dominante. Por lo tanto está reservado para esa cruza de español e indígena que encarna y representa las verdaderas características nacionales.

Esta noche corre el rumor de que, como la actual ley bancaria respecto a ciertas reservas de oro y plata no agrada a Huerta, éste ha decidido eliminarla y obligarnos a respaldarla (¿?) en papel moneda. ¡Sombras de Limantour!

Esta tarde compré varios hermosos marcos antiguos con incrustaciones de oro. Estas últimas palabras se refieren a uno de los placeres más grandes de México: andar en busca de antigüedades. Casi cada persona que llega aquí se infecta de esa fiebre y pasa horas revolviendo vejestorios, en forma casi delirante, con la esperanza de desenterrar un tesoro. Y a pesar de que México lleva cincuenta años de ser saqueado por los viajeros y devastado, una y otra vez, por conflictos civiles, todavía quedan infinidad de cosas hermosas, que atestiguan la riqueza y el gusto de los pasados tiempos españoles.

6 de noviembre

La declaración del *Mexican Herald* acerca de que el señor Lind confirmó el reporte de un ultimátum y el probable fracaso de las negociaciones es simplemente asombrosa. Cuando se enciende la luz de la publicidad sobre Huerta, él es tan cauteloso como un animal salvaje que entra en contacto con el hombre por *segunda* vez. Lo que sea que haya estado contemplando, esas negociaciones especiales ya están muertas y enterradas.

Esta noche hubo una gran cena en la legación de Bélgica; todo se organizó perfectamente, como de costumbre. Estuve sentada frente al anfitrión, entre Von Hintze y sir Lionel. Llevé el vestido de chiffon con flores de terciopelo negro, y en el cabello la *aigrette** negra con efecto Pocahontas; Von Hintze quiso saber el porqué de ese delicado tributo a los indios. No hubo conversación política, y con excepción de los Carden, Von Hintze y nosotros, sólo se encontraban presentes miembros de la mejor sociedad de México, elegantes, bien vestidos y enjoyados. May es sumamente exclusivo, con un *flair*** infalible para cuchichear. Su linda esposa está en París.

Mi sala está llena de los hermosos geranios color de rosa que crecen en abundancia sobre los muros, el jardín y en los balcones de la embajada. Juan, el jardinero, que entiende de flores como todos los aztecas, las trae cada tercer día: las corta con la mayor eficiencia dejándoles muchas hojas y tallos muy largos.

El anuncio de que hay barcos en el puerto de Veracruz ya no llama la atención. Contando los buques franceses y alemanes hay alrededor de una docena en total. Siete son nuestros. Cuando llegamos hace un mes había solamente dos —el *New Hampshire* y el *Louisiana*— cuidando la entrada del canal. ¿Está tomando fuerza el complot?

* pequeño penacho de plumas *(N. de la T.)*
** estilo instintivo *(N. de la T.)*

IV

El "abrazo". Llegada del señor Lind. Delicadas negociaciones en marcha. Comida en la legación de Alemania. Entusiasmo por la corrida de toros. A la caza de antigüedades. Estadunidenses presos. Otra cacería en gran escala.

7 de noviembre

Con la bandeja del desayuno me trajeron el periódico, que anunciaba que el señor Lind dejó anoche Veracruz con destino a la ciudad de México. He hecho preparar dos habitaciones para él, moviendo alfombras, escritorios y muebles, robando a Pedro para prestarle a Pablo como hay que hacer en una casa cuando hace falta mobiliario. Será bienvenido y espero que esté cómodo durante todo el tiempo que desee quedarse. Tengo el recuerdo de algo magnético en su mirada clara y firme, algo que desarma la crítica, sus ojos azules de vikingo, su sonrisa afable y su alta figura delgada, con ropa que lo cubre más que vestirlo. No le resultará fácil estar aquí y no creo que lo reciba ningún funcionario que pudiera burlar el roble del protocolo, a menos que esté acompañado por Nelson, en una especie de efecto político de hermanos siameses, y de superfluidad.

Más tarde

Cuando bajé, el señor Lind estaba en el estudio de Nelson. Para saludarlo tuve que atravesar un enjambre de periodistas que se arremolinaban como abejas alrededor del bote de miel de la "información". Le entregué, simbólicamente por así decirlo, las llaves de la ciudad y me retiré a mi propio distrito a ordenar la comida para la una de la tarde. Toda la población murmura y se pregunta qué significará todo esto. Huerta guarda silencio. Al parecer él y sus generales ahora están *dispuestos* a enfrentarse a los rebeldes. ¿Por qué no antes? Hace cien años se enviaban *"avanzadas"* a Constantinopla para averiguar una o dos cosas que antes no se sabían. Creo que ahora México es una escuela igualmente buena para un estudio desde otros puntos de vista.

El señor Lind no oculta su convicción de que Inglaterra tiene intenciones hostiles con respecto a la situación de México. Encuentro difícil creer que Inglaterra haga algo que ponga en peligro nuestra amistad por salvaguardar sus intereses aquí, por grandes que sean. En el *Multicolor* de la semana pasada había una imagen de la Casa Blanca, con Inglaterra, Alemania y Francia pintándola de verde. El *poner verde* a alguien es aquí un insulto.

Huerta cree tener el apoyo de muchas potencias extranjeras, especialmente de Inglaterra. Sir Lionel, al presentar sus credenciales, la mañana después del *coup d'état*, le dio un considerable refuerzo.

8 de noviembre

Los últimos dos días hemos estado atareados. El señor Lind es un huésped encantador, sencillo y fácil. Se va mañana, pero estoy presionándolo para que regrese el día de Acción de Gracias, *si es que* estamos aquí. La gente sonríe cuando hablo de una recepción para el día de Acción de Gracias. Tres semanas es mucho tiempo de anticipación para la ciudad de México, en estos días.

Finalmente, Nelson abordó ayer a Huerta en el café *El Globo*. Recibió el habitual *abrazo** afectuoso y bebieron una *copita* juntos, pero Huerta nunca mencionó a Lind, como si no existiera, incluso se espantaba ante la más remota alusión a los "negocios". En cambio le preguntó a Nelson "¿Y las muchachas?", frase que con frecuencia se usa para abrir o cerrar una conversación en estas latitudes, un poco como nosotros preguntaríamos por el clima. Para cambiar de tema.

Las nuevas elecciones se celebrarán el 23 de este mes. Huerta juega con el gobierno de Washington en forma verdaderamente maquiavélica, ellos quieren que renuncie, pero por el momento no hay gobierno reconocido a quien presentar esa renuncia. Después del 23, si las elecciones dan resultado, encontrará otros motivos para quedarse. Si no fuera por el hecho de que el poder siempre tiene razón, la adminis-

* El *abrazo* ha sido descrito por alguien como "el abrazo oriental y bíblico, en el que los hombres se agarran mutuamente por un momento, inclinándose para mirar por encima del hombro del otro". Es a la vez digno y expresivo. *(Nota de la edición original.)*

tración sería como una clase de kindergarten en relación con este viejo indio inteligente, dedicado y astuto. "Dicen" que se está enriqueciendo, pero no hay señales visibles. No creo que su mentalidad sea del tipo que ama el dinero, aunque probablemente sus principios no le impedirían hacerse una vida cómoda si así lo decide. Aun así, ahora está tan dominado por su *idée fixe** —la pacificación—, a pesar de todas las dificultades internas y externas, que dudo que tenga un interés indebido por el enriquecimiento personal.

9 de noviembre

Esta mañana empecé el día llamando por teléfono a Von Hintze para que viniera a comer, porque el señor Lind quería verlo informalmente. Después fui a casa del *chargé* chileno, que murió ayer. Estaba expuesto en el centro del pequeño comedor, y la campanilla eléctrica colgada del candil, que debe haber usado con frecuencia mientras comía, pendía sobre su pobre cara muerta. Hay una tristeza muy particular en el deceso de diplomáticos en tierras alejadas de las suyas. Su breve periodo transcurrido entre personas corteses pero que no son parientes ni sienten nada por ellos. Me quedé a un rosario y a la letanía. Además del cura, sólo estábamos en la habitación su linda viuda y yo. No tenía hijos. Grandes enredaderas de bugambilias púrpura, la gloria de México, oscurecían la ventana. Descanse en paz.

Hubo una conversación interesante durante la comida, pues sólo nos encontrábamos nosotros cuatro. El señor Lind repitió a Von Hintze lo que, curiosamente, ha dicho a muchas personas aquí: que el elemento crucial del asunto son las relaciones angloamericanas, y que Estados Unidos jamás permitiría que intereses británicos prevalezcan en detrimento de los estadunidenses. Von Hintze escuchó con mucha atención, pero en sus respuestas fue diplomático en extremo y no se comprometió. Siempre es muy interesante escuchar a los alemanes hablar de posibles dificultades entre Inglaterra y otras naciones, y viceversa. Se les enciende una luz en los ojos, y me atrevo a decir que Von Hintze escribió un informe a su gobierno al regresar a la legación. Al señor Lind le dijo que en su opinión no habíamos respetado lo suficiente el *amour propre*** de los mexicanos; que estamos equivocados al

* idea fija *(N. de la T.)*
** amor propio *(N. de la T.)*

intentar con amenazas cuando lo que se necesita es convencerlos con habilidad. Y el señor Lind ofreció espontáneamente la sorprendente afirmación de que a nosotros, de cualquier manera, no nos conviene que se celebren elecciones, porque se harán concesiones y se aprobarán leyes que nos complicarían la situación mexicana por otros cincuenta años. Me sentí muy incómoda.

Las elecciones de Veracruz divirtieron mucho al señor Lind, porque la "urna" era una caja de zapatos de cartón común con una ranura. Él vio, efectivamente, con sus propios ojos ese *objet de vertu.**

La ciudad está en conmoción por las corridas del próximo domingo. Acaba de llegar de España, Belmonte, *el fenómeno,* que tiene veintiún años y es el objeto de todos los afectos. Los asuntos políticos están detenidos. Hubo una agitación apenas contenida entre los sirvientes cuando la alegre comitiva pasó por la embajada *en route*** hacia la plaza. Luego tuvieron una terrible decepción al anochecer cuando se dieron cuenta de que no todos habían logrado escabullirse de la legación para animar la corrida. Son como niños; cualquier cosa que se frustre les parece el fin de todo. Estuvimos envueltos por una continua nube de polvo que levantaron los millares que pasaban en automóviles, carruajes y a pie. Durante mi primera estancia en México fui a dos corridas de toros, pero nunca llegaron a gustarme. De Chambrun me dijo que uno debe ir seis veces seguidas y después de eso uno no puede mantenerse alejado.

Ayer vi pasar a Belmonte, mientras la multitud lo aclamaba salvajemente. Su expresión de orgullo condescendiente, tanto como sus ropas, lo distinguían. Llevaba el habitual sombrero negro chato, mostrando su diminuta coleta, una camisa amplia y fruncida bajo una chaqueta muy ajustada que no intentaba juntarse con los pantalones aún más estrechos. Iba cubierto de joyas, sin duda ofrendas votivas de los amigos que lo adoran. ¡Y pensar que esta noche podría estar muerto!

Burnside y el *ensign**** H., del *Louisiana,* que acompañaron al señor Lind como guardaespaldas, regresaron con él a Veracruz. La embajada debe reservar un compartimiento para él esta noche, pero viajará por la mañana. Es sólo para estar preparados contra "accidentes".

* objeto de virtud *(N. de la T.)*
** en camino *(N. de la T.)*
*** el oficial de menor grado *(N. de la T.)*

11 de noviembre

Hoy comemos en la legación alemana, con el señor Lind. Él no tiene ropa apropiada, pero como eso es algo que lo tiene sin cuidado, supongo que no importa. Indudablemente no hay sastre que vista a este hombre.

Un sol celestial y reconfortante, por el cual doy gracias, entra por mis ventanas. Voy a salir a ver baratijas con lady Carden. Con el cambio a tres pesos por un dólar, de vez en cuando uno adquiere algo bueno por nada. El ministro de Bélgica, que tiene dinero y habilidad, hace los hallazgos más asombrosos. Por una bicoca compró lo que parece ser un auténtico esmalte de Diane de Poitiers, en su marco original: una reliquia de las glorias de los virreyes.

Algo que surgió en una conversación con el señor Lind me ha estado haciendo pensar un poco y también sentirme bastante incómoda. Él tiene la idea, y quizá el plan, de facilitar el avance de los rebeldes levantando el embargo, y me temo que lo recomendará a Washington. Estábamos sentados conversando después de cenar, tiritando en la gran sala en torno a una estufa eléctrica diminuta, cuando tentativamente, nos sugirió sus planes. Yo exclamé: "¡Oh, señor Lind! ¡No puede decirlo en serio! Sería abrir aquí una caja de Pandora de problemas". Al ver mi reacción él cambió de tema, pero no puedo sacármelo de la cabeza. El libro del futuro de México está desenrollado ante él como un pergamino, ¿es posible que no piense leerlo? Cualquier medida tendiente a socavar la autoridad central aquí, por imperfecta que sea, sólo puede traer calamidades. Vi eso con mis propios ojos en el desastroso derrocamiento del gobierno de Díaz y la instauración del ineficaz régimen de Madero. Creo que Madero se sorprendió, más que nadie, de que después de tomarnos tantos esfuerzos para ayudarlo a llegar, hiciéramos tan poco por *mantenerlo*. Los diplomáticos siempre están insistiendo en que la situación de Díaz, en 1877, era análoga a la de Huerta ahora, y que después de una demora decentemente razonable de diez meses, o lo que haya sido, al final lo reconocimos. Entonces, ¿por qué no a Huerta? Él por lo menos tiene en sus manos la delicadísima maquinaria del gobierno mexicano, y ha demostrado tener cierta comprensión de cómo mantenerla en funcionamiento.

Más tarde

La comida en la legación alemana fue muy interesante. Los invitados éramos Lind, Rábago, el ministro belga y nosotros. Rábago no habla una palabra de inglés y el señor Lind ni una palabra de español, de modo que la conversación fue algo dispersa. Todos sonreían con excesiva amabilidad, para demostrar qué seguros nos sentimos sobre esta capa de hielo tan delgada. Los colegas siempre son muy corteses, pero ninguno de ellos está realmente con nosotros en lo referente a nuestra política. Platicando con Von Hintze junto a una ventana después de comer utilicé la palabra *intervención*, y Von Hintze dijo algo acerca de que Estados Unidos no está preparado para una guerra. Eso, aunque es cierto, no podía aceptarlo de un extranjero sin replicarle. Le respondí que si llegara a declararse la guerra tendríamos a un millón de hombres en las oficinas de reclutamiento entre el amanecer y el ocaso. Sonó muy patriótico y aterrador, pero quedó reducido a la ineficacia ante su respuesta: "Hombres sí, pero no soldados. Los soldados no se hacen entre el amanecer y el ocaso". Agregó algo acerca de las diferencias visibles en la opinión pública estadunidense, y me arrojó una frase de Milton en forma de "no todos creen que sólo los que están parados esperando sirven". Ignorando esa cita del bardo ciego, le dije que cualesquiera que sean las divergencias en la opinión pública *antes* de la guerra, la nación estará como un solo hombre detrás del presidente *después* de cualquier declaración. También le dije que nosotros no vemos la situación mexicana como una situación militar sino más bien como un trabajo policial y administrativo que no estamos dispuestos a aceptar. A continuación me despedí, dejando la "junta" en plena sesión, con la lengua ágil del ministro belga haciendo prodigios de interpretación entre Lind y Rábago. Sin embargo, el resultado de tanta plática, según supe después por todos los participantes, fue *nulo*.

El señor Lind me mantiene alerta con sus predicciones de ruptura en los próximos días. Naturalmente se está impacientando y quisiera que las cosas llegaran a alguna resolución. No he respirado con calma una sola vez desde que desembarcamos.

El trajín de los bancos para retirar plata a cambio de papel ha complicado las cosas. Esta mañana cuando fui al Banco Internacional vi personas esperando ante la ventanilla del cajero con grandes bolsas de lona para llevarse la plata. Como se ha aprobado la ley para acuñar más plata, diría que todos los patriotas se proponen hacer todo lo posible para proteger sus intereses.

12 de noviembre

Anoche llegó un telegrama de Washington. Ruptura de relaciones diplomáticas, a menos que Huerta acceda a nuestras demandas. Nelson lo llevó a la cancillería, a Rábago y a Garza Aldape, para probarles que aunque no lo crean estamos dispuestos a tomar medidas extremas. Esto no es como estar cerca de un volcán sino sobre él. Ni la nación mexicana, ni en realidad ninguna otra cree que estemos dispuestos y en condiciones de ir a la guerra, lo cual por supuesto no es verdad, como sin duda lo demostraremos pronto. En mi opinión, por lo menos, la guerra no es el peor de los males en la vida de una nación. Demasiada prosperidad es mil veces peor; y en verdad la anarquía, tal como se ejemplifica aquí, es infinitamente más desastrosa. Nosotros mismos fuimos "concebidos en guerras, nacidos en la batalla y sostenidos con sangre".

Confiamos en que el *Louisiana* haya partido anoche a Tuxpan. Allí bombardeará a los rebeldes que están en pleno goce de la destrucción de vidas y propiedades. Les daría un susto saludable. Hay allí enormes intereses petroleros ingleses. Los propietarios están preocupados por sus bienes y, en general, algo inquietos por la incertidumbre. ¿Protegeremos sus intereses o permitiremos que ellos lo hagan? *Nuestro* gobierno advirtió que no considerará que las concesiones otorgadas por el régimen de Huerta sean obligatorias para los *mexicanos*. Es algo como para frotarse los ojos.

Más tarde

Los asuntos mexicanos parecen acercarse a su inevitable fin. Hoy a las tres, Nelson le mostró a Rábago el telegrama de Washington sobre la probable ruptura de relaciones diplomáticas. Él palideció y dijo que arreglaría una entrevista con el presidente para las seis. A las seis Nelson, acompañado por el señor Lind, se presentó en el Palacio. Ni el presidente ni el secretario estaban allí. Finalmente, Rábago telefoneó desde un lugar desconocido para decir que estaba buscando a Huerta pero no podía encontrarlo. Alguien sugirió que a lo mejor estaba encerrado con los únicos "extranjeros" que considera dignos de conocer: *Hennessy* y *Martell*.

El señor Lind vino por un momento a la sala para decirme que se va esta noche a las 8:15. Él cree que nosotros lo seguiremos antes del sábado, y hoy es miércoles. La continua lucha del gobierno por ganar tiempo y la persistente invisibilidad del presidente han afectado sus nervios. Con esta súbita partida espera provocar un clímax, pero los clímax tal como los entendemos los del norte son difíciles de dar resultados en América Latina. No desean acciones definitivas. Al irse el señor Lind dijo, en forma convincente, que reservaría habitaciones para nosotros en Veracruz. Sabe que corresponde a Nelson llevar a cabo todo lo relacionado con la ruptura de relaciones, aunque seguramente será decidida en Washington, y comprende que Nelson ha soportado la agobiante carga de la situación mexicana. ¡Por desgracia, parece comprendernos mejor a nosotros que la situación! Le deseé buen viaje con lágrimas en los ojos. Me abruman vagos temores de la cercanía de una calamidad inminente. ¿Cómo puede este pueblo misterioso y extraordinario enfrentar la próxima catástrofe quemando la selva para cazar al tigre?

Un ciudadano estadunidense, Krauss, fue encarcelado, sin proceso, en Santiago Tlatelolco, donde enfermó de pulmonía. Nelson le envió un médico con D'Antin, que por años fue asesor legal y traductor de la embajada y es casi mexicano, aunque no *del todo*. Encontraron al estadunidense en un corredor largo y estrecho, entre ochenta o noventa personas acostadas o sentadas; apenas había espacio para andar, y el aire estaba terriblemente viciado. Había pocos peones entre los presos, que eran en su mayoría personas educadas, sospechosos políticos. ¡Un aspecto de la dictadura!

Garza de la Cadena, el hombre del que te escribí (el que agarró al cura y lo arrojó a la calle en Gómez Palacio) fue fusilado ayer por sus propios rebeldes por alguna traición: un destino muy merecido. Lo sacaron al amanecer cerca de Parral, lo colocaron frente a un muro de adobe y lo llenaron de balas.

Esta mañana estaba leyendo sobre la ruptura de nuestras relaciones con España en 1898. Muy interesante y posiblemente apropiado. La historia acostumbra repetirse, cambiando sólo los nombres. Me pregunto si llegará un día en que los nombres de Nelson y Algara figuren como los del general Woodford y Polo de Bernabé. Aquí ocurren diversos horrores, pero me parece que nada puede igualar la disminución de la población de la "verde isla de Cuba" (de indescriptible belleza cuando uno navega a lo largo de sus costas), que disminuyó su población de 1'600,000 a 1'000,000 en diez meses, principalmente debido al hambre. Morían madres con bebés al pecho; niños debilitados y vacilantes cavaban las tumbas de sus padres. ¡Dios mío! ¿Cómo puede haber ocurrido eso tan cerca de nosotros? No obstante, *ellos* están a salvo, "con Dios".

Ahora cenaremos apresuradamente, esperando al señor Lind, el capitán B. y el *ensign* H., y después Nelson se va a seguir con su "cacería". Todo indica que será una noche atareada.

V

Días de incertidumbre. Buenos oficios de los diplomáticos. Una luz tangencial sobre las ejecuciones. Los pregones callejeros mexicanos. Renuncia de Garza Aldape. La primera recepción oficial en el Castillo de Chapultepec. Las joyas de Cortés.

13 de noviembre

Fue imposible encontrar al presidente anoche, a pesar de que Nelson continuó su búsqueda hasta una hora tardía, o más bien hasta hoy temprano. En efecto una forma eficiente, aunque no satisfactoria, de responder, simplemente es sustraerse de la situación.

Nelson no se presentará a la inauguración del congreso, el sábado 15. Su ausencia dejará un vacío grande en el *corps diplomatique*.*

Esta mañana temprano vinieron varios reporteros a decir que tenían información precisa de que Huerta había huido del país. Pero la ciudad de México no tiene igual como fábrica de rumores, y ya nadie se espanta por los *on dits*.** Además, probablemente no hay nada más alejado de la mente de Huerta que escapar. De todo ello surgió una chispa de verdad: el señor Lind partió hacia Veracruz sin obtener aclaración de ningún tipo.

El ministro belga vino ayer justamente cuando el señor Lind se iba. Le rogó que no lo hiciera, que se abstuviera de cualquier acción brusca calculada para precipitar una ruptura que podría evitarse. Pero yo no veo cómo el ir y venir de alguien puede hacer una diferencia. El abismo está llamando a los mexicanos y ellos caerán en él cuando y como les guste.

He llegado incluso a decirle a Berthe que empaque mis ropas. Los objetos de las salas los dejaré, y los perderé si es necesario. Crea-

* cuerpo diplomático *(N. de la T.)*
** se dice *(N. de la T.)*

ría un pánico si alguien entra y ve las habitaciones desmanteladas. Nadie puede decir qué sucederá en realidad. Está más o menos en lo cierto el editor estadunidense que observó que lo que nosotros tomamos por un Canto de Cisne Azteca, en general no es sino otro chillido de desafío.

El sitio de Chihuahua terminó ayer, después de cinco días, con una victoria federal. Los rebeldes perdieron alrededor de novecientos hombres. Sus cadáveres estaban muy bien vestidos, muchos de ellos con ropa interior de seda, resultado del saqueo de Torreón, la cual fue tomada por los rebeldes hace varias semanas. La victoria de Chihuahua probablemente fortalecerá al gobierno provisional, si es que algo puede hacerlo. Los generales, incluyendo a Orozco, que combatieron contra Madero han sido ascendidos.

Anteanoche el tren interoceánico entre México y Veracruz fue detenido durante dos horas por bandidos rebeldes. Los pasajeros fueron robados y aterrorizados. De alguna manera los revoltosos tenían noticia de la gran exportación de mineral que iba en el tren. Había tanto que no podrían habérselo llevado aunque no los hubiera asustado, en mitad de su ataque, un destacamento de federales que había sido llamado con urgencia. Si es que nos vamos no quisiera custodiar barras de plata hasta el puerto. Nelson dice que le gustaría llevar a Huerta sentado junto a él hasta concluir el trayecto.

Me pregunto si el sábado la ausencia del representante de Estados Unidos molestará tanto al gobierno que el domingo nos haga partir con nuestros pasaportes. Es probable que unos hombres se vayan y otros vengan (*vide* el señor Lind); sobre ellos se ensayaría la frialdad y las amenazas, y se seguirá permitiendo que pase cualquier cosa hasta que las tropas estadunidenses realmente desembarquen en los puertos y entren por la frontera. Esto es una magistral indiferencia vengativa.

Tengo la idea de que Washington no concuerda con la impaciencia del señor Lind por terminar la situación con la ruptura de relaciones diplomáticas. Una vez rotas nos enfrentaríamos a una situación urgente que reclamará acción inmediata. Tal vez *sea* cierto que no estamos eficientemente preparados para la intervención, además de no quererla. Mientras Nelson esté en el puesto las ruedas estarán aceitadas.

14 de noviembre

Anoche la atmósfera política se aclaró, por lo menos por el momento. El congreso no será convocado mañana, lo que da a las cosas un aspecto diferente. Si se reuniera, México sería el único país capaz de exhibir un triple conjunto de parlamentarios: los que están presos, los elegidos después del *coup d'état* y los nombrados recientemente.

Sir Lionel vino ayer para ofrecer sus servicios. Gran Bretaña sabe que debe estar de acuerdo con nosotros. También vinieron muchos otros colegas, temiendo problemas cuando se supo que Nelson no asistiría a la inauguración y que Estados Unidos se propone declarar nulo e inválido cualquier acto del congreso. ¡Gran agitación entre los expectantes *concessionnaires belges*!* Todo tuvo un efecto muy saludable. Es inútil para cualquiera de las potencias tratar de "apresurar" a Estados Unidos, no importa cuáles sean sus intereses en el Hemisferio Occidental.

Más tarde

El presidente Wilson ha decidido postergar el anuncio de su nueva política mexicana. De paso, le dije a Berthe que desempaque. Bueno, todos estaremos tranquilos a menos que ocurra algo más. Ayer salieron de la embajada cablegramas por valor de cientos de dólares; Nelson estuvo horas dictando y los empleados codificando. Varias de ellos están durmiendo en la embajada, pues hay tanto trabajo por la noche que es necesario que estén aquí.

Entrego esta carta a M. Bourgeois, cónsul general de Francia, que parte la próxima semana en el *Espagne*. Es un agradable hombre de mundo, que acaba de ser asignado a Tientsin.

Por la noche, a las 10

El asunto está muy serio. Esta noche Nelson debe entregar algo que es prácticamente un ultimátum. Llamó a Manuel Garza Aldape, secretario de Gobernación, y arregló una entrevista con él, en su casa, a las nueve. Después llamó a los ministros que necesita como testigos, para que lo acompañen allá.

* concesionarios belgas *(N. de la T.)*

El primero en llegar fue Von Hintze. Después de leer el periódico aquí en la sala guardó silencio y luego dijo: "Esto significa guerra". (Alguien habían insinuado esa posibilidad a Garza Aldape el miércoles pasado, y él respondió sencillamente: "*Es* la guerra".) Von Hintze continuó diciendo: "La posición personal de Huerta es desesperada. Ya sea que tenga que combatir en el norte contra los rebeldes o contra Estados Unidos, para él es un desastre. Sólo que me imagino que perderá menos prestigio si escoge pelear con Estados Unidos: en ese caso su nación dará alguna muestra de agruparse a su alrededor". Von Hintze está convencido de que no estamos preparados para la guerra, ni práctica ni psicológicamente. No dejaba de repetirle a Nelson: "¿Pero usted ha explicado a su gobierno adónde podría conducir todo esto?". Nelson respondió: "Washington está cansado de la situación y con razón. Nuestro gobierno lleva seis meses instando, amenazando y tratando de convencer. No quiere más explicaciones inútiles. Es demasiado tarde".

Sin embargo, no es oficial hasta que la nota esté en manos de Huerta. De modo que aún tengo esperanzas. Garza Aldape es uno de los mejores ministros.

Fui con Von Hintze y Nelson hasta la gran puerta del frente y observé cómo el auto desaparecía en las tinieblas. Los deliciosos aromas de los geranios y heliotropos del jardín envolvían la casa, pero después de un momento regresé, sintiéndome muy triste. La idea de sangre estadunidense regando el desierto de Chihuahua me estruja el corazón. Puedo ver esos cactus secos y espinosos que brotan de la arena. ¡No hay agua en ninguna parte! Durante la revolución de Madero murieron allí de sed unos doscientos mexicanos, y ellos conocen su país. Una y otra vez contemplaba a mi alrededor mi cómoda sala, con sus sillones y fotografías, sus libros y jarrones con flores, y me decía: "De modo que así es como se hacen las guerras". Esto de poner en orden una casa ajena me está afectando los nervios.

El teléfono ha estado sonando constantemente. Los periodistas tienen indicaciones de Washington de que algo está por suceder.

Sábado 15 de noviembre

Nelson llegó anoche a las doce y media, después de una conferencia de tres horas con Aldape. Debe verlo de nuevo esta mañana a las diez. Dicen que la presencia del señor Lind da publicidad a cada paso, que constantemente pone en peligro la dignidad nacional y que en esas condiciones es imposible negociar. Aldape dijo también que cada vez que se menciona el nombre de Lind, Huerta se enfurece de tal manera que la conversación se vuelve imposible.

Más tarde

Las cosas están muy tensas hoy. Nelson vio a Garza Aldape a las diez. Él le dijo que después de la conferencia no había podido dormir en toda la noche y que todavía no había presentado el ultimátum a Huerta. Nelson le preguntó si tenía miedo de hacerlo y él respondió simplemente: "Sí". Nelson le dijo que volvería a las tres y si para esa hora no se había presentado la nota por los canales regulares, él mismo lo haría.

El panorama es sombrío. Carranza en el norte ha rechazado los oficios de W. B. Hale como mediador, diciendo: "No se puede permitir que ninguna nación extranjera interfiera en los asuntos internos de México". Si Carranza dice eso, ciertamente Huerta no puede decir menos. Así están las cosas. Aunque no podía haber nada más lejos de sus propósitos, el señor Lind ha aniquilado cualquier posibilidad de negociación con el barullo y la publicidad de su llegada a la ciudad de Montezuma *y* Huerta. El latinoamericano puede darse cuenta de que uno sabe de sus asuntos, y saber que uno sabe que él sabe que uno sabe, pero no quiere y no soporta la publicidad.

Esta mañana fui a "comprar antigüedades" al mercado de los ladrones con lady Carden. Nos dio la impresión de que se exhibían allí todas las llaves herrumbradas del mundo, junto con todos los cerrojos, pestillos, candelabros y fotos de familia. Estábamos por irnos cuando mis ojos cayeron sobre una hermosa jarra antigua de Talavera, con su tapadera de metal y su vieja cerradura española intactas. Después de mucho regatear acabé pagando al indio de ojos huidizos más de lo que nunca soñó obtener y mucho menos de lo que el objeto vale. En esas jarras solían guardarse dulces, medicinas y diversas cosas valiosas. Muy animada, arrastré a lady Carden hasta el Monte de Piedad. Todos los extranjeros, así como los mexicanos, lo frecuentan, con la vana esperanza de conseguir un collar de perlas por lo que en otra parte se pagaría por uno de cuentas de vidrio. Estaba llevándose a cabo uno de los *remates* mensuales, y la apiñada multitud de peones y gente bien vestida, junto con el conocido olor azteca, nos hizo sentir que no era lugar para nosotras. Los diamantes y las perlas de aquí son en general muy pobres, y los grandes trozos de esmeralda con mil imperfecciones son más decorativos que valiosos. Las joyas finas de la clase rica provienen, en su mayoría, de Europa, aunque compradores astutos están atentos a posibles hallazgos en la rotación constante de las posesiones humanas. En México pueden conseguirse ópalos muy bonitos, pero tú sabes que yo no tocaría ninguno, y desde tiempo inmemorial se sacan turquesas. Los museos de todas partes están llenos de ellas, como talismanes y regalos de felicitaciones, por no hablar de las tiendas de curiosidades.

Al parecer a Cortés le gustaban mucho las joyas y siempre andaba bien vestido de paños finos en colores oscuros, con un adorno elegante. Cuando regresó a España enloqueció a todas las mujeres con las joyas que llevó consigo. Esmeraldas, turquesas, adornos de oro y *panaches** de plumas de quetzal hábilmente cosidas con perlas y esmeraldas, a la moda azteca, que distribuyó con mano generosa. Los regalos para su segunda esposa fueron tan espléndidos que la reina se puso celosa, a pesar de que él le había llevado ofrendas magníficas. Se insinúa que ése fue el principio de su desgracia en la corte.

17 de noviembre

El día de ayer, que empezó en forma tan amenazadora, terminó sin catástrofe. Al abrir el periódico de la mañana vi que Garza Aldape había renunciado. Finalmente presentó a Huerta la nota estadunidense, con el resultado de que presentó también su propia renuncia y se marcha casi de inmediato a Veracruz, para partir en el *Espagne* hacia París, donde se rumorea que será ministro en lugar de De la Barra. De todos modos esto es su salida de la política de Huerta. Garza Aldape es un caballero y un hombre que entiende. Es muy lamentable que de este modo Huerta esté dispersando a su propio gabinete.

Ayer hubo otra pequeña comida en Tlalpan. Hasta las cuatro y media estuvimos sentados en el hermoso pero medio descuidado jardín, entre una confusión de flores: alcatraces, violetas, rosas, geranios y heliotropos por todos lados. Los dos volcanes blancos y distantes coronaban, como siempre, la incomparable belleza del escenario que nos rodeaba.

Lo que los diplomáticos temen en caso del retiro de Nelson es el interregno *después* de nuestra partida y *antes* de que lleguen aquí las tro-

* penachos *(N. de la T.)*

pas estadunidenses. Prevén pillaje en la ciudad y masacres de sus habitantes, puesto que sus defensores naturales, las tropas federales, estarán ocupadas en otra cosa, combatiendo al "enemigo", es decir nosotros. Siempre dicen que en ese caso todo el mundo considerará culpable a Washington, pero ese pensamiento no parece consolarlos mucho. La idea fija de todos los extranjeros es que nosotros estamos aplicando a México una política de agotamiento y ruina a través del no reconocimiento, de modo que cuando estemos preparados para apoderarnos del país tendremos poca o ninguna dificultad. Podemos hablar hasta quedar roncos, explicar, adornar, para defender la política del presidente, nada hace alguna diferencia: "Así son las cosas".

Volvimos a casa después de lucirme con Elim en el Country. Aquí la gente tiene pánico, pero de *mí* nadie ha oído nada salvo que el día de Acción de Gracias daré una recepción de cuatro a ocho. Los teléfonos han estado sonando todo el día con llamadas de padres y maridos enloquecidos que no saben qué hacer. No pueden permitir que peligre su pan de cada día. No son hombres que tengan cuentas en bancos de Nueva York, ni en ninguna otra ciudad, y para ellos irse significa la ruina. Vienen con rostros pálidos y desencajados. "¿Es cierto que esta noche van a cerrar la embajada?" "¿Qué nos aconsejan?" "Si me voy es mi ruina." "¿Podemos contar con alguna protección?" Son algunas de las preguntas que nos hacen.

El doctor Ryan, el joven médico que hizo tan buen trabajo durante la *Decena Trágica* en febrero pasado, está de nuevo aquí. Estos últimos meses ha estado en el norte, donde vio cosas horrendas y presenció muchas ejecuciones. Dice que las víctimas parecen no preocuparse por sus vidas ni por la de nadie más. Se enfrentan a los rifles del pelotón de fusilamiento con los ojos muy abiertos, como los de un venado, y después caen.

Mientras escribo oigo el triste grito de las vendedoras de tamales: dos notas altas y una menor que cae. Todos los pregones callejeros en México son tristes. El grito del afilador es hermoso, y da una melancolía de llanto.

Me sorprendí hoy al observar los rostros de algunos soldados que marchaban hacia la estación. Muchos de ellos tenían un gesto desesperado y desesperanzado. Temen cualquier desplazamiento, que en general significa catástrofe y separación eterna de sus seres queridos. Con frecuencia es preciso amarrarlos en los vagones de transporte. Aquí el reclutamiento no tiene ningún sistema, la cuadrilla de leva se lleva a cualquiera que parezca apto. Enrolan a padres de familia, a los hijos únicos de viudas, a los que no tienen a nadie, y, además, a mujeres destinadas a cocinar y a trabajar en las fábricas de pólvora. A veces recorren las calles grupos de unas docenas de niños de escuela, escoltados por sus maestros. Carne de cañón sin madurar, pero se ven muy orgullosos. Todos estos son detalles, pero dan idea de la situación.

18 de noviembre

Mañana, Huerta y su señora recibirán en Chapultepec. Por primera vez harán uso de la residencia presidencial oficial. Se están mudando de la casa alquilada en la calle de Liverpool a una de su propiedad, una casa bastante sencilla de estilo mexicano, de un solo piso con patio, en un barrio nada elegante.

Como todavía estamos "acreditados" creo que deberíamos asistir, ya que no hay ninguna razón para tener con la señora Huerta la falta de respeto de no asistir.

Cuando llegamos a México presidía la hermosa señora Carmen Díaz; después vino la señora De la Barra, recién casada, de rostro dulce y sonriente, seguida por la señora Madero, sincera, piadosa y apasionada. Ahora la señora Huerta es la "primera dama": todo en dos años y medio. En estos climas las diferentes dinastías embonan como las secciones de un telescopio.

Acaba de llegar la invitación a la apertura del congreso para mañana, exactamente como si Estados Unidos no hubiera decidido que no se debe convocar a ese congreso y que sus actos deberán ser considerados nulos.

Elim me dijo hoy que los niños con los que juega se han marchado, "por miedo a la revolución", agregó con voz natural. Él espera morir conmigo si llega la "guerra", y está satisfecho con su destino.

Han llegado los detalles de la renuncia de Garza Aldape. Fue aceptada por Huerta del modo más amigable. Sin embargo, terminó la conversación diciéndole que el *Espagne* zarpaba el lunes y que debería partir el domingo por la mañana para estar seguro de alcanzarlo. Como eso ocurría el sábado, ya muy noche para empacar, Garza Aldape quiso postergarlo diciendo que su familia no tenía baúles. El presidente le aseguró que él mismo se encargaría de que tuviera todo lo necesario, y después envió a Aldape varias maletas grandes y bonitas. Madame Garza Aldape recibió una bolsa de mano con adornos suntuosos y 20,000 francos de oro adentro. A veces el "viejo" tiene un estilo elegante de hacer las cosas, y después vuelve a ser el indígena inescrutable, incomprensible que conocemos, violento y altanero con su propio pueblo, al que entiende tan bien.

La recepción en Chapultepec, ayer, fue muy interesante. Cuando íbamos por la avenida de los Insurgentes hacia el Paseo rumbo al "cerro del chapulín" las ventanas del castillo semejaban un resplandor de luz en las alturas contra el cielo que se oscurecía.

La última vez que habíamos estado en Chapultepec* todavía residían allí Madero y Pino Suárez, me sentí ahogada por sus sombras en cuanto aparecí en la terraza. Sin embargo, ayer uno de los brillantes edecanes presidenciales saltó a ofrecerme su brazo y en un momento estaba atravesando el familiar salón de Embajadores para encontrar a la señora Huerta instalada en el igualmente familiar sofá dorado y rosa en un rincón apartado. Fue una mujer muy hermosa, con ojos y frente bellos, y ahora tiene una expresión tranquila, digna y más bien seria. Llevaba un vestido de corte princesa muy ajustado, de terciopelo rojo, con adorno de satén blanco y guantes de piel *glacé* negra. Tiene trece hijos, y, aparentemente, la mayoría de ellos se hallaba presente en esa primera aparición oficial. Las hijas, casadas y solteras, y las amigas que recibían con ellas, formaban de por sí una considerable reunión. Cuando miré a mi alrededor, después de saludar a la señora Huerta, observé la gran sala que parecía estar llena de mujeres pequeñas de busto grande, con cabello negro partido a un lado sobre tupidas cejas bajas y sostenido por *bandeaux* de pasamanería; eran de notorios pies *muy pequeños* y evidentemente muy bien calzados. No había allí ninguno de los "aristócratas", pero el cuerpo diplomático estaba en pleno.

El presidente llegó alrededor de las seis, entró a la sala rápidamente mientras se escuchaba el himno nacional y todos nos levantamos. Fue la primera vez que lo vi. Nelson me presentó y los tres nos quedamos allí de pie hablando en medio del salón, mientras todos miraban a "Estados Unidos y México".

Huerta es un hombre de escasa estatura, hombros anchos y de fuerte tipo indígena, con una expresión a la vez seria, amistosa y penetrante. Tiene ojos inquietos y vigilantes tras grandes lentes, y no muestra señales de su tan comentado alcoholismo. En cambio parece un

* Chapultepec, de las palabras aztecas *chapulín* (grillo) y *tepetl* (cerro). *(Nota de la edición original.)*

abstemio total. Me impresionó mucho cierta fuerza subyacente cuyo impulso *podría* llevarlo hasta el reconocimiento, que ahora es el gran objetivo de todos.

Me estremecí un poco al pensar en la nube de guerra que pende sobre esta gente, y cómo el hombre que dominaba la reunión ponía en juego su propia vida en cada aparición y aparentemente estaba dispuesto a morir antes que ceder un ápice a *mi* país. Después de los saludos habituales, "a los pies de usted señora", etcétera, expresó con una sonrisa que lamentaba el que yo hubiera encontrado las cosas un poco tensas a mi regreso, pero que esperaba que hubiera una salida para las naturales dificultades existentes. Le di una respuesta bastante ambigua diciéndole que amo a México y no quiero dejarlo. Sentía que se me llenaban los ojos de lágrimas ante la gravedad de la situación, pero él respondió, como podría haberlo hecho cualquier caballero de cualquier parte del mundo, que ahora que *la señora* había regresado las cosas *podrían* arreglarse. Después de eso le dio el brazo a madame Ortega, esposa del ministro guatemalteco, porque la esposa del ministro español —de mayor rango— estaba enferma y madame Lefaivre aún no había llegado. El señor Ortega me ofreció el brazo a mí y todos desfilamos hacia la larga y estrecha galería conocida como *la vitrina*, que mira a la ciudad y al maravilloso valle, y donde se sirvió un elaborado té. El presidente extendió el brazo sobre la angosta mesa para tocar mi copa de champaña cuando empezaban los brindis habituales, y descubrí que estaba bebiendo a la salud de la "Gran Nación del Norte". ¿Podía yo hacer menos que responder "Viva México"?

Después del té hubo música, mientras los demonios de la fotografía tomaban instantáneas de magnesio de la señora Huerta y las bellezas de frente oscura que se apiñaban a su alrededor, con la aparición incidental de una cabeza o un brazo de algún diplomático cercano. Después madame Ortega se levantó para despedirse, y tras decir adiós salimos a la terraza bellamente decorada con flores y palmas. De nuevo, en la penumbra me asaltó como un reproche el recuerdo de Madero y Pino Suárez. Fue un curioso presentimiento de los destinos humanos, representado en el escenario del misterioso valle de Anáhuac, que con frecuencia parece una extraña emanación de un mundo astral en vez de cerros y llanuras reales. Siempre existe una misteriosa correspondencia entre las cosas vistas y las no vistas y ahora, en este espacio, entre dos destinos, siento más que nunca lo insondable de los acontecimientos. Otros "reyes" habían muerto, y éste no podía "vivir por mucho tiempo".

Después jugamos bridge en casa de madame Simon, reunida allí con los chismosos. Todo parecía banal. Todos los invitados volvieron sus lindas caras haciendo crujir sus elegantes ropas cuando entré yo, y con cara de escaso interés me preguntaron cómo había salido todo, en esa primera recepción oficial de *su* presidente.

Hoy se inaugura el congreso, y Nelson no asistirá. Me alegro, de haber ido a la recepción ayer, en interés de la paloma de la paz. Así los funcionarios comprenderán que la ausencia de hoy no es por nada personal.

Anoche hubo una cena agradable con los Carden, que ya están instalados en la cómoda legación. Son muy amables con nosotros, pero siento que sir Lionel está naturalmente muy dolorido por los comentarios inmerecidamente adversos que ha recibido en la prensa estadunidense. Todos tiritábamos en nuestros trajes de noche, a pesar del raro placer de tener un fuego en la larga sala. Estas noches de noviembre hay una especie de frío fino, penetrante e implacable en casas hechas sólo para el tiempo cálido. Me habría gustado tener puesto mi abrigo en lugar de mi vestido gris y plata de Worth.

El escuadrón inglés al mando del almirante Cradock zarpó anoche hacia Veracruz, que está lleno a reventar de gente que ha emigrado de la capital. Los precios, "doce horas hacia el este y una milla y media más abajo", son increíblemente altos. Una mujer, según me dice su marido, pagó diez dólares diarios en el Diligencias por una habitación que estaba separada sólo por una cortina de una bomba eléctrica, que funciona día y noche.

Villa declaró formalmente que debido a la inactividad de Carranza, asume la dirección de la rebelión; lo que es el primer indicio, aunque muy significativo, de que hay dos partidos en el norte. Huerta está muy contento al parecer, y espera que se devoren uno al otro como los proverbiales leones en el desierto. Sin duda habrá algunas "ilusiones perdidas" recorriendo las calles de Washington y llamando a una o dos puertas.

Bueno, ha pasado otro domingo y todavía estamos aquí. Burnside ha venido de Veracruz. Dice que no podemos retroceder y la guerra parece inevitable. A Estados Unidos le llevará cien años convertir a México en lo que nosotros llamamos un país civilizado, y durante el proceso desaparecerá la mayor parte de su magnético encanto. La huella dejada por los españoles en el maravilloso marco de México se cuenta entre las bellezas del universo. Cada campanario color de rosa sobre cada cerro azul lo recuerda; cada hermosa fachada antigua que uno se encuentra inesperadamente al doblar una tranquila esquina; de hecho toda la belleza de México, con excepción de la del mundo natural, es de los españoles y de los indios. ¡Pobres indios!

He estado leyendo relatos de la deportación de los yaquis de Sonora a Yucatán, los horrores indescriptibles de la marcha, la separación de las familias. Por ahora no puedo adentrarme en ello: es uno de los antiguos abusos que Madero, al principio, estaba ansioso de terminar. Se podrían escribir volúmenes al respecto. Otra cosa vergonzosa es la condición de las cárceles. La de Belén, aquí en la ciudad, es un antiguo edificio construido a fines del siglo XVII y utilizado desde entonces como asilo de algún tipo. Desde entonces muchos deshechos y lastres fueron lavados a sus puertas aunque nunca he sabido en qué sentido usan aquí el término "lavar". Cuando uno piensa que con unos pesos de cal y gas de formaldehído podrían limpiarse los rincones infestados de sabandijas y detener la epidemia de tifoidea, hay que contenerse para no emprender personalmente la tarea. Parece tan sencillo, pero todo está demasiado unido al *laisser-aller** general de la nación. Nadie pasa tres días en Belén sin contraer una enfermedad que causa comezón en la piel, y una gran parte de los presos allí, igual que los de Santiago, son políticos, periodistas, abogados, etcétera, acostumbrados a cierto grado de limpieza. La Penitenciaría es su cárcel para la ostentación, construida según principios modernos, y puede compararse sin objeciones con las mejores de Estados Unidos.

Ayer comimos con los Ösi-Sanz. Él es un húngaro agradable, inteligente y musical, casado con una hermosa joven mexicana, viuda de un Iturbide. En sus hermosos salones hay muchos recuerdos de Maximiliano que él ha descubierto aquí: grandes retratos del emperador y de Carlota miran desde las paredes azules del muy artístico *salon,* así como una gran copia del cuadro de la diputación encabezada por Estrada, que fue a Miramar a ofrecer a Maximiliano la fatal corona imperial. Hay vitrinas llenas de porcelana de Napoleón y de Maximiliano y también tienen varios bellos tibores chinos antiguos. Estos últimos eran muy apreciados en los días virreinales, y los traían desde la costa del Pacífico sobre las espaldas de los indios. Después jugamos bridge en casa de los Corcuera-Pimentel, otra linda joven pareja mexicana. También su casa es encantadora, llena de objetos selectos, coloca-

* dejar ir, indiferencia *(N. de la T.)*

dos con gusto y sin exageración; estas habitaciones serían hermosas en cualquier parte. Después fui a casa, donde estuve mirando ese deprimente libro llamado *Barbarous Mexico.**

En el discurso pronunciado por Huerta, ante el congreso el día 20, utilizó las palabras de Napoleón: "No se viola la ley si se salva al país". Todos nos preguntamos de dónde las sacó.

The Literary Digest que te envío reproduce una caricatura en la que el Tío Sam le está diciendo al presidente Wilson: "Es inútil, Woody, no puedes tener de mascota a un puercoespín", y el puercoespín es Huerta, que se ve al fondo sentado junto a un cactus. Algunos periódicos de Londres llaman a Huerta el "Cromwell mexicano". Su último discurso, en que pone el patriotismo y la moral por encima de la conveniencia, aparentemente ha sido un éxito.

* *México bárbaro* de John Kenneth Turner *(N. de la T.)*

VI

"Palabra decisiva" de Washington. Un susto pasajero. Terrores del reclutamiento. Acción de Gracias. El avance de los rebeldes. Sir Christopher Cradock. El hospitalario cesto de papeles de Huerta.

28 de noviembre

Un día emocionante. La muy esperada "palabra decisiva" llegó de Washington esta mañana para ser comunicada por la tarde a todas las embajadas y legaciones de Europa. En la noche ya estarán informados todos los representantes extranjeros y también la prensa. Afirma que no retrocederemos un paso en nuestra posición, que Huerta y sus partidarios tienen que irse, que lo aislaremos, que lo mataremos de hambre a nivel financiero, moral y físico, que acabaremos con las revoluciones y los asesinatos en América Latina, que protegeremos nuestros intereses y los intereses de todos los extranjeros y que es preciso que se alcance la paz en México o la haremos nosotros mismos. Es ciertamente el *argumentum ad hominem,** y sólo podemos esperar para ver qué acrobacias hará Huerta para esquivar el golpe. El lenguaje es inconfundible y sólo puede ser empleado porque la fuerza militar necesaria está preparada detrás de dicho razonamiento.

29 de noviembre

Bueno, el susto de ayer ha pasado [...] ¡Ahora la cancillería aquí puede seguir ignorándolo magistralmente!

El 25 del mes pasado Huerta firmó un decreto en el que aumen-

* Una falacia lógica que consiste en afirmar que un argumento es erróneo *sólo* por deficiencias de quien lo emite, no por el argumento en sí; el propósito es el descrédito personal y no el análisis de lo planteado. *(N. del E.)*

ta el ejército a 150,000 hombres; el trabajo de leva ha estado avanzando en gran escala. El domingo después de la corrida se llevaron a setecientos infelices, que sin duda nunca volverán a ver a sus familias. Una vez lejos de la ciudad de México no es fácil regresar. Hace pocos días en un gran incendio agarraron a casi mil, entre ellos muchas mujeres, que van a trabajar en las fábricas de pólvora. Una amiga me contó esta mañana que el padre, la madre, dos hermanos y una hermana de una de sus sirvientas fueron llevados la semana pasada. Toda esa gente apenas se atreve a salir después de oscurecer. Llevar una carta al correo puede significar, literalmente, acabar en la boca de los cañones.

El otro día "buscando antigüedades" encontré un interesante grabado de la toma de Chapultepec por los estadunidenses, en septiembre de 1847, que he colocado en un bonito marco antiguo. Lo tengo arriba. Esta mañana fui a la Cruz Roja por primera vez desde mi regreso. Todos me saludaron con gran cordialidad y dijeron que Nelson es "muy amigo de México". Tomaré los viernes y los sábados para mi servicio voluntario.

Mañana es el día de Acción de Gracias. Daré una recepción para la colonia y todos los *chers collègues* que deseen ayudar a ondear las Barras y las Estrellas. Será una especie de censo para ver cuántos estadunidenses quedan realmente en la ciudad. Su número va disminuyendo con rapidez.

Ayer fue un día atareado. Fui a misa a San Lorenzo, donde el buen predicador estadunidense dio un hermoso sermón de Acción de Gracias. Está lejos de la embajada y aun cuando antaño estaba en la mejor zona residencial de la ciudad, hoy está invadida por una clase mísera de indios y mestizos. Con excepción de San Lorenzo, que está muy limpia (la llaman la iglesia de los estadunidenses), las iglesias de ese rumbo dan una nota de abandono, con sus campanarios silenciosos y su polvo y suciedad generalizadas.

Unas doscientas personas vinieron a la recepción de ayer, y sólo desearía que hubiesen venido *todos*. Realmente disfruté estrechando esas manos amigas. Los tiempos son inciertos, y para muchos la ruina es probable en cualquier momento. Las habitaciones estaban llenas de flores, tuve un buen buffet y un buen ponche *muy cargado*. Elim se presentó vestido de blanco inmaculado. Hizo una aparición deslumbrante y después reapareció diez minutos más tarde con su brillo algo disminuido porque el buen jardinero indio lo había mojado accidentalmente. Se había cambiado de ropa, pero algún compatriota demasiado entusiasta le dio un vaso de ponche, y el resto de la tarde me parecía ver piernecitas y pies por el aire. También vinieron todos los *chefs de mission*,* pero por supuesto era un día estadunidense, con nuestra querida bandera volando alto y reflejando la brillante luz del modo más inspirador.

Clarence Hay (hijo de John Hay) está aquí con el profesor Tozzer y su novia, para trabajar en un proyecto arqueológico. Ayer aparecieron por primera vez en el horizonte, con la atmósfera de un mundo menos agitado todavía adherida a ellos. Fueron muy bienvenidos. Tozzer es profesor de arqueología en Harvard y planea trabajar aquí hasta mayo, junto con el Museo Nacional. Los tesoros toltecas y aztecas que todavía están ocultos bajo tierra compensarán cualquier trabajo.

Muy seguido vamos y venimos por el Paseo. Creo que en México manejan sus autos de la manera más temeraria del mundo, pero con toda seguridad hay alguna divinidad que no duerme y los accidentes son raros. Jesús, nuestro chofer, es una joya de buen aspecto, limpieza, disposición, competencia y habilidad. Cuando se le dice que vuelva a buscarnos a las once y media a alguna cena, y ha estado todo el día corriendo, no sólo dice "bien" sino "*muy* bien", con un destello de dientes blancos y ojos oscuros. El resto de la servidumbre está más o menos. Si nos quedamos en México debo cambiar al primer sirviente, que debería ser el último porque no sólo es tonto sino un tonto desganado. Y él es quien supuestamente debe mediar entre el mundo y yo, por lo que con frecuencia me hace enojar. Es indio con un toque de japonés, que en su caso no es una combinación feliz, aunque *se supone* que es honesto.

29 de noviembre

No he hecho un censo de los habitantes de la casa. Sé que varias de las mujeres tienen criaturas viviendo con ellas, pues ayer apareció en la puerta una carita desconocida e inmediatamente la retiró una mano no identificada. No los presentan todos de una vez, sino poco a poco.

Hace siete semanas nos regalaron una bull-terrier blanca, de nombre Juanita. Aquí amenazaba llover perros desde que se supo que

* jefes de misión *(N. de la T.)*

queríamos *uno*, pero desde nuestro regreso los he evitado a todos menos dos. Elim se ve adorable jugando con ella, parecen dos cachorritos blancos como la leche. El linaje de Juanita no es fino: encaja sus dientes sobre cualquier cosa de color claro que sea blanda, especialmente sombreros, y los rostros de las visitas se endurecen cuando ella se acerca.

Esta mañana tuvimos un pequeño incidente doméstico. El mayordomo indio con toque japonés fue despedido, o más bien él se despidió. Fue un caso de total ineficiencia y mal carácter. Le di una recomendación porque el pobre infeliz ha visto sus mejores días bajo las Barras y las Estrellas. La leva lo agarrará y, sin duda, pronto irá camino al norte. El lunes debe llegar un nuevo mayordomo.

Más tarde

Acabo de revisar el mapa junto con el capitán Burnside, siguiendo el avance lento y seguro de los rebeldes. Han llegado a San Luis Potosí, a no más de catorce horas de aquí. Logran aislar a los destacamentos federales, uno tras otro, cortando las líneas ferroviarias en el frente y en la retaguardia. Y en buena parte de ese territorio norteño uno puede andar cien kilómetros sin encontrar una gota de agua.

Anoche estuve leyendo las cartas de madame Calderón de la Barca —1840-1842. Era la esposa del primer ministro español después de la independencia de México, y sus descripciones de la vida política corresponderían con exactitud a las de hoy, pues hasta los nombres de algunos generales se repiten. Habla del "plan de los federales" para la "regeneración política de la república": "los males han llegado ahora a tal altura que los esfuerzos de unos pocos hombres ya no son suficientes"; "hoy hubo una larga discusión en el congreso sobre la concesión de poderes extraordinarios al presidente"; "el posible saqueo de la ciudad"... Nuestra historia actual. Después dice que ellos (los bandidos) son producto de la guerra civil. A veces disfrazados de insurgentes que tomaban parte activa en la independencia, por cuenta suya devastaron el país. Con el pretexto de expulsar a los españoles, esas gavillas armadas infestaron los caminos entre Veracruz y la capital, arruinaron totalmente el comercio y sin investigar particularmente las opiniones políticas robaron y asesinaron en todas direcciones. Y relata el *bon mot* de un mexicano: "Hace algunos años dimos fuertes gritos (refiriéndose al Grito de Dolores de Hidalgo). Ésa fue la infancia de nuestra independencia. Ahora empezamos a pronunciarnos (un *pronunciamiento* es una revolución). Sólo el cielo sabe cuándo creceremos lo suficiente para hablar con claridad, para que la gente entienda lo que decimos".

2 de diciembre

Por la tarde voy a ir a una venta de caridad en casa de la señora Adams, para el "Lady Cowdray Nursery Home". El señor Adams es el representante Cowdray de los enormes intereses petroleros en el país. A veces parece que toda esta situación se podría resumir en una sola palabra: "petróleo". México es tan interminable y trágicamente rico en esas cosas que el mundo codicia. Cierto el petróleo es el punto crucial de la situación anglo-estadunidense. Todos los buques de guerra modernos quemarán petróleo en lugar de carbón —limpio, sin humo, y no más los horrores de palear carbón— y para Inglaterra significa mucho tener en México una fuente casi ilimitada de petróleo.

Anoche tuvimos aquí una cena agradable con Clarence Hay, el señor y la señora Tozzer y el señor Seeger; la cena misma estuvo apenas regular. La dureza del pavo parecía confirmar la sugerencia del señor Seeger de que le habían dado jugo de uva en lugar de algo más inspirador, por lo que hubo trozos inexplicablemente duros. Sin embargo, impresioné a Clarence Hay con esa espléndida fiesta en su honor, porque su padre firmó la primera comisión de Nelson (a Copenhague) y el tiempo pasó alegremente. Hay otras cosas que se pueden hacer en una cena aparte de comer, si no hay más remedio.

Adjunto un largo recorte, de lo más interesante, de las *Diplomatic Memoirs* del señor Foster. Fue ministro aquí durante varios años, de 1873 a 1880, me parece. También su descripción de la época parece una réplica de la de nuestro tiempo: "Los trenes siempre incluían uno o más vagones llenos de soldados armados. Los hacendados no se aventuraban fuera de sus propiedades sin una escolta armada y los más ricos de ellos vivían en las ciudades, por su seguridad. Todos van armados hasta los dientes cuando viajan y los trenes que vienen de las minas siempre llevan una importante guardia armada". El señor Foster expone las acciones de Estados Unidos al demorarse en reconocer a Díaz cuando asumió la presidencia, y habla de varios momentos en que estuvimos al borde de la guerra con México. En 1875 el congreso concedió a Díaz "facultades extraordinarias" que, en esencia, equivalían a suspender el poder legislativo y hacerlo dictador.

Ayer, Nelson pagó al Fondo Piadoso la indemnización de 45,000 que México debe pagar cada año a la Iglesia católica de California por haber confiscado sus propiedades hace casi cien años. Fue la primera decisión del tribunal de La Haya. El arzobispo Riordan, cuando lo consultaron sobre la forma del pago, telegrafió al señor Bryan que lo dejaba en manos de Nelson para que dispusiera de él como si fuera suyo. La política de Nelson ha sido lograr que las diversas potencias extranjeras apelen a nosotros para la protección de sus ciudadanos, reconociendo así, tácitamente, nuestro derecho "Monroe" a manejar las cuestiones que se presenten. Hasta ahora lo han hecho Francia, Alemania, España y Japón.

3 de diciembre

Ayer a las cuatro anunciaron a sir Lionel y a sir Christopher Cradock. Cuando bajé unos minutos más tarde encontré mi sala reluciendo con el sol de la tarde, que destacaba a la perfección los dos veces seis pies o más de marina inglesa: sir Christopher y su *aide*,* Cavendish, resplandecientes en uniforme de gala. Venían de hacer una visita oficial a Huerta en el Palacio. En un primer momento quedé en realidad deslumbrada. Sir Christopher es un hombre singularmente guapo, de facciones regulares y porte distinguido. Su *aide*, también es alto y esbelto; una versión más joven de él mismo, estaba de pie a su lado. ¡Britannia *resplendens*!** Sir Christopher estaba al parecer muy interesado en ver con sus propios ojos la situación que debe "observar" desde Veracruz. Después de media hora muy animada, sir Lionel se lo llevó para visitar otras legaciones y la sala se oscureció un poco. Como todos cenaremos en la legación alemana, donde se ofrece una cena de gala para él y el capitán del *Bremen* y su personal, sólo nos dijimos *au revoir*.***

4 de diciembre

Veinticuatro personas asistimos a la cena de anoche. Fue de lo más brillante, y estuvo perfectamente organizada, desde el abundante caviar sobre camas de hielo hasta la última *omelette surprise* en llamas. En los extremos más pequeños de la mesa, nos sentamos madame Le-

* asistente *(N. de la T.)*
** resplandeciente *(N. de la T.)*
*** hasta la vista *(N. de la T.)*

faivre a la derecha de Von Hintze y yo a su izquierda; sir Lionel a mi lado y sir Christopher junto a madame Lefaivre; lady Carden, elegantemente vestida y enjoyada, al otro extremo, con los hombres siguientes en rango a su lado. Sir Christopher, justo enfrente de mí, resplandecía de condecoraciones y tenía ese toque especial inglés de aspecto bien cuidado. Le pregunté si no había tenido miedo de atravesar las montañas infestadas de rebeldes con tantas tentaciones sobre su persona y me respondió, al tiempo que aparecía en sus ojos una mirada enérgica de deportista: "¡No tendrían oportunidad de *quedarse* con nada mío!".[1]

Es imposible hablar de política; las cosas son demasiado delicadas y me imagino que todos tenemos una mirada esquiva ante la más remota mención de la situación. No obstante, puedo ver que sir Christopher quedó muy impresionado con Huerta, y probablemente le habría gustado decirle que "siga así".

Me puse mi vestido negro vaporoso y perlas, una combinación que parece agradar. Después de la cena y de un poco de conversación con el capitán del *Bremen* —que cualesquiera que sean sus méritos, no tiene ni las ropas ni la distinción de sir Christopher—, jugamos bridge: sir Christopher, lady Carden, Hohler y yo. Sir Christopher ganó todas las manos en forma agradable y tranquila. Mañana comerá con nosotros en el restaurante de Chapultepec; Von Hintze y sus oficiales, por desgracia, ya están comprometidos para asistir a una comida de la colonia.

Noche

Fue un día completo. Tuve trabajo en la Cruz Roja de diez a doce; después a casa para cambiarme, no sólo la ropa sino el aroma que se me había adherido, para ir a Chapultepec. Sir Christopher y Cavendish, con su brillo algo menguado por estar en ropas civiles. Llegaron al restaurante en automóvil justo cuando yo bajaba del nuestro,

[1] El almirante sir Christopher Cradock se hundió con su buque insignia, el *Good Hope*, cuando éste fue atacado en combate frente a Coronel, el primero de noviembre de 1914. En la incipiente oscuridad del oceano tropical, con la luna levantándose sobre un mar pesado, se observó una gran explosión, según el informe del almirante conde Spee, entre las chimeneas del *Good Hope*, donde ya habían estallado numerosos fuegos. Poco después se hundió entre un gran incendio, con sus banderas desplegadas. Sólo Dios sabe los actos de heroísmo que se habrán llevado a cabo allí. Pero sé que sir Christopher Cradock, al enfrentar la muerte entre llamas y agua, lo hizo con un espíritu tranquilo y decididamente dispuesto a morir *pro patria*.

mientras que el ministro belga, el señor Percival y los Carden llegaron minutos después. Habíamos visto el auto de Huerta en el parque y tuve la atrevida idea de conseguir que el presidente comiera con nosotros, sabiendo que sazonaría las cosas para sir Christopher. El cielo me estaba vigilando, sin embargo, porque en lugar de detenerse en el restaurante para una de las famosas *copitas*, Huerta pasó por el parque y desapareció en dirección a Popotla.

Fue una comida ideal en la terraza, bañados por el aire cálido y perfumado, hablando de diferentes cosas y muchos climas con el fácil intercambio de ideas que es el placer de la gente de mundo. Sir Christopher dijo que desde su llegada se ha pasado la mayor parte del tiempo cambiándose de ropa, ya que no ha traído nada más aparte del uniforme de gala y un traje de diario. Esa mañana había ido a la cancillería de uniforme, después de civil para la comida, y después hizo otro cambio de atuendo para visitar el castillo de Chapultepec y la escuela de cadetes anexa. Ya había llevado a cabo esas tareas cuando volvimos a encontrarnos a las seis, en casa de madame Simon, para el bridge. Su ojo viajero experto, de marino, se alegró y dio la impresión de apreciar mucho al grupo de mujeres hermosas que encontró allí. De nuevo, con la "suerte Cradock" se quedó con todas las fichas. Dijo que la visita a Chapultepec y a la escuela de cadetes fue un procedimiento de rutina muy completo y que no le perdonaron ningún recoveco de la escuela de la que, sin embargo, los mexicanos están con justicia orgullosos.

Esta noche hay una recepción en la legación ofrecida a la colonia inglesa, y mañana regresa al mar. Sir Christopher se ha distinguido en muchos lugares y me imagino que llegará a impacientarse en Veracruz, esperando que ocurra algo. Comandó las fuerzas británicas, estadunidenses, japonesas e italianas para alivio de Tientsin. Todavía tiene que aprender que no hay fuerza exterior capaz de apresurar las cosas en América Latina: suceden por su propio impulso y a su modo. Tengo la idea de que es un gran huertista, pero, ¡oh!, de un modo tan encantador. Su rango es superior al del almirante Fletcher, lo que podría crear complicaciones en cualquier momento. ¿Cómo puede Gran Bretaña gobernar las olas en las sagradas aguas territoriales de la doctrina Monroe? Siempre es lo mismo. En todas los asuntos internacionales nuestros almirantes encuentran oficiales de rango superior al suyo, hasta en las marinas de potencias inferiores. El grado más alto que pueden alcanzar nuestros oficiales en servicio activo es el de contraalmirante, y quedan atrás en más de un sentido, mientras que todas las demás fuerzas tienen vicealmirantes y almirantes disponibles para cualquier emergencia que se avecine.

5 de diciembre

Envío ésta por el buque alemán *Ypiranga*. Desistimos de ir a Veracruz el sábado. La gente dice que es imposible que lo hagamos sin generar pánico. Nadie sabría realmente que dejamos un rehén en forma de niño de ojos azules. Yo más bien tenía ganas de ir, después de la visita de sir Christopher, quien pintó el puerto de Veracruz con colores muy atractivos.

Huerta está deshaciéndose gradualmente de su gabinete. Garza Aldape de Gobernación ya renunció, como te escribí, y ahora De la Lama (Hacienda) se va a París en el *Ypiranga*. Me imagino que Huerta no tiene mucho trabajo para su gabinete: ellos llenan ciertos espacios convencionales que los gobiernos acostumbran y eso es todo; una especie de mobiliario administrativo, como las mesas y las sillas. Burnside dijo hoy que cuando Huerta tiene una verdadera reunión de gabinete ésta consta de él mismo, y sus asesores se presentan en forma de *copitas*. Acaba de obtener plenos poderes del "congreso" para llevar a efecto cualquier orden que pueda derivar en asuntos militares y navales para todo el próximo año. No presta atención a Washington y es muy difícil hacer algo con una persona que actúa como si uno no existiera. Los *ultimata** siguen yendo a dar al cesto de los papeles y Veracruz está tan lleno de barcos de guerra que los que lleguen de aquí en adelante tendrán que quedarse fuera del puerto. El *Rhode Island*, el *Suffolk* y el *Condé* tienen los mejores lugares disponibles para naves grandes. El resto de la rada está ocupado por barcos de guerra pequeños.

* plural latino de *ultimatum (N. de la T.)*

VII

Huerta visita el Jockey Club. Caída de Chihuahua. "La Decena Trágica." Exhibición de armas de fuego en las calles. Los "potenciales presidentes" de México. "El Tigre del Norte."

6 de diciembre

La situación aquí se vuelve más curiosa cada día. La opinión pública como nosotros la entendemos no existe en México. Siempre resulta ser un déspota quien ordena el caos por medios desconocidos (aunque pueden sospecharse). El público juzga su mérito exclusivamente por el grado de paz y prosperidad que consigue.

Esta mañana, Nelson estaba con algunos de los hombres de las "mejores familias" de México en el Jockey Club cuando entró Huerta. No conocía a nadie de la *jeunesse* o *vieillesse dorée*.* Se quedó un momento parado mirando a su alrededor, deslumbrado por haber salido de repente a la luz. Nelson lo vio, fue hacia él y a continuación hizo las presentaciones necesarias, mientras Huerta lo tomaba del brazo. Después del primer impacto que causó su entrada la gente lo rodeó. No es miembro del club, pero por supuesto eso no le importa: se siente presidente y superior en cerebro, voluntad y logros. Nelson ordenó *copitas*, y la visita terminó con el mismo ímpetu que caracteriza todas las salidas de Huerta. Después de todo él *es* el presidente.

Te envío un ejemplar de *Life* con un editorial sobre México. Observa que pedir a los mexicanos (de los cuales 13 millones son indios) que elijan a un presidente por métodos constitucionales es "como pedir a un jardín de niños que elija a un maestro". No cabe duda de que nuestras costumbres todavía no se adaptan a ellos. ¡Es como vestir al niño con la ropa del padre!

* juventud o vejez dorada *(N. de la T.)*

Otro tren militar fue volado. Todos esperábamos que la supuesta escasez de dinamita, que según los rumores padecen los rebeldes, hiciera más atractivos los viajes en tren. Además, los relatos que se oyen de mutilaciones hacen estremecer.

La razón que dan algunos periódicos para la abyecta actitud de las potencias y sobre la aceptación de nuestra exclusiva tutela en México es que, de acuerdo con el derecho internacional, nosotros seremos responsables de los millones que están perdiendo, y que cuando llegue la hora se proponen presionar al Tío Sam para que pague la cuenta. Lo mismo harán con los franceses, los ingleses, los alemanes y los españoles.

Hoy hubo un almuerzo en la legación francesa. Fue muy agradable, como siempre. Me senté al lado de Corona, gobernador del Distrito Federal, un hombre guapo de color subido y ojos oscuros. Su esposa y su hija están en París. El constante cambio de funcionarios en México, que hoy están y mañana ya se fueron, produce un sentimiento tal que relacionarse parece inútil. La espada de Damocles no sólo pende sino que cae todo el tiempo. También estaba allí May, tan pesimista y políticamente tenso como siempre.

Mi gran *salon* empieza a verse muy hogareño. Tengo algunas lámparas muy bonitas, hechas de grandes candelabros de iglesia, fabricadas en bronce, y muchas fotografías exquisitas de Ravell tomadas en esta maravillosa tierra, que finalmente he colocado en elegantes marcos antiguos. Hoy recibí a integrantes del grupo joven y elegante de México para jugar bridge. Las había invitado a las cinco de la tarde, que para ellas es un poco temprano, y apenas a las seis empezaron a llegar. Hermosas mujeres con preciosas joyas y vestidos que destacan su belleza morena; la señora Bernal, la señora Amor, la señora Corcuera, la duquesa de Huette (su marido es un español guapo que juega polo), la señora Cervantes, la señora Riba, dos o tres de ellas *enceintes,** como de costumbre. Hicieron que las habitaciones se vieran radiantes. Con frecuencia los hombres mexicanos quedan opacados por sus lindas esposas, que serían hermosas en cualquier parte. Las dificultades para educar a los muchachos aquí, por obvias razones, son tan grandes que tanto los mexicanos como los extranjeros envían a sus hijos al exterior a edad temprana. La mayoría de los hombres que conocemos asistió a la escuela en Inglaterra (Beaumont o Stonyhurst), y su inglés

* encinta *(N. de la T.)*

es tan bueno como el nuestro, y a veces mejor. Hay una especie de irritación resignada, velada por una perfecta cortesía y una amabilidad impecable, de esta gente hacia nuestra política, que a ellos les parece cruel, estúpida e injustificada. Sólo puedo esperar que dicha política pronto muestre su valía, porque esta vigilancia estrecha, para justificar los medios para lograr el fin —si es que es un fin—, es agotadora.

8 de diciembre

Esta mañana llegó una carta muy bonita del señor Lind. Dice que Villa afirma que cenará en el Jockey Club y él cree que algo hay de cierto, agregando que si no fuese por los progresos de los rebeldes ya se habría ido a casa. Chihuahua ahora está en manos de ellos y su jefe militar está instalado en la casa que antes ocupaba el gobernador federal del estado.

Anoche tuve una larga plática con Burnside y Ryan después de cenar. Hay una expectativa general de un cuartelazo para el día 10. Las tropas reciben su paga cada diez días, y el próximo será el segundo día de paga que no se cumple, a menos que Huerta consiga los millones necesarios antes de esa fecha. Hay muchas influencias, además de la de Estados Unidos, que están trabajando para que todo sea incierto; la sedición está en todas partes y la labor de las cuadrillas de leva es tan constante que los peones no se atreven a salir de sus casas o de sus agujeros para ir a sus empleos.

Las revoluciones son inconvenientes, tanto para quienes las observan como para quienes participan. El éxodo de mexicanos y de extranjeros continúa. Los mexicanos que pueden irse están, sin duda, agradecidos de que "no *hay* lugar como el hogar".

No puedo estar de acuerdo en que los representantes extranjeros puedan encontrarse en verdadero peligro en algún momento. Huerta, Carranza, Zapata, Villa o las tropas estadunidenses que intervengan se encargarán de que no se toque ni un pelo de los diplomáticos. Puedo imaginarnos a todos viviendo apretados en el Palacio, con nuestros niñitos y nuestras joyas, perdido para siempre el resto de nuestras pertenencias. El doctor Ryan sostiene que todas las mujeres y los niños deben dejar la ciudad de México, a tal punto han llegado las cosas. ¡Conozco a *una* que no se irá!

Nelson está pensando en telegrafiar a Washington para pedir que manden algunos marines de alguno de los barcos de guerra, vestidos de civiles, por supuesto. Podríamos alojarlos abajo fácilmente. La pérdida de cosas materiales no me aflige. Cuando llegue el aciago día estaremos más ocupados en salvar la vida y el honor. "Todo por la patria", lo que me recuerda el cuento de Huerta despidiéndose de un exministro de Guerra, uno de los hombres que supuestamente habían presenciado la muerte de Madero. (Otra distinción es que en seis semanas en el cargo logró amasar una fortuna de varios millones, todo un récord.) El presidente le dijo en una cena, en tono casual, que podría ser mejor para su salud partir al día siguiente hacia París. Él exclamó: "¡Imposible!". Y por supuesto el desenlace fue que Huerta lo despidió en la estación a la hora señalada, y al abrazarlo dijo: "¡Todo por la patria, mi general!", a lo que la víctima, no teniendo más remedio, repitió: "¡Todo por la patria, mi general!".

La gente cuenta historias curiosas de la "Decena Trágica", entre ellas una sobre la extraña manera de manejar las ametralladoras. Ryan se encontró con un grupo de hombres reunido alrededor de una de las *mitrailleuses*,* y el encargado amablemente la hizo funcionar para mostrarle cómo operaba, disparando calle abajo en la dirección en que *casualmente* apuntaba. ¡Bastante despreocupado! El señor Seeger cuenta la historia de que preguntó a un hombre quién era su jefe: ¿era huertista, maderista, felicista? Y él respondió: "No lo sé". Un momento más tarde lo vio girar el fusil y disparar contra la barricada de enfrente. Amigo o enemigo, todo daba igual para *ese* "hombre tras el fusil".

7 de diciembre**

Esta mañana estuve en Tacubaya para ver la operación y cura de la tuberculosis realizada por un extraño brasileño, el doctor Botelho. Había filas de indios demacrados, desnudos hasta la cintura, acostados o sentados al sol. La operación consiste en una inyección indolora de gas hidrógeno en el pulmón, que lo comprime de modo que los microbios, según lo entiende mi mente lega, no tienen el espacio que necesitan para desarrollarse. Los pacientes acostados me parecían una vegetación exótica, lista para penetrar en la tierra, pudrirse y brotar de nuevo. ¡Extraña simiente indígena!

Después de misa me encontré con el coronel y la señora Hayes

* ametralladoras *(N. de la T.)*

** Confunde sus fechas y anota el 7 después del 8. *(N. del E.)*

(él es hijo del expresidente Hayes) que esperaban para vernos. Están aquí por pocos días. Los invité a cenar con nosotros mañana.

Las potencias extranjeras solían pensar que, aunque molesta, nuestra doctrina Monroe era respetable. Ahora parecen pensar que es una excusa para monopolizar el Nuevo Mundo en nuestro propio beneficio. Podemos entrar en México con gloria. ¿Podremos salir con crédito y sin una cuenta demasiado elevada? Hoy llegó una carta del general Wisser (debes recordarlo, de Berlín) escrita "En el campamento, Texas City". Tardó la friolera de dos meses en llegar aquí. No sería imposible que pronto pudiera darle la bienvenida en la ciudad de México.

9 de diciembre

Empiezan a verse los resultados de aquella recepción en Chapultepec. Entre muchas cartas, una de un exoficial del ejército dice que *él* habría "arrojado el vino a la cara de Huerta". Todos los periódicos mencionan el incidente, pero con el imperio tambaleándose nosotros no vimos razón para precipitar indebidamente las cosas boicoteando la recepción de la señora Huerta, ni para ser hoscos o brutales una vez ahí. Me pregunto qué habría ocurrido si cualquiera de los diversos tontos que escriben para protestar hubiera manejado las cosas.

Uno de los periódicos de Nueva York publica un largo editorial titulado "O'Shaughnessy", diciendo que el presidente Wilson tiene suerte de contar con los servicios del señor O'S. para las negociaciones diplomáticas con México. Presenta el asunto como lo haría yo, y termina diciendo que la historia de la diplomacia estadunidense, para ser completa, debería tener más de un capítulo titulado "O'Shaughnessy".

La cena para el coronel y la señora Hayes fue bastante entretenida, aunque la comida fue un horror. Todo estaba frío *excepto* la champaña. Después de la cena tuvimos la visita de dos posibles presidentes de México (siempre son atraídos por la embajada, como el acero por el imán del reconocimiento) su presencia dio a la escena un decidido toque de color local. El primero en llegar fue un hombre enorme, guapo y alerta: Serafín Domínguez. Su grito de guerra es "Tierra para los desposeídos, y hombres para las tierras abandonadas": un buen grito sano y agrícola que incluye todo, si sólo pudiera hacerse realidad. "El apóstol del maíz", como lo llaman a veces, es un rico hacendado y agricultor científico que sostiene que México no necesita más *política* sino más *maíz*, y nunca se ha dicho nada más cierto. En estos últimos días, sin embargo, ha desistido de sus pretensiones presidenciales a favor de un amigo que llegó después, con el mismo deseo que la polilla tiene por la estrella.

Sin embargo, la forma de la cabeza del amigo —estrecha en la frente y terminando en un alto pico— le impediría obtener *mi* voto. También estaba el pálido y joven hijo del animoso Domínguez. Les ofrecí cigarrillos y *copitas*, pero no aceptaron las últimas. Burnside dijo que era para demostrar que no tienen las debilidades de Huerta. Pensé que quizá tuvieran miedo de beber, recordando después que ninguno de nosotros había ofrecido compartir con ellos la bebida posiblemente envenenada. Estuvieron cantando las loas de los grandes y hermosos Estados Unidos del Norte hasta hacernos sentir bastante incómodos. Dicho sea de paso, también "*ze American womans*" recibieron su parte de admiración. Me pregunto si llegará el día en que demos asilo a Huerta.

11 de diciembre

Ayer estuve demasiado ocupada para escribir: pasé la mañana en la Cruz Roja, después comí en Coyoacán, en la hermosa casa antigua de la señora Beck. Coyoacán es el más interesante y también el más habitable de los suburbios, con sus hermosos jardines y sus enormes ahuehuetes sombreando las calles. Cortés hizo de Coyoacán su territorio, y las bellas construcciones españolas, una tras otra, recuerdan su romántica historia.

Desde allí lanzó su ataque final contra la ciudad de México; aquí el noble y desdichado Cuauhtémoc (tengo un grabado antiguo que lo representa con los pies en agua hirviendo y una expresión de total desapego en el rostro) fue torturado, en vano, para que revelara el escondite del tesoro de Montezuma. Después de dejar a la señora Beck, la señora Kilvert y yo dimos un paseo por el jardín de la celebrada Casa de Alvarado, construida por el español que dio el famoso salto. Un viejo servidor de la señora Nuttall, a quien pertenece la casa ahora, nos abrió el portón, con una sonrisa de bienvenida. Atravesamos el patio, en una esquina del cual está el viejo pozo (con una oscura historia relacionada con el asesinato de la esposa de uno de los conquistadores) y salimos al jardín con su encanto melancólico y misterioso. Se supone que la posesión de esta casa trae mala suerte a los poseedores, e incluso en mi tiempo ha ocurrido que un residente muera en forma repentina y violenta.

Rosas, heliotropos y los brillantes *drapeaux espagnoles,** con rayas rojas y amarillas, florecen en profusión, mientras un eucalipto se yergue sobre el conjunto. En esta tierra mágica bastan unos pocos meses de descuido para convertir el jardín más cuidado en un bosque encantado.

Al salir del auto, frente a la legación encontré sentada, al borde de la calle, a una lamentable familia de cinco personas: cuatro niños de edades entre siete años y dieciocho meses, y la madre, que está a punto de tener otro. La leva se llevó al padre en la mañana y ellos están en la calle. Le di algún dinero a la mujer y una de las doncellas les llevó pan y pastel, y un paquete de ropa para los niños. Las niñas tenían los ojos brillantes, porque la verdadera miseria aún no los ha tocado. Hablo de ellos porque representan millares de casos. Una mano puesta en el hombro, y el padre desaparece para siempre. Esos actos, que ocurren todos los días, enajenan cualquier posible simpatía por el gobierno. La mujer volverá a mí cuando se le termine el dinero.

Hay rumores federales de división entre Villa y Carranza, pero aunque es inevitable que se peleen no creo que sea el momento propicio para ello. Se encuentran a alrededor de quinientos kilómetros uno del otro, lo que estimula la paciencia y la tolerancia. Villa, cuyo último apodo es el de Tigre del Norte, ha hecho movimientos militares tan atrevidos y exitosos que Carranza se ve obligado a soportarlo un tiempo más. Villa acaba de casarse de nuevo, durante el saqueo de Torreón (un detalle, por supuesto, igual que su aparición en un baile en *puris naturalibus,*** lo que fue un choque para los invitados incluso en el México revolucionario).

En la comida de la legación rusa me enteré de que el conde Peretti, *conseiller**** de la embajada francesa en Washington, parte hacia París esta noche en el *Navarre*. Mientras estaba aquí *en poste***** se casó con una hermosa mexicana. Esta carta va con él. El sábado cenaremos con lady Carden. La cena será en honor del coronel Gage, el guapo y agradable *attaché* militar británico *à cheval****** entre Washington y la ciudad de México.

Alrededor de Tampico la lucha continúa, y la ciudad se encuentra realmente atrapada "entre los *demonios* y el mar profundo". Todavía

* literalmente "banderas españolas". Se refiere a las dalias *(N. de la T.)*

** puro natural, es decir, desnudo *(N. de la T.)*

*** consejero *(N. de la T.)*

**** en puesto, destinado *(N. de la T.)*

***** a caballo" *(N. de la T.)*

nadie sabe cuál será el desenlace, sólo que la sangre inocente del peón mexicano tiñe el suelo de rojo. El *Kronprinzessin Cecilie* está allí para llevarse refugiados; también el *Logican*, y nosotros estamos mandando al *Tacoma* y al *Wheeling*. Entiendo que a pesar de que han embarcado algunos centenares, todavía hay alrededor de quinientos infelices esperando en el muelle, en la zona neutral.

Debo empezar a arreglar mi árbol de navidad para los pocos amigos que aún permanecen en esta inquieta y lejana tierra, con algún regalito para cada uno.

12 de diciembre

Hoy es la fiesta de la Virgen de Guadalupe, patrona de México y de todas las Lupes. Durante los últimos días el misterioso mundo indígena ha estado desplazándose apresuradamente hacia el santuario, proveniente de lugares cercanos y lejanos. Fui allá esta mañana con la querida madame Lefaivre y con el señor De Soto. La muchedumbre era inmensa, con los mismos tipos, trajes, hábitos, lengua y hasta gestos que encontró Cortés a su llegada, inmodificados (e inmodificables, cosa que Washington no consigue entender) durante cuatrocientos años, aun teniendo a la civilización circundante. Transitando por el camino recto nuestro automóvil estaba fuera de lugar y de tono. Muchos de los indios recorrían la distancia entre la ciudad y el cerro de Guadalupe, varios kilómetros, *de rodillas*, con las cabezas bajas y las manos unidas. A madame Lefaivre le pareció *très-beau*,* aunque se alegró de que ninguna voz le haya dicho que para salvar su alma o, lo que es más importante, el alma de su Paul, tendría que hacer lo mismo.

La plaza que hay frente a la iglesia estaba llena de una confusa multitud vestida de colores brillantes. Predominaban los vendedores de toda suerte, la mayoría ofreciendo velas y exvotos o milagritos de tipos extraños. Había centenares de tortilleras en cuclillas ante sus primitivos braseros, con pilas de masa en el regazo, moldeando las tortillas de manera tradicional con una especie de aplauso, y pellizcando las orillas para darles forma con sus dedos finos y gráciles. La iglesia misma, cuando logramos entrar, estaba llena hasta la sofocación, pues casi todas las personas tenían alguna vela prendida más o menos larga y gruesa. El altar mayor era un resplandor de luz, la celebrada imagen está en lo más al-

* muy bonito *(N. de la T.)*

to, visible para todos. Es la famosa Imagen que quedó estampada milagrosamente en la tilma de un humilde indio, Juan Diego, cuando la Virgen se le apareció al pasar por la roca del Tepeyac, cuando aquél iba desde Tlaltelolco, adonde iba a recibir instrucción en los misterios de la fe. La sagrada imagen está colocada arriba del altar mayor en un marco de oro, y tiene a ambos lados una luminosa baranda de plata maciza.

En el pasillo central había dobles filas de niñas indias con rebozos de vivos colores sobre los hombros y extraños tocados altos de aspecto pintoresco, hechos de papel de seda de colores, con ribetes dorados. Cantaban monótonas canciones en tono menor, acompañadas de un movimiento ondulante de las caderas, como una danza, pero todo con la mayor reverencia. Llevaban allí horas y no daban indicio de marcharse. Espero haber rezado cuando menos una oración, pues me sentía muy pobre en contraste con la devoción que se veía en todas partes. Me alegré de salir al aire fresco de la plaza, o más bien "más fresco", ya que estaba tan llena como la iglesia y al parecer estaban allí todos los perros de México, rascándose y sacudiéndose.

Anduvimos hasta la Capilla del Pocito, con el señor De Soto quien abría camino para nosotras. Se dice que esas aguas brotaron bajo los pies de la Virgen cuando se le apareció a Juan Diego. Al igual que la fuente de Trevi. Se dice que quien bebe del Pocito regresa a México. Nosotros no bebimos por diversas razones no relacionadas con el retorno. Los indios la usan con fines curativos y en la capilla había un intenso comercio de frascos de cerámica pintados de vivos colores para llevarse el agua. Los indios acuden a pie, a veces en viajes de muchos días, y cuando llegan todos acampan alrededor de la iglesia como si hubieran llegado "a casa". Con niños llorando, limosneros mendigando —"por la Virgen"; "por la Santa Madre de Dios"—, perros ladrando y vendedores gritando, todo dominado por el olor acre de las variadas mezcolanzas picantes que enrollan en sus tortillas, era sin duda la vida indígena en su apogeo. Deben haber tenido un aspecto muy similar cuando se reunían para recibir instrucción y bautismo de los antiguos frailes.

Las "ruedas aztecas" (tiovivos) y todo tipo de juegos de azar, a los que son adictos, ayudan a sacar los centavos de las bolsas de los indios. Sin embargo, es su máxima fiesta, y en este viaje para visitar a su "Virgen India del Tepeyac", no escatiman ni sus ahorros ni la fatiga. Sólo espero que hoy la leva se abstenga de hacer su mortal trabajo de separar a las familias. Recordarás que una vez hice una novena aquí con la señora Madero, implorando favores que el cielo no nos concedió.

Por la tarde fuimos al Club Reforma, el country club inglés, donde sir Lionel y lady Carden debían entregar los premios de distintos concursos. La señora Huerta, siempre digna y callada, se sentó entre lady Carden y yo. Tenía consigo a una hija casada, de pecho alto y labios apretados, vestida con una surah de seda verde y rojo tornasol y con un sombrero con plumas color rosa sucio. La señora Huerta vestía de terciopelo negro con toques blancos en el lugar equivocado. Me imagino que tiene un gusto natural para vestir, pero debería aprender primero. Ha visto mucho de la vida. Tiene tantos hijos y un marido militar siempre listo a partir a algún escenario de guerra. Ahora que finalmente es presidente del "glorioso y sangriento México", significa que pocas de las experiencias humanas deben serle ajenas. Debo decir que le tengo gran estima. El presidente no estaba bien: *el estómago*. Por supuesto uno salta a la conclusión de que ha estado demasiado en contacto con sus amigos Martell y Hennessy. ¡*Él* no tiene derecho a tener una simple indigestión! Después dejamos tarjetas en las casas de varias Lupes.

13 de diciembre

Me siento enferma ante las noticias de esta mañana. Parece que los federales han tomado muchas posiciones de los terribles rebeldes, y la guerra fratricida adquirirá nueva fuerza, sin esperanza de solución por ninguna parte. Siento cada día más la crueldad y la inutilidad de nuestra política. Ese "idealismo financiero" no impide que los habitantes sean exterminados. ¿Por qué no intervenimos ya? O si no, manos fuera y darle una oportunidad a Huerta.

Los mexicanos nunca se han gobernado a sí mismos, y no hay ninguna razón para suponer que puedan hacerlo hasta que una parte del ochenta y seis por ciento que no sabe leer aprenda siquiera a deletrear algunas palabras. Los muy alardeados y obligados derechos del hombre de votar y de respetar los resultados del sufragio son desconocidos aquí, e imposibles de conocer mientras México sea México. Entonces ¿por qué perder tiempo en esa búsqueda de lo imposible? Los rebeldes parecen ser capaces de tomar poblaciones pero no de *conservarlas*. Una vez que están en las posiciones estratégicas se ven en las mismas dificultades que los federales, y así continúa el ir y venir, sin más resultado que un horror indescriptible. Me siento tentada a desear la intervención (por innecesaria que fuera antes) a cualquier costo.

El nombre de O'Shaughnessy ha atraído muchos juegos de palabras y epigramas. Un tal Shamus O'S. dice ¡que no admitirá en la familia al hombre de México que usa el título afrancesado de *chargé d'affaires*!* Pero ¿por qué preocuparse? El último virrey llevaba el noble nombre de Juan O'Donoju. Otro periódico dice que Nelson es el hombre que trajo a México la "O". Y les encantan los titulares: "Abrazado con Huerta", o "¿Es mejor que te besen o que te echen a patadas cuando entregas el ultimátum mensual?" De tan sutiles cosas se hace la fama.

14 de diciembre

Mi pobre mujer con cuatro hijos regresó ayer, una vez acabado el dinero que le di hace unos días. No parecían tan prósperos (¿?) como la primera vez que los vi. La madre me pidió cinco dólares para una licencia que le permita vender fruta y dos para comprar la fruta. Se los di y ella se arrodilló en la calle con el bebé en brazos, las otras tres niñas la imitaron, y me pidió la bendición. Cuando puse la mano sobre su cabeza sentí que se me llenaban los ojos de lágrimas. De pronto vi en *una* mujer todas las desgracias de las mujeres de esta tierra, separación, despojo, violaciones, todos los horrores que la carne hereda.

Por la noche cenamos en la legación británica. El coronel Gage es muy agradable y trajo muchas noticias del exterior. Como todos los militares que nos visitan, me imagino que desea encontrarse en un combate.

Estoy esperando el auto. Elim y yo vamos a un picnic en el jardín de los De los Ríos en Tlalpan; los De los Ríos están en Europa. El día es de belleza incomparable y la sierra del Ajusco (donde operan los zapatistas) se ve cercana, suave y azulada. Todos extrañamos mucho al señor James Brown Potter: con su ingenio infatigable, él era la vida de todos estos picnics en mi primera visita a México.

Villa acaba de establecer una dictadura algo incierta en Chihuahua, estado en que, por así decirlo, se graduó de bandido. Según las historias, su carrera pública de asesino se inició *no muy* mal, cuando mató a un hombre que había seducido a su hermana. Probablemente fue la mejor acción de su vida. Ahora está en la cúspide y "dispuesto a todo". Ya en los tiempos de Díaz, Villa era un bandido proscrito; conta-

* encargado de negocios *(N. de la T.)*

ba con pocos seguidores, pero siendo buen jinete y conocedor de todos los senderos y ojos de agua del territorio, era inalcanzable. Después se unió a Madero. Se cuenta que las mujeres huyen de las poblaciones adonde entra con sus hombres. Supongo que ha cometido todos los crímenes y brutalidades con los heridos, los enfermos, los prisioneros y las mujeres. Y con todo eso es posible que sea el general enviado del cielo que algunos dicen, pero si lo es ¡que Dios ayude a México! En Chihuahua tiene secuestrado a Luis Terrazas, uno de los sobrinos de Enrique Creel (quien fue embajador en Washington, secretario de Relaciones Exteriores, etcétera), esperando un rescate de quinientos mil dólares. El señor Creel vino el otro día a ver a Nelson, con cara de desesperanza. Nelson piensa que tal vez considere que quinientos mil dólares sea mucho dinero, y se pregunta si valdrá la pena.

Sin embargo, siempre es tranquilizante suponer que las personas secuestradas saldrán bien, aun cuando no se entregue el dinero del rescate. Nelson le prometió que por medios informales le haría saber a Villa que más vale que tenga cuidado con la impresión desfavorable que puede causar en Estados Unidos. Uno cavila y cavila ¿de dónde sacan Villa, Aguilar, Zapata y todos los bandoleros sus interminables rifles y municiones? Por supuesto las potencias extranjeras piensan que nosotros los abastecemos, o permitimos que los abastezcan.

Parecería que la intervención en México es un hecho consumado, aunque nosotros no hemos disparado un solo tiro. Y lo que está hecho no se puede deshacer.

VIII

El triste éxodo de Chihuahua. El arzobispo Mendoza. Dinero fiat. Las actividades de Villa aumentan. El estoicismo indígena. Otra recepción en Chapultepec. Un día de "magia mexicana" en el campo.

14 de diciembre

Esta tarde cuando pasé por el Zócalo, regresando del Country Club, encontré el Palacio adornado con los colores nacionales para celebrar la clausura de la cámara, que no volverá a sesionar hasta el primero de abril de 1914. Huerta tiene todos los poderes extraordinarios que se le han otorgado y es él quien va a dirigir todo el "duelo a tiros". A ambos lados de la calle de San Francisco, había nutridos *défilés* de autos y carruajes llenos de personas vestidas con lujo. Esta calle es la más brillante y extravagantemente iluminada que conozco. El automóvil, por ser de la embajada, pudo avanzar con rapidez entre las dos filas. La ciudad parecía tan animada y próspera que es imposible darse cuenta de los horrores que hay debajo.

Las cantinas están cerradas los domingos desde hace varios meses; prudente acto de Urrutia, entonces secretario de Gobernación. Así los domingos la gente compra comida en lugar de pulque, y están en condiciones de trabajar el lunes. San Lunes le dicen al primer día de la semana, con frecuencia dedicado al ocio. Las pulquerías, con su olor ácido y nauseabundo, abundan en los barrios más pobres y se distinguen, además del olor, por tiras de papel de seda de muchos colores colgadas del dintel de la puerta. Sus nombres, El amor divino, Hijadelmar, El Templo de Venus, etcétera, parecen atractivos.

El ministro italiano, Cambiaggio, está "esperando un poquito" en La Habana, porque su gobierno lo ha hecho detenerse. Es el problema, siempre recurrente, de no tener un nuevo ministro que a su llegada presente sus credenciales y coloque una piedra más en el pedestal de Huerta...

El informe confidencial del almirante Cradock a su gobierno fue confiscado por la prensa. La mecanógrafa que hizo la copia recibió 200 pesos por él. Aparentemente el reporte cita a Nelson diciendo que "la relación internacional más sagrada del mundo es la relación entre Inglaterra y Estados Unidos". Muy molesto para sir Christopher.

15 de diciembre

Muchos de los políticos estadunidenses parecen estar dando su punto de vista sobre la situación de México. El señor Choates, en una cena en Nueva York, preguntó: "¿Qué es lo que más agita el corazón de los estadunidenses hoy? Es México —y continuó diciendo—: Sólo podemos hacer una cosa: confiar en el presidente y apoyarlo". Andrew D. White no aprueba la política del gobierno y piensa que vamos derivando hacia la guerra. "Es mejor asunto para los generales que la llevan a un final feliz que para aquellos que la provocan, siendo Lincoln la gran excepción", siguió diciendo.

Los españoles de Chihuahua (unos quinientos o seiscientos) están pasándola muy mal. Una orden villista les da diez horas para salir de la ciudad; y ahora mientras escribo, una larga caravana de personas fuertes y débiles, viejos y jóvenes, aptos y no aptos, está haciendo su camino, a pie, a través del inmenso desierto de Chihuahua hacia Torreón, a 425 millas. Las noches son gélidas y hay tramos de 90 millas, sin agua, y bandas hostiles dispuestas a atacar en cualquier momento. Las propiedades confiscadas deben ascender a millones, ya que los españoles son dueños de casi todos los establecimientos mercantiles, así como de las casas de la clase alta. Dicen que Villa ha dicho que le gustaría matar a todos los gachupines (españoles nacidos en México) [*sic*] *y* a toda su descendencia. Nadie sabe cuándo empezará la marcha y el ataque a Monterrey, ciudad antigua y rica situada sobre un cerro difícil de tomar. Oigo que los españoles de allá quieren venir *en masse** a la ciudad de México, también dejando todo. Saben que Villa les dará una lucha sin cuartel.

Los españoles son los comerciantes de México. Tienen incontables casas de empeño; son usureros y prestamistas de todo tipo; capataces de las haciendas y, por coincidencia, dueños de todas las tiendas de abarrotes. En realidad controlan la venta de casi todo. El ministro

* en masa *(N. de la T.)*

español (que tiene el nombre irlandés de Cologan), cuya linda esposa nació en Veracruz, acaba de estar aquí. Su vida oficial es una carga enorme, y los problemas colectivos de México tocan ya a nuestras propias puertas.

D'Antin parte esta noche hacia Veracruz, para llevar consigo al doctor Silva (exgobernador de Michoacán), quien a decir verdad no ha renunciado voluntariamente, razón por la cual necesita un salvoconducto. En otra época Silva fue un fiel seguidor de Huerta. Debe abordar un barco español que partirá mañana a las doce.

16 de diciembre

Anoche, después de cenar, Burnside y el doctor Ryan consultaron el mapa para ver qué ruta podrían haber seguido los desdichados españoles de Chihuahua. Parece difícil de creer, que teniendo la frontera y la hospitalidad a casi la mitad del camino, hayan escogido la terrible marcha a través del desierto y de las montañas hasta Torreón, que en cualquier momento puede caer de nuevo en manos de Villa. ¡Qué rabia le dará descubrir que tiene que molestarse otra vez por la *misma* partida de infelices! Dicen que el camino va quedando sembrado de artículos valiosos que se llevaron al salir y que se han visto obligados a ir abandonando poco a poco. ¿No es un cuadro aterrador?

Von Hintze acaba de pasar una hora aquí; al igual que los demás está siempre abogando por la mediación de La Haya. Dice que sería una salida para *nuestro* dilema y también un escape para Huerta. ¿Estará sobre la pista de algo que pudiera ser útil para los dos países? En Washington, hace un par de semanas, alguna fuente (probablemente Bruselas) también sugirió someter el asunto, pero *ambas* partes se indignaron. Von Hintze me mostró un elegante bastón con puño de oro, el cual remplaza su lindo bastón chino que injustamente supuso había desaparecido bajo la protección de las Barras y las Estrellas, el día de Acción de Gracias. Decidí encontrar ese bastón y, por casualidad, lo hallé apoyado junto a un paragüero arrumbado en la legación de Noruega; ahí lo había dejado él, ese mismo día. Por una vez la inocencia fue recompensada. Von Hintze siempre es imparcial e impersonal en asuntos políticos, y no pierde la cabeza cuando la brújula política oscila tan violentamente como aquí. Además es un buen amigo, y es posible que la sugerencia de La Haya tenga algo provechoso. Cualquier día podríamos ver el surgimiento de otra facción: el vencedor de Torreón, Juárez y Chihuahua no va a contentarse con poner sus victorias a los pies de Carranza. Un hombre tras otro supera a su jefe, comete traición, llega al poder y cae para dejar el lugar a otro, con frecuencia un antiguo amigo suyo. Tal como observó con frialdad el inteligente editor del *Mexican Herald*, "En México un traidor parece ser cualquiera que no tiene ningún cargo".

Los zapatistas están de nuevo muy activos, luchando duramente en Milpa Alta, en la sierra del Ajusco cerca de aquí. Se han visto algunos en Tlalpan y Xochimilco (Tlalpan es donde con frecuencia vamos los domingos). En el camino hacia Tlalpan y el Country Club a menudo se oyen los disparos.

Todo ha vuelto de nuevo a la tranquilidad en Tampico, aunque a los muertos todavía no se les da sepultura. Los rebeldes penetraron en la ciudad, pero dañaron muy pocas propiedades. La gente cree que querían apoderarse de buena parte del material ferroviario. Tampico es un lugar horrible, plano, infestado de mosquitos y de malaria, pero puede dar a las marinas del mundo la fuerza motriz que quieren. Es el foco de la *guerre des pétroles*.* ¿Será realmente cierto que lo que hay detrás de todas estas tragedias es el petróleo?

En la cena de la legación británica el sábado estaba un inglés llamado Graham, que tiene una propiedad cerca de Durango. Como testigo presencial él contó la historia que yo ya había oído acerca de uno de los jefes rebeldes que apresó al anciano y santo obispo Mendoza cuando estaba ante el altar. Lo obligó a caminar dos millas por campos cubiertos de rastrojo en el calor del día y después lo encerró en una celda sucia y húmeda de dos pies por seis. El señor Graham dio una fianza de 15,000 pesos y lo sacaron. Ésta es sólo una de mil historias para vergüenza de los rebeldes.

17 de diciembre

Villa ha terminado la confiscación de las enormes propiedades de los Terrazas en Chihuahua. Oímos que la esposa del cónsul estadunidense, la señora Letcher, está entre los refugiados en El Paso. Las propiedades de los Terrazas incluyen residencias palaciegas en la ciudad de Chihuahua, bancos, minas, tierras, ganado, etcétera. Luis Terrazas es ahora un refugiado en Estados Unidos. Su hermana, conocida como

* guerra de los petróleos *(N. de la T.)*

"el Ángel de Chihuahua" por sus inacabables caridades, se casó con el señor Creel, antiguo embajador en Washington. El hijo mayor del señor Terrazas es al que tienen secuestrado esperando un rescate de 500,000 *pesos*, después de sacarlo por la fuerza del consulado británico.

Ayer hubo un enorme ajetreo en el Banco Nacional y en el Banco de Londres y México para cambiar ciertos billetes que ya no sirven. Muchas tiendas cuelgan letreros avisando que no se aceptarán billetes de Chihuahua, Coahuila, Querétaro, Guanajuato, etcétera. Los refugiados más ricos que llegaron de Chihuahua tenían cientos de miles en esos billetes. ¡Todo esto ocurre por unos cuantos malvados *científicos*!

En el norte empieza a haber graves problemas con el dinero emitido por los constitucionalistas. Meten a la cárcel a los comerciantes que no quieren recibirlo, no importa su nacionalidad. Su apariencia debe resultar aterradora para cualquier persona cuidadosa y de gastos moderados. Los billetes tienen sólo una firma, y quienquiera que los tenga falsifica las firmas que faltan, o el jefe político más cercano y más interesado le pone el sello de su jefatura. El inconveniente es que no hay facilidad para obtener mercancías o comida a cambio. ¿Cuándo el dinero no es dinero? Éste es el camino a la ruina económica.

Huerta habla mucho de Napoleón en estos días: ¡gran hombre! ¡gran hombre! En un discurso reciente dijo: "Tenemos derecho a nuestra independencia y la conservaremos. Si se produce un ataque contra el país, todos serán testigos de algo grande y extraordinario". Villa, Carranza, Huerta (y también Zapata, si se le presenta la oportunidad) se deleitan ignorando a Estados Unidos. En ese punto *todos* están unidos. La recuperación de Torreón ha tenido una importancia económica inmensa, aunque por supuesto sólo transitoria. La enorme cosecha de algodón que Villa hizo levantar al tomar la ciudad, obligando a trabajar en ello a todos los hombres, las mujeres y los niños con la idea de venderla a Estados Unidos, ha sido despachada por los federales hacia varias fábricas textiles y eso significa trabajo para millares de personas.

A veces hay cosas realmente brillantes en el *Mexican Herald*. Hoy se refirió al cuidado que Estados Unidos brinda a sus ciudadanos. Dice: "La idea de protección del señor Bryan parece basarse en el plan cafetería: vengan y tómenla. Nosotros no se la vamos a llevar".

Cambiaggio, el nuevo ministro italiano, quedará detenido indefinidamente en La Habana, y mientras tanto los asuntos italianos están en manos de los británicos. Me pregunto hasta cuándo las potencias extranjeras estarán dispuestas a esperar y observar. Lo que dicen de nuestra política cuando Nelson y yo no estamos presentes, probablemente no concuerda con el protocolo.

17 de diciembre

Esta tarde habrá otra recepción en Chapultepec. Sigo pensando en los cuatro presidentes que vivieron y respiraron allí desde nuestra llegada: Díaz, De la Barra, Madero y Huerta. Con excepción de los dos primeros, cada uno vivía en una sociedad aparte. Los miembros de una no se superponen con los de las otras. En la recepción de la señora Huerta no había una sola cara, con excepción de las de los *chers collègues*, que yo hubiera visto allí antes: falta homogeneidad, *esprit de corps*.* "No me gusta" parece ser una razón suficiente para no apoyar al gobierno, cualquiera que sea.

Es extraño no encontrar alguna huella de los que allí vivieron, sufrieron y se engrandecieron. Escasamente hay un *souvenir* de Maximiliano o un recuerdo de Díaz, nada de De la Barra, ni un vestigio de Madero, con excepción de su *planchette*** y su biblioteca, formada por literatura vegetariana y espiritualista, que está enfrente de la colección de obras piadosas de doña Carmen Díaz. Por supuesto no hay nada de Huerta: su sombra apenas se percibe. La construcción fue planeada en 1783, del modo más extravagante, por el virrey Gálvez, casado con una hermosa mujer de piel blanca y cabello rojo. Estuvo desocupada durante muchos años en los que hubo constantes guerras, hasta que fue reacondicionada para Maximiliano. Más tarde, Díaz la usó como residencia de verano. El pobre Madero vivió allí los dieciséis meses de su presidencia, y lo recuerdo paseándose de arriba abajo por la terraza, con aquel chaleco suyo color azul, y con una sonrisa visionaria pero indestructible en su cara honesta. En verdad, mental y físicamente, parecía elevado por encima de todas las realidades de la vida.

El "Cerro del Chapulín" siempre ha tenido una vivienda en la cima. Montezuma vivió allí, "rey y caballero", y se supone que muchos de los antiguos ahuehuetes son contemporáneos suyos. Como quiera que sea, la visión que arrebata mis ojos es la misma que contemplaron los suyos. Todo el valle se extiende ante mí, flanqueado por esas hermosas montañas. Los ocasos, a veces en tonos de oro y otras veces de

* espíritu de cuerpo *(N. de la T.)*

** tabla ouija *(N. de la T.)*

plata, inundan el valle, dando a las puntas blancas de los volcanes los efectos de luz más deslumbrantes que puedan imaginarse. Después hay encantamientos luminosos, disolución de distancias, azul y rosa cristalinos que se confunden. ¡Cómo podría expresar su belleza! La gente dice que la luz es más bella en Grecia, pero la de México es mi gran luz. Incluso en las tardes lluviosas, cuando los bancos de nubes están altos, los grises siempre tienen una iridiscencia mezclada con algo de rojo o azul o amarillo o violeta; nunca los tonos opacos de nuestras nubes de lluvia.

18 de diciembre

Acabo de regresar de un *giro** por la ciudad. Vi enormes multitudes alrededor del Banco Central. Éste es la sede de liquidación para todos los bancos del país. Cada una de las personas que esperaban afuera tenía billetes del Estado para cambiar por los del Banco Nacional, quizá más seguros.

Veo que ha muerto el cardenal Rampolla. Recordé sus magníficas apariciones en San Pedro, su figura alta y esbelta, el perfil elegante y orgulloso, su cabeza erguida: el marco perfecto para las suntuosas vestimentas. Recuerdo la desilusión de varios amigos nuestros cuando Austria vetó su elección en el último cónclave. Ojalá hubiera ganado; pero ahora que el cardenal ha pasado a mejor vida yo no lo llamaría de vuelta (ni a ningún otro). Los viejos tiempos de Roma volvieron a mi memoria vívidamente, y tantos otros, que además de Rampolla, ya no están.

Elim está sentado a mi lado, escribiendo en dos colores todas las palabras que sabe: *Gott, kuss, bonnemaman, papa, mama.* Hace poco me preguntó: "¿Y quién me trajo desde el cielo cuando nací?".

El viernes daré una comida en el restaurante Chapultepec para el coronel Gage y los Carden.

Los periódicos mexicanos se divierten mucho comparando a Woodrow Wilson con Napoleón III, y la política mexicana con Sedan.

La recepción de ayer no tuvo la misma animación de la primera. Llegamos allá alrededor de las seis y pasamos casi inmediatamente al té, servido como de costumbre en la larga galería. Me senté a la mesa entre Von Hintze y Hedry, el *chargé* austriaco.

Al mirar alrededor me pareció que cada uno de los ministros te-

* paseo *(N. de la T.)*

nía a su lado a alguna mujer extraña y con aspecto maltratado. Resultaron ser las esposas de los secretarios del gabinete, los cuales cambian tan rápido que es imposible seguir la pista de sus medias naranjas, que sólo aparecen en esta única ocasión. Sin embargo, Moheno logró presentar una esposa muy bonita, bien vestida, con magníficas esmeraldas en forma de pera colgando de sus blancas orejas, así como a su hija, una joven de lo más linda.

El presidente estaba preocupado y disperso. No hizo ningún brindis y su levita parecía más larga y floja que nunca. De hecho los sirvientes apenas habían empezado a servir el champaña cuando Huerta, sin probar el vino, dio el brazo a madame Lefaivre, con ademán de dejar atrás la función, y todos salimos tras él, casi sin tocar el banquete. Era evidente que estaba terriblemente aburrido y pensando en otras cosas. De todos modos no es hombre de hacer las cosas dos veces de la misma manera. Cuando salía del *salon* se detuvo y me dijo que tenía *muchas cosas buenas* que decir de Nelson. "Sólo cosas buenas, *incluso* en mi ausencia." Con eso salió de la escena de la fiesta y ésta se desintegró. Nelson tenía una cena en el club en honor del coronel Gage, quien estaba en la recepción en traje de día. Deliberadamente no llevaba el uniforme por cautela, para no dar la nota oficial, que podría resonar demasiado fuerte en Washington.

Yo fui a casa de los Simon, que ofrecían una cena para el capitán del *Condé* y su lugarteniente. Eran unos franceses fornidos y de buen ver, que lucían alamares en toda su gloria de oro y demás condecoraciones. Durante su viaje en automóvil se les ponchó un neumático por lo que no llegaron a la audiencia con Huerta, que su ministro había arreglado para ellos. Para enmendar esa falta tuvieron que ir con aspecto especialmente oficial.

Ayer fui a ver a la madre Semple en el convento estadunidense de la Visitación. Hasta hace dos años tenía una escuela grande y próspera en Tepexpan. Después los zapatistas les dieron un susto, treinta o cuarenta bandidos se pusieron a bailar alrededor del convento una noche, disparando sus pistolas y gritando obscenidades. Felizmente no rompieron nada valioso, pero las monjas se arruinaron porque todos los padres decidieron recoger a sus niñas. Ahora están tratando de reorganizar su escuela en una casa en Tacubaya, que aunque es muy pintoresca, con un viejo jardín y un patio soleado, no es en absoluto apropiada para cumplir con el doble propósito de vida comunitaria y escuela. Sueñan con vender su gran propiedad de Tepexpan. Es posible que el gobierno la utilice como cuartel en estos días de agarrar lo que se ve, pero dudo mucho que las monjas reciban el dinero alguna vez.

19 de diciembre

Toda la tarde estuve haciendo visitas a mexicanos. Madame Bernal tiene una casa realmente encantadora, recién remodelada, llena de objetos selectos. Es joven y bella de aspecto pálido, ojos oscuros y dientes blancos. Después fui a ver a Mercedes del Campo, a quien encontré con su bebé y una nodriza india en el jardín de eucaliptos y palmas. Ella es joven y bonita como todas las demás. Su marido estaba en el servicio diplomático durante el gobierno de Díaz. Desde entonces se ha mantenido apartado del grupo del gobierno. Es una lástima porque él daría lustre a cualquier encomienda diplomática. Habla un inglés hermoso y un francés perfecto.

Están viviendo en casa de una tía suya, madame Escandón, en la avenida Puente de Alvarado, cuyo nombre se debe al más atrevido de los capitanes de Cortés. Fue cerca de allí que dio su famoso salto en la retirada de la Noche Triste, cuando los indios, viendo ese escape aparentemente milagroso, lo creyeron un dios. Un poco más allá de la casa de los Escandón está el celebrado Palacio Bazaine o Casa de la Media Luna. Fue regalada por el emperador al mariscal Bazaine, con todo su suntuoso mobiliario, el día de su espléndida boda con una hermosa mexicana. La pareja recibía con frecuencia al emperador y a Carlota, y llegó a ser el centro de la vida elegante de la época. Hay muchas historias sobre las recepciones extravagantes y casi regias que hubo en ella. Ahora todos esos esplendores se han hecho humo, y la imponente mansión es una fábrica de cigarrillos. Nunca paso por allí sin pensar en Maximiliano y el "Ya es hora" del guardia que abrió la puerta de la prisión del convento capuchino de Querétaro en aquella mañana fatal. También vuelvo a pensar en el tristísimo fin de Bazaine.

El almuerzo para el coronel Gage, quien está por regresar a Washington la próxima semana, salió muy bien. Cuando llegué a Chapultepec encontré a todos mis invitados reunidos en la terraza. Me disculpé por mi tardanza diciendo que había esperado a Nelson, quien estaba con el presidente. "¡Pero el presidente está aquí!" exclamaron todos. "Me pregunto si querrá comer con nosotros", dije yo. Todos quedaron atónitos, pero encantados de mi osadía.

Entonces vi a Huerta aproximándose por el gran vestíbulo con el gobernador del Distrito Federal, Corona, y un hombre pálido, demacrado e inteligente, que por el momento (instante que imagino él vuelve dorado) es secretario de Comunicaciones. Me adelanté con cierto *élan,** como para atacar, e invité al presidente a la fiesta. Su pequeña mano indígena me saludó con mucha cordialidad. En verdad la mano es de terciopelo, cualesquiera que sean las acciones violentas que ha cometido. Pero él dijo que tenía una junta de gran importancia, que le encantaría aceptar en otra ocasión, etcétera. Hubo más apretones de manos aterciopeladas y regresamos a los invitados que esperaban, decididamente desilusionados. Como de costumbre, todo estuvo muy agradable en la amplia terraza, mirando hacia el Castillo, por encima de las grandes ramas de los centenarios ahuehuetes.

Nelson había estado con el presidente paseando en automóvil durante una hora antes de la comida, y le había pedido que liberara a tres estadunidenses que están presos desde hace mucho tiempo. Huerta le aseguró que serían liberados todos, culpables o no, sólo para darle gusto a él. A las seis de la tarde en punto llegó a la embajada la primera remesa y fue entregada en manos de Nelson por dos oficiales federales. Y así continúa el trabajo. Huerta es muy *primesautier*.** Una vez antes, cuando Nelson le pidió que castigara a algunos soldados, convictos de actos de violencia contra unos estadunidenses, él respondió prontamente: "¿Quiénes son? ¿Dónde están? ¡Los mandaré matar a todos!". Nelson protestó, aterrado ante la posibilidad de que inocentes ovejas sufrieran junto con las cabras culpables. Sin embargo, haría cualquier cosa por agradar a Nelson en particular y a Estados Unidos en general. En realidad no hay nada que Estados Unidos no pudiera hacer con Huerta si quisieran. Todas las concesiones y reclamaciones pendientes desde hace décadas podrían arreglarse satisfactoriamente. Tal como son las cosas, Huerta sigue andando a su propio paso, sin permitir que lo apresure ni lo agite la energía más definida de la *República del Norte*. Jugando su juego de inacción magistral, por el momento le está ganando a Washington. Después de todo no se obtiene nada mostrando copias de la Constitución en la cara de un dictador. Él ignora las relaciones con Estados Unidos, no nos mencionó nunca en su discurso al congreso y tal vez arrojó el ultimátum al cesto de papeles. Estoy empezando a pensar que, en la elegante frase de mi tierra natal, es "muy" dictador.

* ímpetu *(N. de la T.)*
** espontáneo, impulsivo *(N. de la T.)*

El *Sun* de Nueva York habla con admiración de la forma como continúa tratando al señor O'Shaughnessy con amistosa y delicada consideración.

20 de diciembre

Pasé en la Cruz Roja toda la mañana. Es asombroso el estoicismo de los indios frente al dolor, el dolor intenso. Hoy ocurrió un incidente bastante divertido. Le pregunté a un hombre con una mano deshecha por la metralla si era obra de los "zapatistas", los "constitucionalistas" o los "huertistas", y él se llevó la otra zarpa a la frente y respondió con gran exactitud: "No, señora, los vasquistas". Yo creía que el movimiento vasquista había sucumbido hace mucho de la inusual muerte natural.

Veo que el nuevo ministro de Austria en México ha llegado a Estados Unidos *en route** hacia su puesto, y el nuevo ministro italiano llegará mañana a Veracruz, después de una espera de tres semanas en La Habana, por "*nuestra* salud", no la suya. Como es costumbre, alguien del protocolo irá a recibirlo y lo traerá hasta la ciudad. Aparentemente las potencias europeas piensan seguir adelante con su propio programa de "espera vigilante". Será algo duro para nuestro gobierno que otros dos representantes de grandes naciones presenten sus credenciales al "dictador".

La gente dice que es una lástima que, al asumir el poder, Huerta no haya declarado formalmente que sería dictador por dos años, hasta el momento en que el país estuviera pacificado, haciendo completamente a un lado el asunto de las elecciones. Sin embargo, ésa es la visión retrospectiva. A propósito de Villa, veo que un periódico de Estados Unidos se pregunta: "¿Asoma un nuevo sol en México?". En mi breve estancia mexicana he visto a varios individuos alzarse y ocultarse en el horizonte más revolucionario que se pueda imaginar. Como carnicero, Villa quizá sea insuperable. Pero aquí siempre es cierto que "quien a hierro mata, a hierro muere". Pasé la mañana en la Cruz Roja lavando y vendando a aztecas desamparados. Este año ya arreglan las camas según les hemos enseñado. El año pasado usaban las cobijas contra el cuerpo y la sábana encima, porque "se veía mejor".

Toda la tarde estuve haciendo visitas y repartiendo tarjetas, por

* en camino *(N. de la T.)*

fortuna con madame Lefaivre. Generalmente hacemos juntas nuestras "obligaciones", charlando en el trayecto. Son ahora las nueve y media. Estoy echando una ojeada a uno de los libros de Gamboa. Él era secretario de Relaciones Exteriores en agosto pasado, cuando llegó el señor Lind, y redactó el borrador de la famosa y muy meritoria respuesta al "Agente Confidencial". A veces lo llaman el Zola de México.

21 de diciembre

Acabo de llegar de misa. Voy al Sagrado Corazón, aquí cerca, iglesia construida casi enteramente con dinero donado por el muy piadoso Lascuráin, hombre de la mayor integridad y de gran fortuna personal. Por mucho tiempo fue secretario de Relaciones Exteriores, y durante veinte minutos (como te escribí) presidente, entre Madero y Huerta.

Ahora estoy escribiendo vestida con velo y guantes, mientras espero que los participantes en el picnic se reúnan aquí. Alrededor de diez o doce vamos al hermoso jardín de madame Bonilla en Tacubaya.

Por la noche

Tuvimos un apacible día de campo en el viejo jardín, con la extraña magia mexicana haciendo más hermosas las cosas hermosas y transfigurando todas las ordinarias. Madame Bonilla, que es inglesa y, dicho sea de paso, un *cordon bleu*, estaba sentada bajo un rosal de rosas amarillas cuando llegamos, se veía muy atractiva vestida de encaje blanco y batiendo el tipo de salsa que en México una tiene que hacer una misma, si puede, o mejor abstenerse de comer. Compartimos un excelente almuerzo combinado —todos llevamos algo— bajo una pérgola de rosas y madreselvas, con una calma muy mexicana. Después paseamos hacia la ladera cercana, cubierta de magueyes y pirules. Los volcanes estaban indescriptiblemente blancos y bellos en la lejanía, distantes de todos nuestros afanes, a pesar de que sus estribaciones son el territorio de hordas zapatistas cuyas fogatas con frecuencia indican su posición exacta. Con un típico desprecio anglosajón hacia las advertencias indígenas, estuvimos largo rato sentados bajo un gran árbol del Perú, que según dicen los indios produce dolor de cabeza. Descansando ahí fuimos incapaces de despegar los ojos del suave horizonte de la ciudad, que parecía nadar en la cálida luz de la tarde. Incontables cúpulas y campanarios de iglesias se recortaban con suavidad en la neblina, el lago de Texcoco era una lámina de plata mucho más allá, y por encima de todo estaban los incomparables volcanes. Para completar el primer plano del cuadro, un viejo indio, un tlachiquero, estaba extrayendo silencioso el jugo de unos magueyes cercanos, como lo han hecho por siglos, con una especie de instrumento como una calabaza que operaba aspirando en forma bastante primitiva pero práctica. Para los no iniciados parece que lo estuviera bebiendo, pero su destino final es un odre que carga terciado a la espalda. Después de tomar té en el jardín, sobre el cual había caído una luz azul mística, regresamos a casa en el auto en medio de la penumbra que caía rápidamente, mientras el aire delgado y helado nos penetraba como un cuchillo.

Han llegado avisos de que los rebeldes están atacando nuevamente Tampico. Al parecer consiguieron lo que querían con el último ataque: cuatro vagones cargados de dinamita y mucho material rodante, y están en posición de dar su testimonio con respecto al valor de los principios constitucionalistas.

Zapata estuvo a punto de caer en una emboscada. Los federales lo sorprendieron en Nenapepa, cuando él y sus seguidores compartían sentados alrededor de una fogata. En la escaramuza escapó por un pelo, dejando atrás su precioso sombrero; un gran sombrero negro de charro, de ala ancha y copa en punta con pesados adornos de plata. El coronel Gutiérrez lo trajo a la ciudad, muy dolorido por no haber podido traer también lo que iba *debajo*. La imagen de Zapata a caballo, galopando por campos de magueyes, subiendo y bajando barrancas, es muy representativa de la vida de bandoleros que tan de moda están en México en estos momentos.

El nuevo préstamo por 20 millones de pesos ha sido suscrito por varios banqueros extranjeros, principalmente franceses, creo, aunque se supone que algunos de Nueva York también están "involucrados". Hará que todo siga marchando por otro par de meses más o menos, y después las "tribulaciones de Huerta" recomenzarán. Como van las cosas, por ahora puede seguir jugando con el kindergarten de Washington. Llegó un amable telegrama del señor Bryan diciendo que el Departamento de Estado estaba muy satisfecho de que Nelson hubiera logrado la liberación de los presos estadunidenses que ya mencioné.

A los bancos de aquí les han dado vacaciones legales desde el 22 de este mes hasta el 2 de enero. Es *una* manera de resolver el problema bancario. Se supone que es para salvaguarda de los depositantes que, sin embargo, transitan en multitud por las calles que conducen a los bancos cerrados, desesperados por *sacar* lo que *metieron*, para confiarlo a otras instituciones que les inspire mayor seguridad.

Hoy es el día del santo de Huerta, *Sanctus Victorianus*. Hubo una recepción para los caballeros del cuerpo diplomático en el Palacio. El decano pronunció un discurso sobre seguras pero agradables generalidades, y Huerta respondió afirmando que tiene una sola idea: la pacificación de México. El ministro alemán ha viajado para investigar el asesinato de uno de sus compatriotas.

Esta mañana visité nuevamente el hospital para tuberculosos y me pareció muy interesante ver a pacientes que se han levantado de entre los muertos, por así decirlo, y vuelven a caminar entre los vivos. El clima de aquí es ideal para su curación. Llevé a la Cruz Roja algunos paquetes de navidad y después fui a la Alameda. En tres de los costados del parque han colocado tiendas de navidad, que llaman "puestos". Los indios traen de grandes distancias sus hermosas y frágiles cerámicas, una variedad interminable de canastos y juguetes; también traen a todos sus parientes, de modo que se puede estudiar la vida familiar en todos sus detalles. Allí venden, cocinan, se visten, rezan el rosario y examinan cabecitas negras en busca de los siempre presentes visitantes, una ocupación familiar de los mexicanos en cualquier estación. El aroma de los árboles y las guirnaldas de navidad, apilados a lo largo de la calle, se mezcla con olores de cacahuates y chiles, enchiladas y toda clase de comidas picantes.

Mientras escribo están tronando cohetes. Son ruidosos y su sonido es como el de fuego de fusiles. Su uso es una antigua costumbre que se observa durante nueve días antes de la navidad, pero en estos días agitados uno tiende a pensar en pistolas antes que en el advenimiento del "Hijo de la Paz".

Llegó una carta muy linda del almirante Cradock, diciendo que acaba de llegar a Veracruz, de la batalla de Tampico, y que su viaje fue animado por una "buena pesca de sábalo". No podrá regresar aquí para navidad, como se proponía, pero espera que pronto vayamos a Veracruz, donde él nos invitará a cenar y nos saludará formalmente a bordo del *Suffolk*.

Hay mil cosas que hacer para la navidad. Anoche recortamos el árbol y está bajo llave en el gran *salon* presumiblemente a salvo de ojos infantiles.

IX

Navidad. El estrangulamiento de un país. De la Barra. El "juego de mañana". El español en cinco frases. El gran diamante de la señora Huerta. La desesperada situación de los peones en una tierra desgarrada por las revoluciones.

Nochebuena, navidad, 1913

Durante estas horas de la navidad me han embargado recuerdos de mi querido hermano en su lecho de dolor hace ya un año por estos mismos días, su *Tod und Verklärung*...* Pero no llamaría de regreso a nadie que ha cruzado "el umbral".

El árbol fue un gran éxito, aunque por la mañana, cuando Feliz estaba colgando los últimos festones verdes de la habitación, se vino al suelo con todo y escalera justo hacia donde estaban apilados los juguetes. Hubo que correr rápidamente al centro para reparar los daños. Me molestó tanto que ni siquiera le pregunté si se había lastimado, y él parecía demasiado atarantado por el incidente para pensar en algún dolor. Fue muy agradable tener a los pocos que aún perseveran en esta ciudad reunidos bajo el mismo techo. Los niños se entretuvieron con sus juguetes y nosotros los adultos intercambiamos nuestros pequeños regalos y saludos. Todo parecía muy hogareño y seguro, como si no estuviéramos "cabalgando en una revolución".

Clarence Hay le trajo a Nelson una botella de cognac, con la inscripción: "Para Nelson, de Victoriano", y otra del mismo tamaño de jugo de uva: "Para Nelson, de W. J. B.". Adivina cuál abrimos.

Después de que las familias se fueron nos quedamos con algunos de los solteros —Seeger, Clarence H., Ryan— y platicamos hasta

* muerte y transfiguración *(N. de la T.)*

muy tarde sobre las extrañas aventuras que todos estamos viviendo en esta tierra de infinitas posibilidades.

Hoy después de misa fuimos hasta el lindo Automóvil Club, donde Seeger ofreció una comida para nosotros, los Tozzer, Clarence Hay y los Evans. El Club está en la parte nueva del parque, al borde de uno de los pequeños lagos artificiales que se hicieron cuando Limantour lo proyectó tal como es ahora. Nos sentamos en la terraza que da hacia la gran loma del Castillo, que interrumpe el horizonte circular de los cerros mágicos. El aire soplaba suave pero claro, los viejos ahuehuetes cargados de musgos, símbolo de duelo y de luto, tenían siluetas alegres, pulidas y finas, y los volcanes lanzaban nubecillas blancas por encima de sus hermosas cabezas. Era un día bendecido por Dios, como son generalmente los días aquí.

26 de diciembre

Te envío unos cuantos *Heralds* con sus titulares de navidad (¿?): "Los rebeldes de Veracruz son derrotados en feroz combate"; "Los rebeldes tienen órdenes de ejecutar a todos los prisioneros"; "El pueblo de Tapono quemado por entero por federales"; "Sólo mueren doce al ser dinamitado un tren militar"; "Violento combate en Concepción del Oro". Me hacen sentir que la "espera vigilante" de Washington promete ser una espera triste al sur del río Grande.

Elim estaba exhausto por las festividades de navidad y se portó terriblemente mal. Estamos en plena temporada de piñatas y tiene muchísimas invitaciones, por desgracia. El centro de atención en las piñatas es una cabeza o figura enorme y grotesca, forrada de papel de China y oropel colgada del techo. El adorno oculta una olla de barro enorme pero frágil, llena de nueces, frutas, dulces y juguetitos. A cada niño se le vendan los ojos y se le da oportunidad de tratar de golpearla con un gran palo. Cuando al fin se rompe los contenidos se esparcen por todas partes y hay un alboroto para recogerlos. Parece un juego muy desordenado, pero aquí es muy popular desde hace mucho.

Ayer envié un telegrama al señor Lind: "Saludos afectuosos y mis mejores deseos". Podría estar mucho mejor en Minneapolis. Ojalá: nadie habla nunca de él y, por lo que se refiere al gobierno, Veracruz está como una tumba. México va a su ruina, y parecería que ya debe estar cerca. Es muy triste para nosotros que estamos aquí. Nunca antes había presenciado el estrangulamiento de un país, y es una visión horrible. El nuevo *chargé* chileno llegó hace un día o dos: ha permanecido veinte años en Centroamérica y dice que ésta es su trigésimo segunda revolución.

Ayer vi de pasada al señor Creel-Terrazas en su carruaje. Tenía el rostro hundido y ceniciento e iba acurrucado en un rincón del *coupé*, realmente diferente del hombre saludable, sonrosado y de cabellos blancos de hace unas pocas semanas. Él y su familia lo han perdido todo a manos de los rebeldes. La familia era dueña de casi todo Chihuahua, y aun cuando corren historias —tal vez ciertas— de cómo llegaron a hacerse de tan vasta propiedad, varias generaciones atrás, expulsando a los indios de sus tierras hacia el desierto, nada cambia el hecho presente de que están arruinados, al igual que el país; el "juicio" sobre ellos, si es que es un juicio, se podría hacer extensivo para otros más.

Toda la cuestión en el norte parece reducirse, de manera muy simple, a que los que desean poseer se apoderan de lo que otros poseen. Todos estamos esperando el inevitable desacuerdo entre Carranza y Villa. El héroe de cualquier drama mexicano nunca está a más de unos meses de distancia de ser el villano. Sólo cambian los actores, pero nunca la horrible trama de sangre, traición y devastación.

Viste que De la Barra llegó efectivamente a Tokio. Yo estaba segura de que lo haría, porque tiene costumbre de terminar lo que empieza. Se han nombrado cinco grupos de embajadores que debían partir hacia Japón a expresar el agradecimiento de la nación por la embajada especial que aquel país enviara para el espléndido Centenario de 1910, apogeo de la vida nacional e internacional de México. Los últimos dos fueron Gustavo Madero, que no pudo marcharse debido a las cosechas de oro que había que recoger en casa, y Félix Díaz, debido a sus aspiraciones políticas.

De la Barra, ¿te acuerdas de él en París? Un hombre de mundo, hábil y agradable, que durante los cinco meses en que fue presidente *ad interim** demostró ser muy bueno para andar en una cuerda decididamente floja. El país todavía disfrutaba del prestigio de Díaz y él resultaba en general bastante aceptable tanto para el antiguo régimen como para el nuevo. Siempre ha sido muy católico. Más tarde se convirtió en una fuente de preocupaciones para Madero, que temía su popularidad; aunque su éxito en aquel momento se debió, en gran parte, a que dejaba todas las cuestiones importantes a su sucesor. Mirando ahora hacia atrás veo todo eso bajo una luz muy favorable: un político há-

* interino *(N. de la T.)*

bil, cuidadoso y trabajador, con un gusto por la paz y el orden que no siempre es inherente a los pechos mexicanos, y un hombre en quien se puede confiar para conducir con dignidad los asuntos de su patria. En caso de duda "tome" a De la Barra.

El juego de *mañana* es el que mejor se juega aquí; nunca es activamente subversivo, y como lo demuestra la actitud de Huerta hacia Estados Unidos, es muy eficaz contra una nación que quiere que las cosas se hagan y se hagan enseguida. Encuentro que los mexicanos siempre están estudiándonos, que es más de lo que hacemos nosotros con respecto a ellos. Nos ven como algo inmensamente poderoso que podría, y quizá querría, aplastarlos si se llegara a disgustar. Son infinitamente más sutiles que nosotros, y sus esfuerzos tienden más a escapar de nuestras garras que a imitarnos. Nuestras instituciones y todos nuestros modos de proceder son para ellos interminables y fatigosos y no corresponden a nada que ellos consideren ventajoso o agradable. *Suum quique.**

He descubierto que hay cinco frases en español que son suficientes para cualquier uso, a todo lo largo y ancho de esta hermosa tierra: "mañana", "¿quién sabe?", "no hay", "no le hace" y "ya se fue". Agrego esta última porque cuando uno trata de encontrar a alguien la respuesta es siempre "ya se fue". He dado este pequeño pero completo repertorio de frases a muchos, y todos encuentran que responde a casi cualquier situación o necesidad.

Hace algún tiempo que no tenemos noticia del señor Lind. Sin duda la navidad pasada en la costa mexicana, alternando calor húmedo y vientos del norte, es muy pobre en comparación con los *tannembaums*,** los patinajes y la alegría general de sus *dos* patrias. Algún editor del oeste sugiere que cuando regrese estará en condiciones de publicar un "exhaustivo libro en blanco" sobre la situación de México. Yo he roto muchas lanzas por él, pero cuando ayer uno de los ministros extranjeros me dijo "Su amigo escandinavo es antilatino, antibritánico y anticatólico", no pude hacer otra cosa que retirarme del campo de batalla.

Elim es seguido siempre por sus dos perros: Micko, el melancólico terrier irlandés, y Juanita. La blanca cachorra de bulldog se vuelve cada día más demostrativa y más destructiva. Ayer cuando parecía no

* a cada uno lo suyo *(N. de la T.)*
** abetos *(N. de la T.)*

estar muy bien, uno de los sirvientes sugirió que le colgáramos al cuello una ristra de limones. Recuerdo haber visto perros desconsolados que llevaban collares de limones, pero pensé que eran niños quienes se los habían puesto. Sin embargo, parece que tales collares son muy recurridos por los indios como cura contra el destemple.

Oigo que el gobierno se propone concesionar el ferrocarril de Tehuantepec a Pearson's Oil Company durante veinticinco años, por 25 millones de pesos. En uno de los periódicos aparece una caricatura de Huerta llamando a la puerta de la casa de empeños europea con el Istmo bajo el brazo.

29 de diciembre

Incluyo una carta encantadora de la señora de J. W. Foster, quien siempre está muy al tanto de lo que sucede. Por supuesto los Foster leen las noticias de México con interés y perspicacia, ya que estuvieron aquí durante los años en que Díaz trataba de establecerse a pesar del pueblo mexicano, y no a pesar de *nosotros* también, afortunadamente para Díaz y para ellos...

Te envío una caricatura de *Novedades* que representa a Huerta paralizado. Una enfermera le pregunta a otra cómo sigue, y ella responde: "No hay cambios. Todavía no se mueve".

Bueno, alguien se tendrá que "mover" si ha de salvarse este país y los intereses extranjeros. No veo cómo podría hacerlo un nuevo partido revolucionario en el norte, cuya única virtud hasta ahora es estar de nuevo en el gobierno. Además, sólo representa otra manada de lobos hambrientos que se soltaría sobre el país. He oído que Carranza tiene un hermano, Jesús, que posee en alto grado el vicio familiar de la codicia y está a punto de "operar" en el Istmo. Hay predicciones de que si realmente tiene "oportunidad", lo dejará como si por allí hubiera pasado la langosta.

Hay cuatro empleados durmiendo en la casa, y el trabajo continúa al mismo ritmo. Cambiaggio, el nuevo ministro italiano, fue recibido ayer con todos los honores enfatizados. ¡Oh, la *Fata Morgana** del reconocimiento! El ministro belga obtuvo permiso para partir y acaba de venir a despedirse. Ya tiene la visión europea tan conocida por los que se quedan. Recibió un telegrama muy cordial de un gran banquero de Nueva York, y se preguntaba si el banquero esperaba hospedarlo. Le dije: "Si en Nueva York te recibe un automóvil y sirvientes, puedes estar casi seguro de que te vas a quedar con él; de otro modo es mejor soportar el Ritz".

Aquí los diplomáticos proponen varias ideas acerca de la posibilidad de que se llegue a algún acuerdo a través de un tercero, alguna de las grandes potencias... alguna forma por la que pudieran celebrarse elecciones auténticas y Huerta, si es realmente elegido, pudiera quedarse. Nelson no puede hacerlo, ni el señor Lind ni ningún estadunidense. El orgullo nacional de ambos lados está demasiado comprometido para admitir otra cosa que un tercero en discordia que se ponga en medio y resuelva la cuestión.

Se habla de un préstamo inglés, garantizado por las aduanas, pero que, al mismo tiempo, permita que cierta cantidad de ingresos de éstas quede libre, un par de millones de pesos al mes para los gastos del gobierno. Hay un estira y afloja por parte de manos extranjeras, un deseo de remediar nuestra chapucería. May, con la cara vuelta hacia Europa, ve todo color de rosa. Predice que estaremos aquí hasta las próximas elecciones, el primer domingo de julio. Hay mucha especulación acerca de la fortuna personal de Huerta, pero nadie sabe si es rico o pobre. He oído que su nueva casa en San Cosme es una bagatela. La señora Huerta en su recepción llevaba un diamante grande y magnífico colgado al cuello. Pero ¿por qué no debería tenerlo?

* espejismo *(N. de la T.)*

Por la noche

No ha habido emociones políticas esta semana: sólo un monótono y horrendo registro de saqueo: los siempre débiles expoliados por los momentáneamente fuertes. En Chihuahua una "buena acción" es transferir propiedades valiosas a los rebeldes. Todas esas residencias palaciegas, que por generaciones han sido hogares de prosperidad y riqueza, han cambiado de dueño durante las últimas tres semanas, lo que, sin embargo, no significa que el peón del que tanto se habla se haya beneficiado en lo más mínimo. Sólo significa que unos pocos hombres, algunos de los cuales no saben leer ni escribir, son ahora dueños de lo que solía ser posesión de unos pocos hombres que *sabían* leer y escribir. En México la tierra siempre ha estado en manos de unos pocos miles de individuos y el peón siempre es explotado, cualquiera que sea el grito de batalla. Cierto paternalismo por parte de algunos de los hacendados de clase alta, que lo dejan más o menos a merced del administrador español, ha sido su mejor suerte.

Su incapacidad para gobernar nunca ha sido cuestionada. Cuando es débil promete todo, cuando es fuerte es destructivo. Aun cuando ha habido observaciones sentimentales sobre la inteligencia del peón, y sus agravios, que *son* terribles, ningún gobierno, salvo el nuestro, soñó jamás con poner los destinos del Estado en sus manos, en las manos de ese sesenta y ocho por ciento de seres humanos que no sabe leer ni escribir.

Curiosamente es costumbre afirmar que es la Iglesia la que ha mantenido a los indios en ese estado de ignorancia; pero las Leyes de Reforma de 1857 quitaron la educación de manos de los curas para ponerla en manos de las autoridades laicas. Y eso fue hace casi sesenta años: tres generaciones de indios.

Eduardo Iturbide me contó ayer una historia divertida y esclarecedora. Un indio fue a ver al cura para pedirle que lo casara. El cura, al descubrir que pese a su mucha instrucción sus ideas sobre la Divinidad eran de lo más confusas, le dijo: "Hijo, no puedo hacerlo hasta que hayas aprendido el *rezo*" (un catecismo muy elemental), y procedió a darle más instrucción. El indio regresó al día siguiente y le dijo que todo era muy difícil y que todavía no entendía eso de que Dios está en todas partes. "¿Está Él en la iglesia?" "Sí." "¿Está Él en la milpa?" "Sí." "¿Está Él en mi choza?" "Sí." "¿Está Él en el corral de la casa de mi comadre?" "Por supuesto. Siempre está allí", dijo el cura. La expresión del indio se hizo triunfal: "Padrecito —dijo—, ahora lo agarré. ¡La casa de mi comadre no tiene corral!".

Por la noche

El señor Lind corre a bordo del *U.S.S. Chester* para reunirse con el presidente en Pass Christian. El señor Lind está demostrando ser un fuerte carrancista, pero a pesar de eso no creo que lleve al presidente a la riesgosa política de reconocer esta medida poco estudiada pero ciertamente no muy prometedora. Podemos poner en México cualquier tipo de gobierno, pero ¿podemos *mantenerlo*? Estimulamos las fuerzas de la disolución alrededor de Díaz, reconociendo y ayudando a Madero. El mundo conoce el resultado. La historia siempre se repite aquí, y lo que se escribe en la pared siempre se escribe con sangre. Después de los meses de inacción del señor Lind debe sentarle muy bien recorrer el mar *en route* a una conferencia tan importante. Dijo que habría regresado hace tiempo a Estados Unidos si no fuera por los progresos "muy satisfactorios" de los rebeldes. Estaba especialmente entusiasmado cuando Villa anunció su intención de comer en su cena de año nuevo en el Jockey Club.

31 de diciembre de 1913

Todavía hay mucha gente yendo y viniendo por la casa, pero yo estoy sola, pensando en las noches del fin de año pasado. Ahora debo permitir que este año, con sus dolores, molestias, glorias e intereses se deslice hacia el siguiente con esta última palabra para ti. Ojalá todos estemos protegidos por el Amor Eterno. Pienso en mi adorado hermano y sus raros dones. A veces tengo la sensación de que a través de su hermosa mente estoy recibiendo algo directo de la reserva universal del pensamiento.

X

Recepciones de año nuevo. Churubusco. Recuerdos de Carlota. Violación de las mujeres de Morelos. Excusas de México por el asesinato de un ciudadano estadunidense. Visita a los jardines flotantes de Xochimilco.

Primero de enero de 1914

Mi primera palabra es para ti. Tú conoces mi corazón, y todos mis amores y esperanzas.

Llegó una carta del señor Lind, que hoy está en Pass Christian. Fue enviada antes de su partida. Quiere que Nelson vaya a conferenciar con él cuando regrese.

Más tarde

El presidente recibió a los ministros en el Palacio esta mañana y por la tarde la señora Huerta recibe en Chapultepec. Yo también tengo gente a cenar. La respuesta del presidente al discurso del ministro español en el Palacio fue larga e inconexa, aunque con el insistente estribillo de que tiene una sola idea: la pacificación de México, que quiere y puede lograr si le dan tiempo. El ministro alemán no asistió. Está fuera investigando el asesinato de un súbdito alemán en el interior.

Huerta apareció en el baile de fin de año del Country Club; escenario muy desusado para él. En cuanto vio a Nelson se acercó a él y le dio uno de los abrazos cuyo relato tanto agrada en Estados Unidos. Es posible que su intachable amabilidad nos mantenga a él, a nosotros y a la colonia en buenos términos algún día que se arreglen cuentas. Él mismo siempre encontrará asilo aquí. Es una lástima que la embajada no haya ocultado a Madero tras la seguridad de sus puertas.

Más tarde

Fui a la recepción de la señora Huerta con los Carden. Nelson, que ya había hecho lo propio por la mañana, huyó al campo. Los asistentes eran pocos. Recibió en el piso bajo del Palacio, en lo que fueron los apartamentos íntimos de Maximiliano y Carlota. Eran habitaciones lindas en cuanto a las proporciones, pero en tiempos de Díaz las decoraron con dudoso gusto. El comedor, donde se sirvió el té, se veía como enyesado y pintado de un horrendo color amarillento, pero me dicen que, en realidad, su acabado es de roble de Alsacia tallado. Sobre la mesa había una gran *épergne** de plata con las armas de Maximiliano: no sé cómo ha logrado permanecer en ese lugar todos estos años.

La habitación donde se encontraba la señora Huerta, que solía ser el *boudoir*** de Carlota, está ahora decorada con un feo brocado castaño y rosa; queda una hermosa galería de gobelino enmarcando los paneles de brocado, y sobre las ventanas dos exquisitas *lunettes**** del mismo gobelino. Las habitaciones tienen el inconveniente de que sólo se llega a una atravesando la otra. Los visitantes pasan por el Salón Rojo, con su gran mesa y sillas donde se sienta el gabinete cuando sesiona en Chapultepec, y después por la Recámara Azul, decorada en brocado obviamente azul, en la que hay una elaborada cama y tocador de Buhl. No se ven otras huellas del gobernante de cabello rubio y ojos azules.

El presidente pronunció un discurso a la hora del té. Yo estaba de pie, a dos personas de distancia, del mismo lado de la mesa que él, junto a madame Lefaivre y sir Lionel. Huerta empezó por desear feliz año nuevo al cuerpo diplomático y a continuación dijo, como siempre ignorando cordialmente a Estados Unidos, que México no era igual a las grandes potencias como Inglaterra, España, Francia o Alemania; que no tenía tantas bendiciones de cultura e ilustración como ellas; que era un adolescente, un menor; pero que, como cualquier nación, tiene el derecho a su propio desarrollo y a evolucionar por su propia línea, y pide la paciencia y tolerancia de las potencias. Después se enredó en unas metáforas astronómicas: oímos vagas referencias a Júpiter y a Marte, pero pronto se desenredó con su habitual *sang-froid*.**** Dadas las

* centro de mesa *(N. de la T.)*
** tocador *(N. de la T.)*
*** lunetas *(N. de la T.)*
**** sangre fría *(N. de la T.)*

circunstancias, encontré su discurso trágico y conmovedor. Se ha afirmado resueltamente contra el mundo de las Potencias y las Dominaciones, pero en ocasiones debe saber que se va deslizando, deslizando. México no puede existir sin el favor de Estados Unidos, o por lo menos sin su indiferencia.

Hace ocho años, en uno de esos interregnos que todos los estadistas mexicanos conocen, Huerta supervisaba a peones que estaban construyendo casas en un barrio nuevo de la ciudad de México. Por lo común sus ocupaciones han requerido valor y conocimientos. Por años fue director de la Comisión Geodésica Mexicana, y en algún momento fue inspector de los Ferrocarriles Nacionales. Quien primero lo descubrió en su pueblo fue un general de paso que necesitaba a alguien que le hiciera de secretario. Habiendo aprovechado al máximo la muy pobre instrucción de que dispuso en su pueblo natal, cuando le llegó la oportunidad ya estaba preparado. Fue llevado a la ciudad de México y allí recomendado a Díaz, a través de cuya influencia ingresó al Colegio Militar. Después de eso sus cualidades fueron rápidamente reconocidas y se convirtió en un personaje importante de la historia militar de México.

Una vez le dijo a Nelson que cuando fue enviado a Morelos a terminar con los zapatistas, durante la presidencia de De la Barra, en 1911, el Partido Científico le ofreció muchos incentivos para que colaborara a reinstaurarlos en el poder. Y agregó que él había preferido mantenerse fiel a su juramento constitucional. Lo mismo ocurrió durante la brillante campaña que llevó a cabo en el norte, al servicio de Madero, en contra de Orozco. Dijo: "Entonces podría haberlo hecho fácilmente, porque yo controlaba el ejército y las armas, pero me mantuve fiel a Madero como representante del gobierno constitucional". Más tarde, dijo, llegó a convencerse de que Madero no era capaz de gobernar y de que el desastre era inevitable.

Recuerdo muy bien una vez que fui a Chapultepec a visitar a la señora Madero. Ella estaba en cama en la habitación contigua al Salón de Embajadores, consumida por la fiebre y la ansiedad, retorciendo un rosario entre los dedos. Me contó, con los ojos brillantes, que esa misma tarde había recibido noticias del éxito de la campaña de Huerta en el norte en contra de Orozco, y agregó que él era su general más fuerte y *muy leal*. ¡Con qué rapidez cualquier situación aquí en América Latina se vuelve parte de un pasado irrevocable!

Nelson le envió al señor Lind un telegrama en respuesta a su carta, pidiéndole que transmita al presidente sus muy respetuosos deseos y un feliz año nuevo. Esta tarde recibimos al nuevo ministro italiano.

La cocinera se fue hace una hora, dejó un aviso de que regresará en ocho días porque su hermana se está muriendo. En esta parte del mundo la gente acostumbra tomarse tiempo para sufrir, y la comida para una embajada es un simple detalle. La galopina, a quien vi por primera vez —una niña india pálida y de pronunciados pómulos con largo cabello suelto a la espalda—, respondió a todas mis preguntas con un muy desalentador: "¿Quién sabe?". Las mujeres de la servidumbre parecen estar siempre lavándose la cabeza, y aunque, sin duda, sería poco razonable y además inútil prohibirlo, la visión me irrita. Todo el que ha vivido en México ha visto alguna vez que su comida la traían mujeres con largos cabellos negros y húmedos sueltos sobre la espalda.

Fuimos en el auto al Country Club, donde seguí a algunos jugadores de golf hasta los hermosos *links*. El pasto recién cortado estaba seco y suave, el aire claro y fresco, sin rastro de viento. A nuestro regreso nos envolvió una gloria indescriptible, una extraña luz que caía sobre todas las cosas proveniente de un crepúsculo azul y cobre. La brillante cúpula de la pequeña capilla de Churubusco, cubierta de mosaicos, era como un diamante al sol, mientras el resto de la iglesia se veía gris y plana. Todo esta zona es histórica tanto para nosotros como para los mexicanos. En los terrenos situados entre el campo de golf del Country Club y Churubusco nuestros hombres libraron un combate desesperado cuando venían de Veracruz, en 1847, antes de entrar a la ciudad de México. Se dice que perdimos allí más de mil hombres, y hay montículos cubiertos de hierba en los que héroes pálidos y héroes de bronce yacen juntos en la muerte. En los antiguos tiempos de los aztecas, Churubusco tenía un templo dedicado a su dios de la guerra, Huitzilopochtli, y Churubusco es el nombre que los españoles produjeron a partir de esa intimidatoria colección de letras.

Burnside ha venido a decir que en el norte empiezan nuevamente los combates. No sé por qué decimos que está "empezando nuevamente" si nunca se detiene. Me contó de las trescientas mujeres campesinas de Morelos que fueron arrancadas a sus familias y enviadas a Quintana Roo, el estado más insalubre de México, al sur de Yucatán, donde habitualmente sólo mandan hombres. Habían enviado a las mujeres con la idea de formar una colonia con los infelices hombres deportados a esa región para el servicio militar. A su llegada los soldados se amotinaron y hubo una arrebatiña por las mujeres, con tal desorden que los oficiales embarcaron de vuelta a las mujeres para mandarlas a Veracruz, donde las dejaron en la playa. Casi todas las mujeres traían un bebé consigo, pero no había comida ni ropa ni nadie que se hiciera responsable de ellas en forma alguna. Simplemente las arrojaron allí, separadas de sus familias por cientos de millas. Es una de esas tragedias que incontables generaciones de indios han protagonizado.

4 de enero

Anoche Nelson fue a una gran cena en el Jockey Club. La ofreció Corona, el elegante gobernador del Distrito Federal, al presidente, el cual pronunció varios discursos a intervalos. En ocasiones, Huerta pareció estar a punto de mencionar a Estados Unidos. Nelson dice que no pudo evitar mirarlo fijamente. Después de la cena llamaron a Nelson al teléfono, y cuando regresó había en el aire algo sutil que le hizo sentir que, en su ausencia, la corriente había llevado al presidente cerca de las rocas de Washington, porque Huerta se tomó la molestia de acercarse a él y abrazarlo. Más tarde el presidente citó el dicho de que "no todos los ladrones son gachupines" pero "todos los gachupines son ladrones", y después, al coincidir su mirada con los ojos del ministro español ¡se sintió obligado a ir hasta él y abrazarlo también! Sin embargo, a él no le importa mucho navegar a la deriva cerca de Escila y Caribdis.

Huerta no fue responsable del muy comentado saludo de año nuevo al presidente Wilson: fue enviado por el ministerio de Relaciones Exteriores, junto con otros mensajes anuales dirigidos habitualmente a los gobernantes de potencias. En el ministerio explicaron que *no les gusta ignorar* a Estados Unidos.

La amonestación emitida ayer por el Departamento de Estado, la tercera a los estadunidenses, advirtiéndoles de los peligros de regresar a México, fue publicada con letra chica en un rincón del *Mexican Herald*. Antes habría ocupado una página entera, pero la gente se está volviendo *blasé** hacia las prevenciones. Cada hombre se valdrá por sí mismo para protegerse, si se diera el caso. No sé si esa advertencia es de alguna manera resultado de las pláticas con el señor Lind; bien podría serlo, puesto que una de sus firmes creencias es que lo mejor que pueden hacer los extranjeros es salir de aquí. Ésa es también la idea de Carranza.

* hastiada, indiferente a todo *(N. de la T.)*

5 de enero

Von Hintze ha regresado. La excusa que dieron por el asesinato de un súbdito alemán, que estaba durmiendo tranquilamente en la estación de León, fue que los guardias, que además le robaron ¡creyeron que era estadunidense! Bueno, hay cosas de las que no se puede hablar, pero no dejan de poner los pelos de punta.

No hay noticias de la conferencia del *Chester*, pero por supuesto todos estamos alerta a los posibles resultados. Las cosas se vuelven cada vez más caóticas, y lo que haya de hacerse debería realizarse cuanto antes. Todavía existe algún respeto por la vida y la propiedad en las provincias que el dictador controla, pero en el norte reina la anarquía. Por todas partes hay hermanos matando a hermanos, y en cuanto a las *hermanas*, a menudo son enlazadas y capturadas como si fueran reses en estampida. La gente educada que ha sido próspera toda su vida, ahora no tiene comida ni cobijo, y ve a los extraños comiendo en su mesa, durmiendo en su cama y desperdigando sus tesoros. Si tan sólo el pobre viejo Huerta hubiera podido empezar de otra manera, en lugar de llegar a la capital por un camino regado de sangre derramada por él y por otros. Con el reconocimiento, quizá habría sido capaz de hacerlo tan bien como cualquiera y mejor que la mayoría. Tal como están las cosas, es como una mujer que empezó mal: los vecinos no le permitirán empezar de nuevo, no importa lo virtuosamente que viva ahora.

La "corrida de caridad" organizada para reunir fondos para la Cruz Roja se consideró el éxito de la temporada. Como era una corrida "humanitaria" se anunció que se habían limado los cuernos de los toros. Sin embargo, un torero fue muerto, en medio de una gran conmoción, más de placer que otra cosa. Al volver a casa, alrededor de las cinco de la tarde, después de pasar un día apacible en Xochimilco, vi inmensas nubes de polvo en todas direcciones. Por un momento pensé que se estaba levantando una tormenta, pero no era más que el polvo de los vehículos que llevaban de regreso a los espectadores de la corrida, medio kilómetro más allá de la embajada. En dos ocasiones, inútiles y horribles, hice el intento de "captar el espíritu del juego", pero ya aparté de mi conciencia todo asunto taurino.

Hace poco, varias personas pasaron por aquí de camino a sus casas. El señor Lefaivre piensa que este infortunado gobierno podría conseguir dinero del extranjero si pudiera colocar el préstamo en manos de una comisión de gastos y contabilidad. Él estaría dispuesto a recomendar a su gobierno que lo hiciera bajo esas condiciones. La idea de una comisión de ese tipo, por varias razones, nunca ha sido popular aquí. Por supuesto, sería *mixte* (extranjeros y mexicanos). En dicha comisión se reflejaría su *cultura* (palabra que en español también significa para decir dignidad personal y urbanidad) y su bizarría. Por último, una consideración no menos importante: ¿qué utilidad tendría un arreglo donde nadie recibe "beneficios"?

Bueno, el sol brilla sobre lo que podría ser un paraíso terrenal, y Xochimilco estaba más hermoso de lo que pudiera decir con palabras. Fuimos en automóvil, siguiendo por un trecho el pintoresco Canal de la Viga (que hace cincuenta años era el paseo elegante de la ciudad de México) hasta las viejas compuertas, ahí nos embarcamos en una especie de plataforma, que un indio de calzón blanco y gran sombrero impulsó con una pértiga por caminos de agua entre las hermosas islas flotantes —chinampas las llaman los indios—; pasamos tan cerca que casi podíamos tocar las flores y las verduras plantadas en ellos.

Por todas partes hay arriates de alelíes y violetas en flor que se reflejan en las quietas aguas. Junto a nosotros pasaban constantemente indios silenciosos en estrechas canoas que, con frecuencia, sólo están ahuecadas en un tronco. A veces era un par de mujeres con ropas brillantes, que avanzaban con sus pértigas, llevando entre ellas pilas de flores y verduras. A veces era una familia, con un bebé de ojos brillantes acostado entre las zanahorias y las coliflores, el eterno trío, cuando no es el sexteto u octeto nacional tan familiar aquí. La pintoresca vida de un pueblo casi sin cambios, poco o nada modificada desde la llegada de Cortés, se desarrollaba ante nuestros ojos. Al pasar nos ofrecían ramos de flores, y manojos de zanahorias, rábanos y hierbas aromáticas, hasta que nuestro bote fue un cúmulo de flores y aromas; una quietud hipnótica y soñadora se apoderó de nosotros. Alguien, con una voz lejana, dijo: "La vida es sueño". Pero para bien o para mal un excursionista de mente práctica logró sacudirse de aquella extraña magia que nos poseía, diciendo con viveza: "¡Esto no es para nosotros!".

Había vistas bordeadas de sauces y flores que inesperadamente conducían a una vista de los volcanes, a veces el Popocatépetl, a veces el Iztaccíhuatl, cuando uno estaba seguro de que *debían* estar en otra parte. La atmósfera brillante del altiplano mexicano, enmarcaba todo y parecía detener los colores del espectro solar y, sin embargo, seguía siendo blanca. Sin duda allí "la vida es sueño".

6 de enero
(*In memoriam*)

Hoy hace un año que enterramos a nuestro entrañable Elliott. Siento de nuevo la misma espada de dolor que me traspasó en aquel gris y nublado amanecer en Zurich, cuando comprendí que debía levantarme y enfrentar lo que era imposible deshacer. Millones de personas conocen cómo la humanidad se rebela ante la idea de sepultar a un ser querido. La bella misa en la Liebfrauen Kirche fortaleció mi corazón. El gallardo y honesto rostro del padre Braun mientras pronunciaba el querido nombre de Elliott en sus oraciones y súplicas, la luz que jugaba alrededor del púlpito y las palabras bíblicas escritas en mosaico sobre un dorado fondo. Todo eso está grabado en mi corazón. Entre las lágrimas pude leer las palabras *Beati qui esuriunt*,* la historia de la vida de Elliott. ¡Y después aquella hora apacible con él, en la habitación llena de flores, cuando se podía pensar que sólo estábamos vigilando su siesta! Cuando vinieron a cubrir su rostro para siempre yo estaba tan reconfortada espiritualmente que bien pude hacer girar los tornillos en lugar de dejar que manos mercenarias apartaran la luz de esas nobles facciones.

¡Oh, aquel corazón amoroso, aquella mente de cristal, con su capacidad de pensamiento original y ese don de diligencia! ¡Hasta dónde podría haber llegado Elliott por el camino de la ciencia! Otros harán descubrimientos y progresos, pero él, tan apto para levantar el velo, se ha deslizado tras él. ¡Oh hermano mío!

7 de enero

Sir Lionel se va, pues lo han promovido a Brasil. Es una indicación para todos de no "meterse donde no lo llaman", es decir, en las relaciones entre Estados Unidos y México. Los ingleses siempre tratan a sus representantes con gran dignidad. En lugar de hacer volver a sir Lionel, cuando se hace recomendable un cambio, lo mandan a Brasil a un puesto de rango más alto con un salario mucho mayor. Se dice que el asunto cristalizó debido a su recomendación enérgica y totalmente justificada de que el ministro italiano ocupara su puesto. Desde la par-

* La cita completa en español sería: "Bienaventurados los que tienen hambre y sed de justicia, porque ellos serán hartos", Mateo 5:6. *(N. de la E.)*

NEW ROCHELLE PUBLIC LIBRARY
CHECK-OUT RECEIPT

Title: Fire with fire [DVD]
Item ID: 31019155510681
Date charged: 1/30/2014, 15:07
Date due: 2/6/2014,23:59

Title: Pedro Infante, el ídolo inmortal
Item ID: 31019155539615
Date charged: 1/30/2014, 15:07
Date due: 2/20/2014,23:59

Renewals: 632 7878x1700 during business hours
Visit us online @ www.nrpl.org
Thank You

tida de Alliotti los asuntos italianos habían estado en manos de los británicos, pero la colonia italiana de aquí empezó a mostrarse inquieta, y a manifestar la necesidad, en estos tiempos turbulentos, de tener su propio representante, que llevaba tanto tiempo "esperando y observando" en La Habana. Sin embargo, aquí nada puede triunfar si va contra la política de Estados Unidos, correcta o errada. Seguramente el incidente con Carden pondrá en guardia a los demás representantes extranjeros.

Hace poco, Von Hintze pronunció un discurso de lo más inteligente en el Club Alemán, en el que dijo que, en razón de nuestra inalterable relación geográfica con México, Estados Unidos siempre tendrá intereses supremos aquí. Recomendó a su colonia que no critique nuestra política, sino que la acepte como algo inevitable y natural.

Me pregunto si yo podría ir con Nelson a Veracruz esta noche sin causar un pánico en la ciudad. Va a conferenciar con el señor Lind, de quien recibió esta mañana un cable diciendo que espera a Nelson, si le resulta posible ir, y que el presidente Wilson le envía sus mejores deseos. En Veracruz está soplando un norte y, en consecuencia, aquí tenemos un frío penetrante. A esta altitud cuando el calor deja el cuerpo es difícil compensarlo. Dejo a Elim como una especie de rehén y garantía a la colonia de que no estoy huyendo. El doctor Ryan está viviendo en la casa, y también los Parker. Todos se ocuparán de él.

En cuanto Huerta tuvo noticias de que Nelson iba a Veracruz, mandó a uno de sus coroneles a preguntar si queríamos un tren especial, o un vagón privado enganchado al expreso nocturno. Aceptamos el vagón privado, por supuesto; en estos días todos prefieren viajar en compañía. El presidente es siempre de lo más cortés. Si no puede complacer a Washington hace lo que le parece el mejor sustituto: mostrarse amable con su representante. A D'Antin, que fue a agradecerle el vagón en nombre de Nelson, le dijo: "México es como una serpiente: toda su vida está en la cabeza". Después se dio un golpecito en la cabeza con su pequeño puño y continuó: "Yo soy la cabeza de México". Y agregó: "Y hasta que me aplasten, sobrevivirá". D'Antin, que es un francés con una vasta trayectoria en Latinoamérica, probablemente le respondió palabras de consuelo que no corresponden a la letra ni al espíritu de la espera vigilante. Huerta es magnético. Es un hecho indiscutible.

Veracruz, 8 de enero

Te escribo apresuradamente estas líneas en la penumbra de la habitación del señor Lind, en el consulado, para hacerte saber que anoche nos escabullimos calladamente por esas maravillosas laderas sin ser molestados.

Estoy vestida con una falda blanca, sombrero y velo púrpura y jersey también púrpura. Llegamos cuando el norte había terminado y la temperatura es deliciosa. El hombre del cinematógrafo, que anoche nos siguió hasta aquí, está ahora tratando de convencer al señor Lind y a Nelson de que le permitan entrar en la conversación, pero el señor Lind se niega alegando que él no actúa en política. Le pregunté cómo iba eso con su noble cabeza de Lincoln y me respondió: "No hay nada que hacer; esa cabeza inigualable hace tiempo que está en su tumba"... Anuncian al almirante.

XI

Sucesos dramáticos en Veracruz. Visita a las naves de guerra. Nuestro soberbio buque hospital, el Solace. *El navío insignia del almirante Cradock. El menú de un marinero estadunidense. Tres "comidas completas" al día. Viajes por el México revolucionario.*

"La siempre heroica"
Veracruz, 9 de enero

Estoy escribiendo en mi cabina antes de levantarme. Ayer te mandé por el *Monterey* unas escuetas líneas. Tuvimos un día largo e interesante. Fuimos con el almirante Fletcher y el comandante Stirling al *Dolphin* para el almuerzo. Por suerte la bandera del almirante ondea sobre esa nave y no sobre el *Rhode Island*, que mientras espera un buen lugar dentro del rompeolas se encuentra anclado en pleno mar picado, más allá de la Isla de los Sacrificios.

El capitán Earl está al mando del *Dolphin*, el barco de correo que sucesivos secretarios de Marina han utilizado para sus viajes. Acaba de llegar de "observar" las elecciones en Santo Domingo. El almirante ofreció hospedarnos, pero yo pensé que no era necesario molestarlo puesto que ya habíamos desempacado en el vagón. Además de ser un agradable hombre de mundo, el almirante Fletcher es un marino de mente abierta, astuto y experimentado, versado en usos internacionales; conoce exactamente qué es lo que la ley permite en decisiones difíciles; dónde debe contener su propia iniciativa, siguiendo los códigos establecidos y dónde avanzar. El espléndido orden y la eficiencia que muestran los hombres y todo lo que está bajo su mando es evidente hasta para mis ojos legos.

Después de comer permanecimos cerca de una hora en cubierta. El puerto es como una población atareada, una especie de nueva Venecia. Hay lanchas y barcazas yendo y viniendo constantemente de una nave a otra. Es una escena muy diferente de la que mis ojos vieron al llegar hace casi tres meses, cuando el barco de la Ward Line que nos trajo a nosotros y el *Kronprinzessin Cecilie,* que traía a Von Hintze, eran las únicas naves en el puerto. Envié un cable al almirante Cradock haciéndole saber que estamos en la ciudad, o más bien en el puerto, y respondió con una invitación para almorzar juntos.

Al dejar el *Dolphin* Nelson recibió sus once saludos, y estuvo de pie con la cabeza descubierta en la barcaza del almirante mientras los cañonanzos retumbaban a través de la bahía. Después fuimos al *Monterey* a despedirnos de Armstead, quien hizo el viaje hasta aquí con nosotros, vimos también al capitán Smith, el mismo que nos trajo en nuestro primer viaje a la tierra de los cactus. Los diversos barcos, españoles, franceses e ingleses, nos saludaban al pasar en la lancha del *Dolphin*.

Por la noche el señor Lind ofreció una cena para nosotros bajo los portales del Diligencias. Estuvieron, además, el almirante Fletcher, el cónsul de Canadá, el comandante Yates Stirling, el capitán Delaney del barco del comisariado y el teniente Courts, uno de los asistentes del almirante. El Diligencias ocupa dos lados de la vieja plaza. En el tercero está el palacio municipal, una buena construcción española, y el último se embellece con la pintoresca catedral de muchas cúpulas y campanarios. La banda toca todas las noches en la plaza, contribuyendo a que la escena sea aún más alegre y animada. Mujeres con sus mantillas y rebozos, docenas de diminutas niñas vendiendo flores, niños voceadores y lustrabotas de muy tierna edad se amontonan como moscas alrededor de los comensales de corazón blando.

Mientras estábamos allí sentados llegó el *Mexican Herald,* y nos divertimos mucho con los titulares: "Conferencia de cinco horas esta mañana entre Lind y O'Shaughnessy se reanuda por la tarde"; "Aún se ignora cuál es la política".

A las nueve y media interrumpí la festiva reunión. El almirante, el señor Lind y Nelson se marcharon en dirección al muelle, y el comandante Stirling y el teniente Courts me llevaron de vuelta al auto por el camino más largo a través de las silenciosas calles. Como se acostrumbra desayunar aquí a las cuatro y media, todos se van a la cama temprano. En este momento, Veracruz parece ser la ciudad más pacífica del mundo, sin embargo no hay puerto que haya visto más horrores y heroísmos. Aquí desembarcó Cortés, quien la llamó Villa Rica de la Vera Cruz, y los mares cercanos estuvieron infestados de piratas durante siglos. Los bucaneros la han saqueado en incontables ocasiones, fue bombardeada por casi todas las potencias que tienen intereses aquí, los españoles, nosotros mismos (en 1847), los franceses, y así; y ahora su puerto está nuevamente ennegrecido con naves de guerra, listas para volver sus cañones del siglo XX contra la Siempre Heroica. Hay dos enemigos con los que parece haber terminado: la fiebre amarilla y el cólera. Los zopilotes, que en número incalculable vuelan por aquí, tienen dificultad para encontrar alimento suficiente. Me enteré que la limpieza de Guayaquil le fue concedida a una firma inglesa, que, sin embargo, usará nuestros métodos. En estos días el Tío Sam recibirá muy pocos contratos latinoamericanos.

Al almirante Fletcher le gustaría ir a la ciudad de México, que nunca ha visto, pero después de tantos meses de *no* venir *ahora* sólo podría hacerlo oficialmente con su estado mayor —uniformes, visitas a Huerta y otras autoridades— y eso es impensable. Yo podría alojarlo en la embajada con sus dos asistentes, y me encantaría, igual que a él, pero no podemos hacer nada hasta escuchar lo que diga *Watch*ington,* como le llaman los periódicos. El señor Lind piensa que es imposible (sabe que *él* no puede volver), porque sería considerado como un signo de que el presidente pudiera estar pensando en cambiar su política hacia México. Por otra parte, si realmente *quisiera* cambiar la política, esa visita también podría ser la cuña inicial que dificultara las cosas en lo que se refiere a paz y prosperidad.

El señor Lind continúa pensando que la solución más fácil sería levantar el embargo de armas y municiones en el norte. A mí esa salida me horroriza. Al final, México estaría peor que al principio. Podría estabilizar la dictadura de Huerta, pero ¡ay! no la situación de México.

Tuvimos una noche muy confortable, pues prácticamente no pasan trenes por la estación. No hay nada del polvo ni la suciedad usuales de los viajes, porque todos los trenes queman petróleo en lugar de carbón. A las diez voy a visitar nuestro buque hospital, el *Solace*. Debo levantarme y prepararme para un largo día. Tengo un traje sastre de seda blanca y varias blusas limpias para escoger. Nelson está ocupado con los periodistas que descubrieron nuestro vagón.

* Juego de palabras para señalar la actitud vigilante de Washington. *(N. del E.)*

10 de enero, de mañana

Ayer por la mañana, cuando aún no me había vestido llegó el señor Lind con un camarero del capitán Delaney. Traía deliciosos jamones y tocinos, y otros manjares del buque de abasto, para que nos llevemos a la ciudad de México. Después apareció el capitán Niblack, muy elegante. Fue nuestro *attaché* naval en Berlín, sustituido apenas el verano pasado, creo; es un hombre encantador. Para entonces yo había salido del compartimiento y lucía fresca y arreglada. En cambio, el salón privado se veía como Messina después del terremoto. El general Maass, gobernador militar o comandante del puerto, y su asistente, fueron los siguientes en aparecer. Él muestra su sangre alemana en varias formas (no sólo por el idioma): tiene cabello claro y grueso, ojos alemanes y muy buenos modales. Hubo muchas reverencias y cumplidos, a los pies de usted, etcétera. Puso su automóvil a nuestra disposición para todo el día, y para cuando terminó de ofrecerlo, siguiendo la cortés costumbre española, ya era *mi* automóvil. Finalmente la entrevista terminó cuando quedé en visitar por la tarde a su esposa. Nelson lo escoltó hasta la plataforma del vagón. Después llegó el teniente Courts para llevarme al *Solace*. Todos los oficiales se ven tan elegantes en sus impecables uniformes. El *Solace* estaba dentro del rompeolas y parecía muy fresco e invitante. Está pintado de blanco, con una ancha franja verde a su alrededor: son los colores oficiales. El doctor Von Wedekind esperaba en cubierta con sus ayudantes. Me interesó mucho ver las perfectas disposiciones para cuidar de todo lo que es de vital importancia para el hombre, incluyendo ojos, dientes, oídos; todo es atendido en forma de lo más eficiente y actualizada. Las salas son excelentes, grandes y bien ventiladas, el aire es tan fresco como en cubierta. Después de los siete días en Tampico trataron veintiocho casos de malaria y media docena de apendicitis. El buque no lleva carga pero sí las provisiones de medicinas para toda la flota. El capitán me dijo que en catorce meses no ha perdido un solo caso de nada. Su sala de operaciones puede compararse con la de cualquier hospital que yo haya visto. La nave tiene, además, un excelente laboratorio. Le viene bien el nombre de *Solace*.

El buque partía esa tarde hacia Tampico, que es uno de los lugares más terribles de la tierra, a pesar de las grandes fuerzas que allí operan. El petróleo de México es a la vez su riqueza y su ruina. El lugar padece de malaria, está infestado de mosquitos, y me han dicho que los habitantes tienen la expresión fatigada y melancólica peculiar de las zonas donde abundan las fiebres. Los barcos que se dirigen allá van muy bien protegidos con mosquiteros, pero no siempre se puede resguardar a los hombres que están en servicio. Entiendo que el mosquito causante de esa enfermedad es de una especie bastante grande, transparente como una gasa, y "la hembra es más mortal que el macho".

Al marcharse, el teniente Courts me llevó a dar un pequeño paseo alrededor del puerto, ya que era muy temprano para el almuerzo del *Suffolk*. Anduvimos alrededor de la infame prisión de San Juan de Ulúa, cuyas seis palmeras desoladas son la primera cosa que uno ve al entrar al puerto. Lamento no haber pedido al general Maass un pase para visitarlo. Vi a unos pocos presos pálidos y con expresión de desesperanza en uniformes a rayas blanco y azul, de pie sobre el parapeto o trabajando en el dique seco, con los fusiles de los soldados siempre amenazándoles la cara. Ésos son los delincuentes de la "mejor clase". Hay otros en calabozos oscuros, húmedos y terribles. Nunca se les permite salir, y se dice que los sobrevivientes pierden toda semblanza humana en pocos años. Los cimientos de esta fortaleza fueron colocados en los primeros tiempos de Cortés y las venturas y desventuras de la población siempre se han centrado en ella. Fue en esa torre donde se arrió la última bandera española en el momento de la independencia de México, en 1821. La primera vez que estuve en México solía escuchar que Madero iba a clausurar la prisión, pero igual que muchas de sus intenciones ésa nunca se hizo realidad. ¡Que en paz descanse!

Volvimos al muelle de Sanidad a las doce y media. El teniente portaestandarte del almirante Cradock estaba esperando con la barcaza y fui entregada en sus manos. Al mismo tiempo llegó Nelson y zarpamos hacia el *Suffolk*, que tiene un espacio determinado dentro del rompeolas. El almirante, muy guapo y agradable, no sólo inmaculado sino refulgente, nos recibió en cubierta y bajamos a su gratísimo camarote. Contiene cosas realmente finas de todas partes del mundo —plata antigua de Malta, una hermosa talla griega del siglo XII (más propia para un museo), excelentes esmaltes de Pekín, donde sir Christopher se distinguió durante el sitio, y muchas otras cosas bellas, además de libros y sillones. Él es un verdadero conocedor, pero dijo que las damas, Dios las bendiga, le habían robado la mayoría de sus posesiones. Después de un almuerzo excelente, el capitán Niblack vino a despedirse, pues el *Michigan* había recibido orden de partir hacia Nueva York. Tuvimos una plática muy amistosa con sir Christopher, quien dijo —y nosotros estuvimos totalmente de acuerdo— que no veía ninguna razón para que los ingleses invadieran México. Agregó que él no tiene ninguna intención política ni otra idea más que salvar vidas y propiedades británicas, y que él y el almirante Fletcher trabajaban juntos, eso esperaba, con total simpatía y armonía. Quiere ir de nuevo a la ciudad de México y bromeando echó a Nelson la culpa de no poder. Hay algo muy gallardo en él, pero con un dejo de tristeza; también siempre percibo en él cierto desapego por sus logros personales. Nos fuimos cerca de las tres de la tarde. Los ingleses usan pólvora negra para los cañonazos de saludo y los trece disparos resultaron muy impresionantes. El barco quedó envuelto en humo, con un efecto tipo Turner que hacía pensar en *Trafalgar** mientras los cañonazos reverberaban por toda la bahía.

Regresé al consulado para tener otra pequeña plática con el señor Lind y después me metí al auto de Maass, que esperaba a la puerta del consulado, y fui a presentar mis respetos a su esposa. El general Maass tiene una casa aireada en el cuartel, al otro lado de la ciudad, frente a la Alameda, que es más bien fea, con sus palmas polvorientas, su fuente seca y aspecto de haber sido arrasada por el viento. Tuvimos una charla interminable. Mi español después de un día largo, queda tan agitado como yo. Sin embargo, los vi a todos: hijas, sobrinas, amigos, el loro y el perro; los animales fueron de lo más útiles para la conversación. A continuación, la familia cantó y tocó, y una de las hijas, bonita, con una clara voz de soprano, cantó un buen repertorio de Tosti. Hubo más plática. Comencé a desesperarme, pues nadie tenía intenciones de dirigirse hacia la larga y provista mesa del rincón. Por fin dije que el capitán Niblack, quien parte hacia Estados Unidos por la mañana, me estaba esperando para ir al *Michigan*. Eso cortó el *impasse* del té, y después de tomar una colación finalmente me marché, escoltada por el general Maass hasta "mi" automóvil.

Llegué al consulado acalorada y cansada, y sin ninguna sensación que me convenciera de que "el deber es un manantial para el alma". Di gracias de encontrarme de regreso en el bote del *Michigan* con el capitán Niblack y con Nelson, cruzando una bahía de extraordinarios celajes: "penumbra y anochecer y una última llamada para mí". Fue maravilloso "cruzar la barra". Mirando hacia atrás, el Pico de Orizaba

* Óleo dedicado a la victoria del almirante británico Horatio Nelson (1758-1805), durante las guerras napoleónicas. Fue realizado por Joseph Mallord William Turner (1775-1851), uno de los más destacados paisajistas del romanticismo. *(N. del E.)*

formaba una suave masa violeta contra el cielo cada vez más profundo, con una extraña luz roja en la cima.

La bahía estaba llena de naves de destrucción de todas partes del mundo. No obstante, por una vez, todo en la naturaleza parecía suave y misericordioso; daba la impresión de disolver y armonizar los sentimientos de discordia y destrucción.

El *Michigan* es un barco enorme, uno de los primeros de tipo acorazado, y el capitán Niblack se muestra a la vez entusiasmado y muy concienzudo en su trabajo. Después de una copa de algo —para una dama inclinada a la templanza en estos días ya he bebido muchas agradables copas, hasta el fondo— todos fuimos al *Chester*, barco de reconocimiento que acababa de regresar con el señor Lind de la excursión a Pass Christian. Allí encontramos al capitán Moffett —quien también insistió en servir algo que nos sostuviera— y luego nos volvimos hacia la costa, donde el señor Lind daba otra cena para nosotros, bajo los portales del Diligencias. Estaba bastante oscuro, pero un millar de luces de cien botes dirigidas hacía del puerto una vasta joya, no en "la oreja de una etíope" sino en la pobre, maltratada y desgarrada oreja de México. A las nueve y media, después de otra agradable cena, empecé a sentir que mi mejor amiga sería mi cama y regresamos al automóvil por las calles silenciosas y bien iluminadas. Había mujeres inclinadas sobre los pequeños balcones verdes de las casitas color de rosa, hechas siguiendo el más clásico estilo español. Aquí y allá alguna nota de guitarra o de mandolina. Pensé en los Goyas del Louvre.

Veracruz, 10 de enero, 6:30 p.m.

Regresé a descansar un poco antes de vestirme para la cena del almirante Fletcher esta noche, por la cual fue que decidimos quedarnos. Pasamos la mañana en el *Michigan*, donde el capitán Niblack nos ofreció un almuerzo temprano, ya que a la una partía hacia Nueva York. Los oficiales y la tripulación esperaban ansiosos el regreso a casa. Después el *Minnesota*, que había llegado por la mañana para remplazar al *Michigan*, se encontró con la orden de cargar carbón de inmediato y partir a Panamá. Su comandante, el capitán Simpson, había corrido para almorzar con el capitán Niblack, y allí recibió el cable. El capitán Nelson lamentó mucho tener que decir a los oficiales y a la tripulación que, después de todos los meses de espera en Veracruz, no iban a partir, como deseaban, emocionados. A la tripulación nunca se le permitió bajar a tierra por temor a complicaciones. No es fácil mantener a los millares de marineros e infantes que hay en el puerto de Veracruz bien ocupados y contentos dentro de sus barcos. Puedo atestiguar que están muy bien alimentados. Durante el almuerzo el capitán Niblack ordenó que nos trajeran un poco de la sopa que comían los hombres. Era una deliciosa sopa de frijoles con trozos de puerco dulce; también la carne que nos sirvieron era la misma que comían ellos: unos *steaks* tiernos y jugosos que en la ciudad de México no se consiguen ni por amor ni por dinero. También me dieron el menú semanal impreso, con tres comidas completas y variadas cada día. A juzgar por eso y las muestras que probamos tienen comida de primera clase, y todo al costo de treinta centavos por hombre diariamente.

Llevamos a bordo a Wallace, el hombre de las películas, que había llegado con una carta para Nelson de John Bassett Moore. El capitán Niblack ordenó el ejercicio, los saludos, etcétera para Nelson cuando dejamos el barco. Supongo que este breve episodio de nuestra carrera quedará debidamente registrado en nuestra tierra natal. Después de dejar el *Michigan* fuimos de nuevo al *Chester*, y estuvimos casi una hora sentados en cubierta con el capitán Moffett, quien tenía muchas cosas interesantes que contar sobre el combate en Tampico. Soplaba una brisa celestial. Como de costumbre dispararon cañonazos cuando nos fuimos, y alguien dijo en broma que "cuando caminamos se oye en todo el puerto". Yendo de un barco a otro como hemos estado haciéndolo durante tres días, he recibido una tremenda impresión del poder y la gloria de nuestra flota, y de las vidas nobles, limpias y sabias que deben llevar los hombres que comandan los buques.

En Orizaba (a la mañana siguiente),
11 de enero, 10:30

Bueno, viajar por México en épocas revolucionarias es *todo* lo que se supone debe ser. Los rebeldes destruyeron las vías en Maltrata delante de nosotros, saquearon y quemaron catorce vagones de provisiones, dañaron un puente y los funcionarios dicen que estaremos detenidos hasta mañana. Es la primera vez que ocurre algo en este camino, aunque todas las demás líneas de México las han cortado en incontables ocasiones. Maltrata, cerca de la cual se hizo el daño, es el lugar de más difícil y delicado trabajo de ingeniería; es un punto tentador para la destrucción.

Me quedaré en mi compartimiento privado. Estoy agotada por las idas y venidas de los últimos tres días. Cae una llovizna fina, resultado del norte que hay en Veracruz. Orizaba es conocida cortésmente como la regadera de México. Digo "cortésmente" en comparación con un nombre algo similar que como recordarás se aplica a Rouen. Nelson está disgustado por no poder regresar a la ciudad de México, y me atrevo a decir que la ciudad está llena de rumores de toda índole acerca de nosotros. Acaba de ir a ver al jefe del tren, a quien le han ordenado simplemente que espere instrucciones; no se venden boletos a sitios más allá de Orizaba.

Me alegro de tener estos momentos para escribir unas líneas a mi adorada madre. La cena que el almirante ofreció anoche fue muy agradable. Estuvieron el comandante militar Maass y su esposa, el almirante Cradock con dos de sus oficiales, el señor Lind, el cónsul, Yates Stirling, y otros del estado mayor del almirante. Me senté a la derecha de Fletcher, con Maass a mi lado. La conversación fue en español y se me dificultó; le dije al almirante que como recompensa merecía yo un viaje a Panamá. Cerca de las nueve y media el norte que habían anunciado desde Tampico se dejó sentir con fuertes truenos. El almirante nos hizo una descripción muy divertida de la vida en Tampico con cien refugiados a bordo, en su mayoría mujeres y niños. Dijo que era de una dulzura conmovedora ver ropas de bebé tendidas a secar sobre el cañón, y a los oficiales acunando a los inocentes para que se durmieran o dedicarse a los intentos, con frecuencia infructuosos, de mantener tranquilos y contentos a los refugiados.

Alrededor de las diez, después de estar sentados en cubierta un rato, el norte empezó a soplar más fuerte. La señora Maass, robusta, ya madura y plácida, no parecía gustar de sus propios nortes, de modo que procedimos a recorrer la borda por décima séptima vez ese día. En Veracruz los nortes son un rasgo importante del clima. Los hay de diversos tipos y grados: los nortes fuertes que casi se llevan la ciudad; los nortes chocolateros que son más suaves, duran mucho y mantienen el lugar saludable y soportable, y varios más. No sé de qué tipo era el que se desarrollaba anoche, pero después de un viaje incierto acabamos chocando contra el muelle de Sanidad, donde estaba esperando el gran automóvil de los Maass. Nos despedimos del señor Lind y el señor Canada a la puerta del consulado, y en un instante la espesa oscuridad del norte los hizo desaparecer. Los Maass nos llevaron a la estación, donde nos separamos con muchos cumplidos y expresiones de simpatía. Debo decir que han sido más que corteses.

Me acosté inmediatamente. Jesús, quien es una joya, tenía todo en orden. Creo que no habría podido ponerme mi vestido de gasa negra para la cena si no hubiera sido por su destreza y eficiencia general. A las seis de la mañana engancharon nuestro vagón al tren de la mañana, y ésa es nuestra historia hasta este momento.

Por la ventana no veo más que pedazos de una triste estación y multitudes de indios envueltos en sus sarapes y rebozos. Los pobres infelices detestan mojarse, porque padecen horas de frío hasta que las ropas se les secan encima. Los empleados del ferrocarril corren preocupados de un lado a otro. Entiendo que Orizaba, a pesar del efecto "regadera", es un lugar encantador. Muchas personas de Yucatán vienen aquí a recuperarse —ricos plantadores de henequén y sisal. Aquí hay todas las bellezas y maravillas de los trópicos en materia de flores y frutas, orquídeas, dondiegos, aguacates, piñas, granadas y una temperatura estable extraordinariamente tonificante. Si no fuera por la lluvia me aventuraría a salir a la caza de antigüedades. Ésta es una vetusta ciudad española y aquí quien tiene suerte puede conseguir cosas hermosas talladas en madera con incrustaciones de marfil. Pero no tengo ganas de mojarme. Desde que supe de la demora no he sentido deseos de describirte la belleza del paisaje de Veracruz, pero lee las primeras fascinantes páginas de la *Conquista de México* de Prescott: él, que nunca la vio, hace una reseña como si tuviera todo frente a sus ojos. Aunque para una lectura realmente actualizada sobre México prefiero a Humboldt, 1807. Parece que dijo la última palabra sobre México y los mexicanos tal como los conocemos hoy. Dos trenes cargados de soldados federales acaban de partir de la estación, donde mujeres llorosas levantaban canastos de comida hacia los que se asomaban por las ventanas. Ellos reían y bromeaban como corresponde a los guerreros. ¡Pobres infelices! No pude impedir que se me llenaran los ojos de lágrimas. Van a revisar la vía para que podamos seguir. Supongo que a esta altura en todas partes se sabe que el *chargé* de Estados Unidos y su esposa están atascados en el tramo, casi siempre seguro, entre Orizaba y la ciudad de México. Frente a mi ventana hay un grupo de hombres armados. Tienen cubiertas impermeables negras para sus grandes sombreros, como cubiertas de sillas; los sombreros debajo, sin duda, son de fieltro gris, con pesados adornos de plata. Un soldado, al parecer con algún propósito, tiene a un pobre indio de cobija roja unido a él por un lazo amarrado a la cintura. Nadie les presta atención; ni siquiera las mujeres, con sus bebés completamente ocultos y bien apretados contra la espalda o el pecho con el inevitable rebozo. Se siente una tristeza sin esperanza al pensar en el mundo de caos que esas cabecitas verán en su momento.

Se podría escribir un voluminoso y desgarrador libro sobre la soldadera, la heroica mujer que acompaña al ejército, cargando, además del bebé, todas sus posesiones terrenales, como ollas, canastos, la cabra, el loro, unas frutas y demás. Esas mujeres son la única proveduría visible con que cuentan los soldados: ellas los acompañan en sus marchas, consiguen el abasto y cocinan para ellos, los cuidan y los entierran, y reciben su dinero *cuando* les llegan a pagar. Hacen todo eso y se mantienen a la par de la marcha del ejército, además de prestar cualquier otro servicio que el hombre pueda requerir. Es asombrosa la abnegación que esa vida requiere. La mantienen hasta que, como pobres animales, caen sin un quejido sobre sus huellas, ojalá sea para levantarse en el Paraíso.

3 de la tarde

Parece ser que ya podemos partir. Está subiendo a nuestro tren un grupo de hombres con cuerdas, hachas y picos.

Más tarde

Llegamos a Maltrata para encontrar a docenas de indias mojadas vendiendo limones, tortillas y enchiladas. Cada una de ellas llevaba su eterno rebozo azul y una falda de modelo prehispánico: una pieza de tela recta envolviendo las caderas, un poco más fruncida en el frente. Se llaman "enredadas", por como envuelven la tela a su alrededor. Y por supuesto cada una con su niño a la espalda.

Aparecieron a la vista largas filas de rurales a caballo. Con grandes capas negras o cobijas rojo brillante sobre los hombros y sus sombreros de ala ancha y copa alta, cubiertos con negros impermeables. Esos hombres presentan un cuadro asombroso e intenso al que subyacen estremecimientos de muerte y destrucción. Hemos estado avanzando a paso de tortuga. En un estrecho desfiladero nos encontramos con uno de los trenes federales que habíamos visto salir de Orizaba, con los rifles apuntados y listos para disparar.

Hasta ahora, todo bien. Oímos que los que atacaron el tren eran una banda formada por cientos de revolucionarios. Los empleados del ferrocarril lograron escapar al amparo de la oscuridad.

5:30

Acabamos de pasar la escena del saqueo. Hay docenas de indios, hombres mujeres y niños, escarbando y sacando botellas de cerveza calientes, latas de sardinas y otras conservas entre las ruinas humeantes. Los vagones, la máquina y todo en su interior fue destruido después de que los bandoleros seleccionaron lo que podían llevarse.

Una neblina blanca se ha instalado sobre la montaña. Muchos de los indígenas llevan una especie de capa circular hecha de bambú o paja colgando de los hombros; es un tipo de abrigo que suele verse en estas regiones cuando llueve. Es una maravilla que en tan pocas horas hayan conseguido colocar una vía nueva al lado de la vieja. Estamos pasando cautelosamente por encima de ella, y si no ocurre nada más estaremos en la ciudad de México después de medianoche. Hoy estoy demasiado cansada para sentirme aventurera y me alegraré de reunirme con mi bebé en la cómoda embajada, en lugar de ver con mis propios ojos los estragos zapatistas en medio de una neblina gris y fría que apaga no sólo el color local sino el entusiasmo.

Ciudad de México, 12 de enero

Finalmente llegamos como a la una de la mañana. Estaban esperándonos muchos periodistas y personal de la embajada, que nos recibieron como si volviéramos de la guerra. Unos cincuenta soldados salieron del tren al mismo tiempo que nosotros, a la luz implacable de la estación, en realidad parecían más bien asaltantes y no protectores. En un combate habría sido muy fácil confundir los papeles. Yo pensaba que hacía tiempo habían dejado de subir tropas en los trenes de pasajeros: en general eso invita al ataque en pos del botín de armas y municiones.

Sin embargo, todo está bien si termina bien, y acabo de desayunar en mi cómoda cama con mi niño precioso. Me dicen que fue "bueno" mientras su mamá no estaba. La señora Parker dice que insistió en que le apagara la luz antes de decir sus oraciones por la noche. Estaba tan dormido cuando llegué que no abrió los ojos, sólo se arrimó a mí cuando me sintió cerca.

El periódico da detalles del ataque a Maltrata. La banda de atacantes colocó una gran pila de piedras sobre los rieles a la entrada del túnel. Después dispararon contra el tren, robaron a los empleados, tomaron lo que pudieron de las provisiones (iban todos montados y bien provistos de municiones) y desaparecieron en la noche. Han enviado a cientos de trabajadores a reparar el daño y a mil rurales a vigilar. El Mexicano es la gran arteria entre esta ciudad y Veracruz, y si llegaran a destruir esa línea quedaríamos totalmente aislados. La otra línea a Veracruz —la Interoceánica— es asaltada con frecuencia y no goza de favor entre las familias en retirada. Ha llegado otro periodo de pánico, en que muchos abandonan sus cómodas casas llevando consigo a sus hijos y sus objetos valiosos para marcharse a la costosa e incómoda "Villa Rica de la Vera Cruz".

XII

Evacuación de Ojinaga. Los antiguos y hermosos convento e iglesia de Tepozotlán. Azcapotzalco. Un bautizo mexicano. Liberación de Vera Estañol. Necaxa. Los frailes. La maravillosa biblioteca García Pimentel.

14 de enero

Ayer Huerta decidió suspender por seis meses el pago de los intereses de la deuda nacional, lo que liberará como tres millones de pesos mensuales para fines de pacificación. Él niega cualquier cosa parecida a un repudio hacia la deuda, pero dice que se vio obligado a dar este paso por la actitud de Estados Unidos. Hará que los inversionistas europeos se sientan algo inquietos bajo la "espera vigilante", aunque podrán aprovechar el tiempo agregando constantemente grandes cifras a la cuenta que se proponen presentarle al Tío Sam, *pobrecito*.

Ojinaga fue evacuada por el general Mercado, y más vale que cuide su cabeza. Huerta dice que lo hará fusilar. Villa usará Ojinaga con fines estratégicos, mientras que los refugiados, cuatro mil oficiales y soldados, y otros dos mil quinientos, contando mujeres y niños, serán internados eventualmente en Fort Bliss. El Tío Sam le pasará la cuenta a México más adelante. Han emprendido una marcha de cuatro días hasta Marfa, donde por fin tomarán un tren. Mercado dice que sólo se rindió y se pasó al lado estadunidense cuando se le acabaron las municiones. A los soldados y generales —había seis de estos últimos en Ojinaga— no se les permitirá regresar a México hasta que se haga la *paz*. Por los titulares de algunos *Heralds* que te mando verás que eso no ocurrirá de inmediato.

Por supuesto, nuestro retraso en el viaje causó sensación. El doctor Ryan oyó decir que estábamos detenidos en un túnel y planeaba ir a salvarnos por cualquier medio. Él es un hombre "sin miedo y sin reproche". Me alegro mucho de estar de nuevo segura en esta casa grande, cómoda y bañada por el sol.

Nelson fue a visitar a Huerta hace un par de días. El presidente estaba muy aliviado de verlo de vuelta sano y salvo. Le preguntó por los resultados de su visita a Veracruz y Nelson le dijo que no había ningún cambio en la actitud de su gobierno. Huerta se mantuvo impasible y no hubo más conversación política. No obstante, prometió atender varios asuntos de Estados Unidos, relacionados con reclamaciones, etcétera, que afectan intereses bastante grandes. Vivir bajo una dictadura tiene algunas ventajas si uno goza del favor del dictador, y Huerta vendería su alma por agradar a Estados Unidos, hasta el punto de reconocerlo.

Aun cuando no está convencido de que el reconocimiento formal sea necesario o siquiera aconsejable, Nelson comprende que todo lo que quieren México y Estados Unidos se podría haber logrado, mediante la diplomacia, en los primeros días de la presidencia de Huerta. Ahora la prepotencia y los arreglos secretos y la complicidad con sus enemigos, los revolucionarios, para derrocarlo, deben triunfar eventualmente, y tememos que en esa caída Huerta arrastre consigo todo el tejido del Estado. Cuántas veces ha dicho: "No les pido su ayuda, pero ¡no ayuden a mis enemigos!".

Domingo por la noche, 18 de enero

Hoy hicimos un largo paseo en automóvil hasta el viejo convento e iglesia de Tepozotlán, con Seeger, Hay, los Tozzer y Elim. Por supuesto traíamos pistolas debajo de los asientos, a pesar de que ese camino (el antiguo camino de postas hacia el norte) no es un sitio asolado por los zapatistas. Anduvimos dos horas en medio de una atmósfera deslumbrante, mientras el camino corría durante millas entre pintorescos campos sembrados de maguey, que para los indios es todo, incluso su perdición. De cuando en cuando había grupos de casitas de adobe, con niños desnudos de ojos brillantes jugando entre cercas de nopal, y a veces un hermoso cactus en forma de candelabro parecía montar guardia. Pasamos por Cuauhtitlán, lugar muy interesante con sus pintorescos hosterías desiertas donde antiguamente, en la época de las diligencias, se realizaban tratos comerciales. Cada puerta tallada permite echar una mirada al gran patio interior, que parece contar historias de actividades pasadas.

Tepozotlán es celebrado por su hermosa iglesia antigua. Tiene una hermosa fachada labrada, construida por los jesuitas a fines del siglo XVI. Los servicios fueron suprimidos en 1857, bajo las Leyes de Reforma de Juárez, y ahora el edificio está descuidado, solitario pero aún bellísimo. Los cipreses guardan la entrada al atrio invadido por la hierba, adornado también por unos cuantos pirules y un ocasional maguey aquí y allá. Todo estaba radiante bajo el sol, recibiendo la luz de muchos colores y aparentando devolverla en la forma mágica del altiplano mexicano. Anduvimos vagando por la iglesia, que conserva sus maravillosos altares de estilo churrigueresco, y admirando las tallas de alto relieve en madera dorada, a las que el tiempo ha dado una maravillosa *patine** roja. Algunas de las antiguas capillas todavía están bellamente adornadas con ricos azulejos de Puebla, ahora flojos y cayéndose de techos y muros descuidados. El seminario contiguo, con sus interminables salas y corredores, está oscuro y desierto, salvo por las arañas y millones de pulgas; al principio en mi inocencia pensé que eran mosquitos, cuando se posaron en mis guantes blancos. Almorzamos en el encantador patio antiguo de los claustros, donde crecían naranjos y un árbol de nochebuena, con sus brillantes flores rojas, alrededor de un viejo pozo de piedra ubicado en el centro. Durante esas horas, por lo menos sentimos que todo andaba bien en el mundo. Después subimos al campanario y nuestros ojos tuvieron un banquete debido a la belleza que se desplegaba ante ellos. Al este, al oeste, al sur y al norte otros campanarios color de rosa parecían apretarse contra las azules colinas, repitiendo su gracia hasta el punto que uno podría llorar por la belleza del conjunto. El pueblo casi abandonado, que llega hasta el patio de la iglesia, es donde nació la madre Matiana a fines del siglo XVII. Ella fue quien en su lecho de muerte hizo las famosas profecías de tan extraña manera confirmadas por los subsecuentes acontecimientos de la historia de México.

Los refugiados de Ojinaga, guarnición y civiles, están apenas llegando a Marfa y Fort Bliss, después de cuatro días de marcha por el desierto. Hasta el momento el asunto ha costado 142,000 pesos y se gastaron 40,000 en nuevos equipos para los oficiales. Creo que todos los oficiales de México contemplarán, por un breve instante, la idea de cruzar la frontera. Sin embargo, habrá mucha desilusión y sufrimiento en el campo de detención, si se pide a los soldados que cumplan con las reglas de higiene de ejército de Estados Unidos.

Jesús Flores Magón, a quien conocimos como secretario de Go-

* pátina *(N. de la T.)*

bernación de Madero, un hombre fuerte e inteligente de pronunciado tipo zapoteco, va a Veracruz por sugerencia de Nelson a ver al señor Lind. Flores Magón, quien conoce a su gente, dice que es inútil "probar" otro gobierno aquí. Aun cuando fue miembro del gabinete de Madero, ahora está por mantener a Huerta. Piensa que otro gobierno significaría solamente otro grupo de traidores, que a su vez serían traicionados. Nelson le preguntó si está convencido de que Huerta tenía otros motivos, además de la codicia y el deseo de engrandecimiento personal que le atribuyen sus enemigos. No mostró un entusiasmo sin reservas pero respondió que creía que tenía consigo los elementos necesarios para controlar a México, pero que era cruel como todos los indios. Lind está decidido a reconocer a los rebeldes del norte, o por lo menos levantarles el embargo de armas y municiones. Una política terrible, me parece a mí. Quitarle a los que tienen para dar a los que desean tener, difícilmente puede arreglar las cosas, aquí o en cualquier parte. Nada de lo que el señor Lind ha visto u oído ha modificado en lo más mínimo las ideas con que llegó.

*Delenda est Huerta** es el *mot d'ordre,*** y yo me encuentro presenciando el espectáculo. Estoy asombrada ante esta deliberada ignorancia de todos los datos reales de la situación. Nelson fue ayer a ver a Moheno, con el habitual paquete de reclamaciones contra el gobierno, y Moheno le dijo en forma violenta y agitada: "¡Dios mío! ¿Cuándo van a intervenir ustedes? ¡Nos están estrangulando con esta política!".

Nos dijo un ferrocarrilero (ellos siempre están informados) que hay dos mil hombres bien armados en Oaxaca, sin hacer nada, simplemente esperando órdenes. Son felicistas. Todo el mundo está esperando el momento para traicionar a otro.

Tuve que parar de escribir por unos minutos; acaba de manifestarse uno de los extraños acompañantes de la vida en México: un ligero terremoto. Las puertas que estaban entornadas se abrieron silenciosamente y con el mismo silencio se cerraron. Los candiles perdieron la vertical en un movimiento rítmico, y hubo un rumor de pequeños objetos que se deslizaban saliendo de su lugar y regresando a él. Tuve la desagradable sensación de haberme desorientado. Ahora ya pasó el "temblor", como le llaman. Pero siento como si hubiera pasado por la habitación un fantasma que me dejó medio trastornada.

* hay que destruir a Huerta *(N. de la T.)*

** consigna *(N. de la T.)*

20 de enero

Los periódicos dan cuenta de una conversación de cinco horas sostenida entre Flores Magón y Lind en Veracruz. Informan que Lind dijo: "Flores Magón es un espléndido caballero, que desea sinceramente el bienestar de México".

Siempre estamos preguntándonos qué irá a ocurrir. México no está en absoluto pasando hambre: hay alimentos en abundancia, hay dinero para acciones petroleras y corridas de toros y otras necesidades. Es posible que veamos a Pancho Villa en traje formal. En su paso de vencedor por México ha coleccionado esposas, como cualquier cosa, y entiendo que algunas de ellas son extrañas. Supongo que será el azar quien decida a cuál presentará como "primera dama del país". Un retrato reciente de una de ellas casi hizo enloquecer a una mujer que conocemos: mostraba a la "novia" luciendo un antiguo collar de familia que le habían quitado por la fuerza a nuestra amiga, con otros objetos de valor, antes de su huida de Torreón.

Ayer fui al bautizo del bebé de la familia Corcuera Pimentel. La joven madre, muy bonita, estaba todavía en cama, envuelta en hermosos y costosos encajes, y la casa estaba llena de parientes bien parecidos. Después de felicitarla su padre, don Luis, me llevó a tomar el té. La mesa estaba cubierta de manjares de toda índole, nacionales y extranjeros. Probé los deliciosos tamales, apetitosamente preparados y cocidos en hojas de maíz *à la mexicaine*, y bebí *atolli aurora*, una bebida espesa y rosada de maíz y leche, condimentada con canela y coloreada con un toque de carmín, a pesar de que me ofrecieron con insistencia manjares menos exóticos.

21 de enero

Ayer fue un día atareado. Para que veas qué difícil suele ser encontrar a Huerta, te diré que Nelson se levantó y salió antes de las siete y media para buscarlo. Fue a su casa, y ya se había ido. Fue a Popotla, donde Huerta tiene una propiedad en los suburbios cerca del Árbol de la Noche Triste.[1] No estaba allí. Nelson volvió a casa. Yo salía hacia

[1] El celebrado árbol de la Noche Triste es un viejo sabino maltratado por el tiempo que ha sido atendido y cuidado por comisionados agrícolas y ultrajado por turbas violentas. Se supone que Cortés se sentó debajo de él y lloró al ver desfilar ante él los maltrechos restos de su ejército después de la terrible retirada de Tenochtitlan el

el centro, así que lo llevé hasta al Palacio, donde uno de los edecanes dijo que el presidente podría estar en Chapultepec, el restaurante, no el Castillo, pues no le gusta mucho. De nuevo recorrimos la ciudad, del Zócalo por Plateros hasta el hermoso y amplio Paseo. Huerta estaba justamente pasando por la entrada del parque en una gran limosina, seguido por otros dos automóviles llenos de secretarios y edecanes. Nelson salió del auto y subió al del presidente, mientras los otros mantenían su distancia. Siempre hay alguien esperando cerca de la realeza. Estuvieron sentados allí una hora, mientras yo permanecía en nuestro automóvil. Nelson empleó ese tiempo en procurar la liberación de Vera Estañol, uno de los diputados más brillantes, encarcelado desde el *coup d'état* del 10 de octubre. Huerta, además, mandó a uno de sus edecanes con una nota para la Suprema Corte, escrita y firmada por él, diciendo a los jueces que tomen una decisión justa en cualquier asunto que afecte los intereses estadunidenses. Hay casos que han estado en la embajada por casi veinte años, y cuatro de nuestras administraciones han intentado, sin éxito, lograr por medio de la embajada que se haga justicia, usando todas las formas de representación diplomática. Si bien Nelson lo vio escribir la orden, y el auto que llevó la nota partió en dirección a la Suprema Corte, es imposible saber si alguien hace después un guiño a los jueces.

Volví a casa y ordené que prepararan una habitación para Vera Estañol, ya que, por supuesto, deberá quedarse con nosotros hasta que pueda embarcarse hacia Estados Unidos o Europa. Me imagino que la cama limpia, el agua caliente y el escritorio con su lámpara le parecerán muy agradables después de tres meses en la cárcel. Nelson escribió y firmó una carta a Huerta en la que asegura que Vera Estañol no se meterá en política y abandonará el país inmediatamente con su familia. Es uno de los abogados más destacados e inteligentes de la República, liberal e ilustrado, y jefe del Partido Evolucionista. Nelson estuvo fuera hasta medianoche tratando de encontrar al presidente con la intención de obtener la orden para su liberación, pero por fin tuvo que desistir. El viejo tiene maneras de desaparecer sin que nadie pueda encontrarlo. Esta mañana Nelson salió de nuevo tras él, y supongo que

2 de julio de 1520. Hay tres de estos árboles históricos que sobrevivieron a los horrores de la conquista; los otros son: el árbol de Montezuma, en el bosque de Chapultepec, y el gran árbol del Tule, en Oaxaca, que abrigó a Cortés y a su aventurada compañía en su camino a Honduras.

traerá a la casa a Vera Estañol, quien desde aquí tomará el bien conocido camino de los patriotas que tienen que marcharse aprisa.

Ayer por la tarde la señora Tozzer, el señor Seeger y yo fuimos en el auto hasta más allá de Azcapotzalco, donde Tozzer y Hay están excavando. En cualquier lugar que uno escarbe en esos suburbios se pueden encontrar innumerables reliquias de la civilización azteca. Azcapotzalco fue otrora un centro muy poblado, y entonces como ahora había muchos bosquecillos de cipreses. Se supone que en uno de ellos todavía se aparece Marina, la amante india de Cortés.

En el lugar del templo o teocalli se ha construido una interesante iglesia dominica del siglo XVI; su gran patio con olivos y cipreses está rodeado por un muro con arcos color de rosa, maravillosamente *patiné*. Allí acudían los indios en masa para que los pacientes frailes los bautizaran, les curaran las heridas, les trataran sus enfermedades y resolvieran sus conflictos. Mientras avanzábamos con lentitud por el abandonado y destrozado camino venían niños a ofrecernos cuentas, ídolos y trozos de cerámica, que en estos campos abundan tanto que no hace falta excavar para encontrarlos. Para empezar a trabajar Tozzer y C. Hay tan sólo escogieron un montículo que parecía cocido por el sol y estaba plantado de magueyes. Era igual a los demás, y con veinticinco o treinta descendientes de Montezuma, pintorescos e indignos de confianza (es facilísimo retroceder seis o siete siglos al mirarlos), excavaron un antiguo palacio. Cuando les pedimos regalitos nuestros amigos, con muy pocas ganas, extrajeron de sus bolsillos algunas cabezas repulsivas y formas grotescas, las acariciaron de manera afectuosa y después volvieron a guardarlas, porque cuando llegó el momento no pudieron separarse de ellas.

Es un lugar celestial. Aquí y allá aparecía un campanario color de rosa, su contorno era interrumpido por un negro ciprés sin vida; las bellas e indescriptibles colinas, tanto cercanas como lejanas, nadaban en una extraña transparencia.

Nos sentamos entre las ruinas, mezcla de tolteca y azteca, e hicimos té. Desde lo que podría haber sido la sala de algún patricio observamos cómo se ponía el sol en un incendio de colores, y aparentemente reaparecía para lanzar una última gloria inesperada sobre los volcanes cubiertos de nieve y los cerros color violeta. Cada penca de maguey estaba dibujada en luz, todo el universo en un espectro solar muy suave. Una oscuridad misteriosa de bordes azules cayó sobre nosotros cuando regresábamos a la ciudad.

23 de enero

Nelson logró sacar a Vera Estañol de la *Penitenciaría* apenas el miércoles por la tarde. No vino aquí sino que lo llevaron de inmediato a la estación, tomó el tren de la noche para Veracruz y partió ayer, jueves, en el vapor de la Ward Line. Cuando Nelson fue a la prisión con el edecán del presidente, llevando la orden para su liberación y el salvoconducto debidamente firmado, Estañol acudió a la sala de espera con un volumen de la *Histoire contemporaine* de Taine en la mano y el aire distante de las personas que han pasado mucho tiempo en la cárcel. Casi no hubo conversación, pues su única idea era salir del edificio y llegar al tren bajo protección estadunidense.

Huerta le dijo ayer a Nelson que el general Mercado fue sobornado por personas ricas de Chihuahua para ir hasta Ojinaga, en la frontera, en lugar de ir a Jiménez como le habían ordenado. Siente gran amargura contra Mercado, que le costó 4,000 buenos soldados. Mercado hace toda clase de acusaciones contra los otros generales, especialmente Orozco: lo acusa de cobardía, de colocar a oficiales borrachos en posiciones importantes y de robar sus propios trenes de provisiones federales. El general Inés Salazar tuvo un destino tragicómico. Fue arrestado por jugar "una partidita de cartas" en el tren de Texas, porque nunca imaginó que en un país libre no se pudiera hacer tal cosa. Después de escapar de los rebeldes y de las autoridades estadunidenses tuvo una gran contrariedad al ser arrestado, fue identificado justo cuando estaba a punto de volver a cruzar la frontera hacia México.

El miércoles tuvimos un agradable almuerzo en la legación de Noruega. El ministro noruego es el hijo de Jonas Lie. Él y su mujer son personas cultas y de mundo, y buenos amigos. Madame Lie siempre tiene cosas deliciosas para comer, muy bien servidas. Uno sabe que cuando aquí las cosas están bien hechas es porque la señora de la casa se ha ocupado personalmente. Por la tarde hubo bridge en casa de madame Bonilla. Mientras jugábamos se apagaron de repente las luces, y así quedaron por largo rato. Como suele ocurrir en esos casos, todo el mundo exclamó "¡Por fin los zapatistas están cortando los cables!" La señora B. sacó hermosos candelabros antiguos de plata y seguimos jugando con temeridad, tal vez mientras nuestro destino se nos venía encima. Los faroles de la calle también estaban apagados.

La luz de la ciudad de México viene de Necaxa, ubicada a cien millas de distancia aproximadamente. Es uno de los lugares más bellos del mundo. En un día uno baja del altiplano a la tierra caliente, el tren parece seguir el río, que corre por una barranca salvaje y hermosa, y en Necaxa descubre las grandes cascadas que proveen la fuerza para esa notable hazaña de la ingeniería. En mi mente está el recuerdo de cielos azules, vistas encantadoras de montañas azules, miríadas de mariposas azules contra las caídas de agua, pájaros cantores de colores brillantes y la más rica y opulenta vegetación tropical, árboles cubiertos de enredaderas, orquídeas y campanillas de todo tipo e incontables maravillas. A veces pienso que la madre naturaleza ha sido aquí tan generosa y sólo quiere dar, sin pedir nada a sus hijos, los cuales se han vuelto demasiado malcriados. Todas las montañas rezuman minerales preciosos. En la costa, cualquier hoyo accidental puede revelar el petróleo que el mundo tanto codicia, y cualquier cosa verde que se deje en paz se multiplica por mil. ¡México mágico y maravilloso! Por las ventanas del *salon* del frente entra el brillo de una luna blanca que hace que mi lámpara eléctrica parezca deplorable. A esta altura la luz de la luna recorta los objetos como si fuera una punta de acero.

Ayer vino a almorzar el señor Prince, el amigo de tía Laura y cuñado del señor C. El señor C. murió durante el bombardeo, y en su última enfermedad fue trasladado varias veces de la casa al hospital y del hospital, cuando éste fue alcanzado por una bomba, a otra casa, frente a la embajada. Durante el armisticio, el señor Prince logró salir en busca de un ataúd y llevarlo él mismo al cementerio en un taxi. Fue el único modo de hacerlo, pues en ese momento la ciudad estaba bajo el fuego. Esa misma semana el tranvía le aplastó un pie a uno de los niñitos, y hubo que amputárselo mientras caían las bombas y su padre yacía muerto. Emma, la niña que hace dos años se cayó por mi techo de vidrio, nunca ha podido volver a caminar desde entonces. ¡Un capítulo de tragedias! La señora C. está ahora en Estados Unidos tratando de recuperarse.

Hanihara, el brillante secretario del Ministerio de Relaciones Exteriores de Japón, que está aquí para examinar las condiciones, y sin duda las posibilidades de la situación japonesa en México, apareció ayer; nosotros solíamos tratarlo en Washington. Habla inglés perfectamente y por fuera está europeizado en forma desusada, pero por supuesto sigue siendo completamente japonés en el fondo. Daré un almuerzo para él en Chapultepec, con su ministro, el *chargé* de Austria que se retira y el nuevo ministro italiano, que el otro día se cayó ante mi puerta y tuvo que quedarse en cama con la rodilla maltratada. Hice que lo atendiera el doctor Ryan.

Ayer vi a un hombre que conoció a Villa en sus días de peón; dice que ha tenido cierta evolución, si no moral al menos mental; entre otras cosas, usa la cantidad de ropa reglamentaria, pero un cuello formal le ataca los nervios casi tanto como la mención de Porfirio Díaz, que es su abominación favorita. Se mantiene bastante limpio y ha demostrado ser astuto en la búsqueda de agentes capaces, a los que está dispuesto a dejar los misterios más leves de las tres erres. Nos preguntamos quién escribe ciertas declaraciones políticas muy pulidas que aparecen con su nombre. Mi pluma no puede relatar lo que él hizo con un documento oficial, en una ocasión oficial, en lugar de firmarlo. Evidentemente posee dotes militares, pero por desgracia sigue siendo uno de los hombres más ignorantes, sanguinarios y despiadados de la historia de México; no sabe nada de las amenidades de la vida, nada de ciencia del Estado ni de gobierno en ninguna forma que no sea la fuerza. Y es posible que llegue a residir en Chapultepec.

D'Antin trajo un hermoso *saltillo*, una especie de sarape de lana tejido a mano, de casi cien años de antigüedad, que le compró a un indio a un precio tan reducido que detesto pensarlo. Lo vio sobre el indio por la calle en una noche fría, y su ojo astuto se dio cuenta de lo que era. No estoy contenta con eso, pero lo hice desinfectar y limpiar. Sólo puedo resolverme a usarlo porque alguien dijo que probablemente el indio lo había robado.

Elim está cantando a voz en cuello una canción popular: "Marieta, no seas coqueta, porque los hombres son muy malos".

23 de enero, de noche

Pasé unas horas muy tranquila leyendo un libro fascinante que me mandó ayer don Luis García Pimentel, *Bibliografía mexicana del siglo XVI*. Me vuelve a impresionar el magnífico trabajo hecho por ese puñado de frailes franciscanos y dominicos, que vinieron inmediatamente después de Cortés y junto con los conquistadores iniciaron la obra de civilización española en el Nuevo Mundo. Su primera acción, mientras avanzaban por el país, fue eliminar los sangrientos sacrificios, ritos que deshonraban y desacreditaban a la civilización azteca. Por todas partes construyeron iglesias, hospitales y escuelas, enseñando verdades más suaves a los indios, que se reunían por millares para recibir instrucción en los hermosos atrios antiguos que se encuentran delante de todas las iglesias coloniales.

Casi se podría decir que México fue civilizado por ese puñado de frailes, dieciséis o diecisiete en total, que llegó en los primeros ocho o diez años siguientes a la conquista. Su ardiente celo por dar a los indios la verdadera fe marcó esta hermosa tierra con incontables iglesias. Una energía que hoy ni siquiera imaginamos transformó el deslumbrante territorio salvaje en un gran reino. Uno de los mayores de ellos, fray Pedro de Gante, quien llegó en 1522, estaba emparentado con el emperador Carlos V. Había sido un hombre de mundo y era músico y artista. Tuvo su celebrada escuela en Tlaltelolco, hoy Plaza de Santiago, que fue despojada de toda su antigua belleza y se usa como sede central de las aduanas de la capital. Escribió una *Doctrina Christiana* y bautizó a cientos de millares de indios durante sus cincuenta años de trabajo. No sólo les enseñaba a leer y escribir sino que fundó escuelas de dibujo y pintura, pues encontró que eran muy aptos para ello. Ya poseían fórmulas de todo tipo para hacer hermosos colores, y tenían sus propias artes como la pintura y el esmaltado de cerámica, la fabricación de prendas deslumbrantes con brillantes plumas de aves y también de objetos de plata y oro, con maravillosa artesanía. En el museo pueden verse hermosos mapas antiguos, pintados en tela de fibra de maguey, de la ciudad de México cuando era Anáhuac, la gloria de los aztecas.

Fray Bartolomé de las Casas trabajó con el padre Gante, y recibieron mucha ayuda de los primeros virreyes. Fray Motolinía vino después, y su *Historia de los indios* es referencia obligada para todas las obras posteriores sobre la Nueva España. Los frailes intentaron por todos los medios aliviar los sufrimientos de los indios, y establecieron hospitales, hogares para los ancianos y decrépitos, orfanatorios y asilos de toda índole. La generación inmediatamente posterior a la conquista debe haber presentado un espectáculo trágico, agotada por la resistencia y después por el trabajo despiadado de la reconstrucción de ciudades, sobre todo la ciudad de México, que se hizo en cuatro años al son del látigo. Los virreyes sólo eran responsables ante el Consejo de Indias, en la lejana España, y naturalmente su éxito llegó a ser juzgado por las riquezas que lograban acumular en esta tesorería del mundo, a expensas, desde luego, de los indios, aunque muchos de los virreyes trataron honestamente, junto con los frailes, de aliviar la suerte indiana. Me esperan seis o siete volúmenes de obras inéditas hasta ahora prestadas por don Luis García Pimentel, a uno de cuyos antepasados, conde de Benavente, dedicó Motolinía su *Historia de los indios*. Me he empapado de lo mexicano, desde las cartas de Cortés y el relato de Bernal Díaz, que vino con él, hasta Alamán y madame Calderón de la Barca.

Bueno, se está haciendo tarde y debo detenerme, pero la historia de México es, sin excepción, la más fascinante, la más romántica y la más inverosímil del mundo; la simiente de la civilización española implantada en esta tierra maravillosa ha producido una florescencia tan magnética, tan mágica, que los más obtusos sienten su encanto. Todo lo que se ha hecho por México lo hicieron los españoles, a pesar de sus crueldades, su codicia y sus pasiones. Nosotros los del norte lo hemos usado únicamente como una cantera, sin dejar monumentos a Dios ni herencia a sus hombres en pago a los tesoros que hemos acumulado y llevado en barcos o trenes. Ahora parece que estamos tratando con indios muy semejantes a los que encontraron los españoles; frutos de una gran civilización, pisoteada en el polvo. Pero *no* llamemos a esto servicio humano.

24 de enero

Esta mañana vino Von Hintze un rato. Como todos los representantes extranjeros está cansado de su trabajo aquí; tantas *ennuis,** tanto esperar por lo que todos creen que ahora es el único desenlace posible: la supremacía estadunidense en alguna forma.

Anoche se oyeron disparos en la ciudad. El doctor Ryan, que está residiendo aquí con nosotros, pensó que podría ser el tan anunciado *cuartelazo* y salió a ver, pero resultó que sólo eran unos tiros aislados. Los Burnside se han ido a vivir a Veracruz.

26 de enero

Sólo una palabra antes de iniciar un día muy ocupado. Debo ir hasta Chapultepec para ver que esté todo listo para el almuerzo de doce personas, para Hanihara y Cambiaggio. La ciudad se está llenando de oficiales japoneses del *Idzuma,* que está anclado en Manzanillo. Habrá una verdadera demostración para ellos donde se les expresará en forma muy completa el sentimiento antiestadunidense. Hay un programa oficial enorme cada hora hasta el viernes por la noche, cuando deberán regresar a su barco.

* molestias *(N. de la T.)*

Por la noche

Mi almuerzo para Hanihara en Chapultepec salió muy bien. Ese restaurante es el cuchillo con el que he cortado el nudo gordiano para poder recibir. Estuvo el nuevo ministro italiano, los noruegos, el señor E. N. Brown, presidente de los Ferrocarriles Nacionales, Parra, de Relaciones Exteriores y otros. Llegamos a casa a las cuatro y me fui de inmediato a casa de los García Pimentel, donde me esperaba don Luis para mostrarme algunos de los tesoros especiales de su biblioteca. Arriba sus lindas hijas, con sus también lindas amigas, casadas y solteras, estaban cosiendo para la Cruz Roja. Nos reunimos allí todos los martes. Cada una de las hijas llevaba un rebozo primorosamente bordado sobre su vestido de París, *à la mexicana*: herencias de familia.

La casa es una de esas nobles construcciones antiguas mexicanas, con un gran patio y una hermosa escalera que lleva al corredor que rodea sus cuatro lados, bordeado con palmas y flores. Sobre el corredor se abren habitaciones amplias y hermosas llenas de cuadros, grabados raros, porcelanas invaluables y brocados antiguos. Apenas pude meter la cabeza por la puerta de la gran sala donde estaban trabajando, porque don Luis ya me esperaba abajo en su biblioteca. Pasé con él un par de horas deliciosas entre sus tesoros, tan amorosamente guardados por generaciones. ¡Oh, esas fascinantes portadas con títulos en rojo y negro, el tacto rico y grueso del papel hecho a mano, esa tinta inalterable apropiada para perpetuar historias románticas y las hazañas sobrehumanas de los hombres de Dios! No conseguía dejar la carta tan bellamente escrita de Cortés a Carlos V, en que habla de los indios tal como los halló. Se parecen muchísimo a los indios tal como *yo* los he encontrado.

Muchos de los libros y manuscritos más valiosos de don Luis fueron hallados en España, y su biblioteca mexicana incluye todo lo que se puede encontrar hasta nuestra época.[2] Su esposa es una mujer

[2] Desde entonces esa noble casa ha pasado a otras manos y la gran biblioteca se ha dispersado. Felizmente la señora García Pimentel logró enviar algunos de los manuscritos más valiosos a Inglaterra: las cartas de Cortés, el famoso manuscrito de Motolinía dedicado al conde de Benavente, una primera edición de Cervantes, los *Diálogos* de Salazar y un volumen o dos del padre de la Vera Cruz y el padre Sahagún. Ella y su hija soltera los sacaron ocultos debajo de sus rebozos cuando tuvieron que dejar la casa. De pronto, en medio de la noche, se oyeron fuertes golpes a la puerta, y al instante entraron oficiales carrancistas. En ese momento la señora García Pimentel y su bella hija estaban solas en la casa, ya que el padre y los hijos, sabiendo que sus vidas peligraban,

encantadora, muy *grande dame*, culta y bonita. Tanto ella como sus hijas están siempre ocupadas en incontables obras de caridad. Ahora mismo están atareadas haciendo paquetitos con ropas de bebé para la casa de maternidad. ¡Los dedos se apresuran a trabajar al ver a las mujeres indias obligadas a envolver a sus hijos con periódicos!

Tuve el tiempo justo para volver a casa y vestirme para cenar en la legación inglesa, pero nos vinimos a las nueve y media, dejando al resto del grupo jugando bridge. Yo llevaba de nuevo el vestido Worth gris y plata, pero me siento triste sin mis adornos negros.

Por la noche, 27 de enero

Esta tarde fui con De Soto a ver a madame Lefaivre en el Museo Nacional, donde está copiando un antiguo biombo español. Siempre es un placer atravesar ese hermoso patio bañado por el sol, lleno de dioses y altares de una raza perdida. Muchos de ellos, encontrados en el Zócalo, hicieron un viaje muy corto hasta el lugar donde descansan ahora. De Soto siempre es un compañero agradable para cualquier pequeña excursión hacia el pasado, aunque no es con el *pasado* que soñamos en estos días. Y en cuanto a su aspecto, ponle una gorguera de encaje y un justillo de terciopelo y sería un "Velázquez" de la mejor época.

La señora Lefaivre, cubierta por un delantal, estaba sentada sobre una pequeña escalera plegable ante el biombo más grande que he visto, con ocho hojas enormes que tenía representaciones de varias escenas amorosas, enamorados, balcones, guitarras, etcétera, todo de lo más decorativo y digno en realidad de una embajadora. Le dije que nada menos que el Palazzo Farnesio sería suficientemente grande para eso, y en sus ojos apareció la luz de los sueños, los sueños que soñamos todos. La gran sala estaba oscureciéndose un poco, por lo que ella dejó su trabajo y nos pusimos a recorrer el museo. Cuando nos encontramos hablando de Huerta junto al "Lucero de la Mañana", un misterioso dios verde de rostro duro (su pequeño nombre es Tlahuizcalpantecuhtli) pensé que mejor podíamos salir y dar una vuelta en el auto, de modo

se habían ido en secreto a Veracruz algún tiempo antes. También la afamada biblioteca del señor Cassasus se ha dispersado y sus tesoros fueron destruidos. En ocasiones un comprador alerta ha adquirido de un vendedor callejero un volumen inapreciable por pocos centavos, pero la mayoría de esos tesoros desapareció para siempre.

que nos fuimos a Chapultepec y continuamos la conversación bajo los ahuehuetes, que crecen, aunque despacio, junto con los acontecimientos vivientes que son los únicos que realmente interesan. El pasado es para los que tienen paz y tiempo libre.

Por la noche

Un día tranquilo, pero estamos terriblemente inquietos con las renovadas noticias del levantamiento del embargo sobre las armas y municiones para los rebeldes. Siento que no puedo soportarlo, y Nelson incluso sintió que debería renunciar si esto ocurre. La nave del Estado se encamina de modo inevitable contra las rocas. Va a hacer alguna especie de protesta a Washington en contra de esa medida. El grito de Villa es: "¡sobre México!", y es posible que llegue allí, o mejor dicho, aquí, si nosotros decidimos encaminarlo.

Parecería que cada día está más intoxicado por los favores recibidos de Estados Unidos. Nadie está más sorprendido que él por su éxito ante el poder, y en cuanto a la popularidad que tiene con los agentes confidenciales, me dicen que en su cara aparece una gran sonrisa cada vez que se mencionan sus nombres. Sin embargo, eso no significa que trate de agradarles. Ahora quiere la cabeza de Huerta, pero ese viejo zorro hallará refugio aquí. Hace una hora más o menos se oyeron gritos y disparos, pero probablemente sólo eran algunos zapatistas cerca de la ciudad.

XIII

Gamboa. Fiestas para los oficiales japoneses. El Fondo Piadoso de las Californias. El camino de Toluca. Brown, el de los Ferrocarriles Nacionales. El presidente Wilson levanta el embargo de armas y municiones. A la caza de zapatistas.

29 de enero

Ayer la gente bonita de México vino a jugar bridge, y por la noche fuimos a cenar a casa del señor Pardo, el inteligente abogado de los ferrocarriles "mexicanos". Allí estaban Federico Gamboa y su mujer. Gamboa es muy divertido, con una de esas mentes ágiles que responden al punto en la conversación; lo que los franceses llaman *le don de la réplique*.* El verano pasado era ministro de Relaciones Exteriores, y renunció para competir por la presidencia como candidato del partido clerical. Hace unos días, Huerta le dijo a Nelson con mucha franqueza: "Le dije que me cae bien y que le deseo lo mejor, pero que si lo hubieran elegido presidente habría tenido que mandarlo matar".

La respuesta de Gamboa al señor Lind en agosto pasado, aunque no fue satisfactoria para *nosotros* cuando el señor Wilson la presentó al congreso, sigue siendo una exposición digna, inteligente e impecable de la situación mexicana desde el punto de vista de *ellos*: Estados Unidos, según el derecho internacional, no puede meterse en sus asuntos internos ya que éstos, por infortunados que sean, son los de un Estado soberano. Nunca han superado el hecho de que las comunicaciones que el señor Lind llevó consigo no estaban dirigidas, de propósito, a nadie en particular, y sólo se referían al gobierno como "las personas que en este momento tienen autoridad o ejercen influencia en México". Ellos consideran que si admiten el consejo de Estados Unidos, aunque

* el don de la réplica *(N. de la T.)*

sea por una vez, comprometerán indefinidamente su destino como Estado soberano.

En cuanto a la frase "Estados Unidos no vacilará en consumar los hechos, especialmente en tiempos de trastornos internos, en la forma en que Estados Unidos considere mejor para México", está grabada en la mente de cada mexicano capaz de leer y escribir. Con respecto a nuestras declaraciones de amistad, que lo dejan decididamente frío, Gamboa dijo claramente que nunca podría haber mejor momento para demostrarla. No tendríamos más que vigilar que "no se dé ayuda material o militar de ningún tipo a los rebeldes que encuentran refugio, conspiran y se proveen de armas y alimentos al otro lado de la frontera". Además afirmó que le sorprendió mucho que se califique la misión del señor Lind de "misión de paz" ya que por fortuna hasta el momento no existe ningún estado de guerra entre México y Estados Unidos. Todo el documento es una prueba del trágico e inútil llamado de una nación débil a una fuerte.

Gamboa ha ocupado numerosos puestos diplomáticos. Fue ministro en Bruselas y en La Haya, y embajador especial en España para agradecer al rey por su participación en el Centenario de 1910...

Después de la cena en casa de Pardo, dos niñas mexicanas de ojos brillantes y de claras voces, una de ellas hija de Pardo, cantaron canciones mexicanas con ritmo y destreza natural. Hanihara también estaba allí, escuchando la música con su habitual y distante actitud oriental. Los oficiales japoneses eran tremendamente festejados, alimentados por todos y cada uno de los departamentos del gobierno, al grado que creo que sus "pequeñas conciencias" abstemias están por rebelarse.

Después de la cena regresamos a casa andando una breve distancia en la noche fresca, bajo un cielo extrañamente bajo y estrellado. Me parecía que con estirar la mano podría haberme adueñado de un planeta. Las calles estaban desiertas aunque algún mexicano excepcional regresaba presuroso a casa cubriéndose la boca con su bufanda. Aquí hay una tradición sobre no respirar el aire de la noche. Aquí y allá un guardia tiritaba en las sombras mientras vigilaba su farol, siempre colocados en los cruces de calles. Bajo el gobierno del dictador se puede caminar con joyas relucientes sin ningún temor a ser asaltado.

El doctor Ryan partió anoche hacia Washington. No me gusta interferir con el *premier mouvement** de nadie, pero sé que es un viaje

* primer movimiento *(N. de la T.)*

costoso e inútil. A nadie le interesará lo que él piensa sobre las consecuencias seguras del levantamiento del embargo.

Los rebeldes acaban de destruir veintidós enormes tanques de petróleo cerca de Tampico, destinados al funcionamiento del ferrocarril entre San Luis Potosí y la costa. Creo que te conté que el señor Brown dijo que los ingresos brutos nunca habían sido tan grandes como en este último mes, a pesar de lo peligroso de los viajes, pero que no podía mantener el ritmo de los inmensos daños que se producen constantemente. El señor Brown es el *self-made man* de la historia. Empezó en el peldaño más bajo y ahora es presidente de los "Ferrocarriles Nacionales"; calmado, equilibrado, astuto y agradable. México le debe mucho.

Por la noche

Los periódicos mexicanos salieron con la afirmación de que el presidente Wilson no puede levantar el embargo de armas y municiones sin el consentimiento del congreso, lo cual, de ser cierto, puede ser descartado como calamidad inmediata.

Esta mañana llamaron de la tienda de abarrotes estadunidense para decirnos que el pedido ordenado ayer no llegó porque el hombre que lo traía fue llevado por la cuadrilla de leva con todas las provisiones. ¡Linda manera de popularizar a un gobierno!

Las potencias han pedido a Nelson que utilice su autoridad para obtener la liberación de unos estadunidenses, agregando la sugerencia de que no debe mostrarse tan cordial con Huerta en público, ya que Estados Unidos tiene relaciones oficiales pero *no* cordiales con México. El viejo se cerraría como una almeja y jamás levantaría un dedo por Nelson o por ningún otro estadunidense, o por ningún interés estadunidense, si Nelson no lo tratara con cortesía *tanto* en público como en privado. En estos días difíciles nuestra posición aquí se torna casi por entero una ecuación personal. Hasta ahora Nelson baila bien en la cuerda floja, a satisfacción de casi todos, a pesar de los celos y las antipatías inevitables. Se debe enteramente a los esfuerzos personales de Nelson que hace poco se pagará al Fondo Piadoso de las Californias la suma de 43,000 dólares; a él se debe que hayan liberado a muchos prisioneros y que muchos objetivos materiales para Estados Unidos se hayan conseguido.

Creo que la historia atestiguará que Huerta ha mostrado mucho tacto en su trato con nosotros. Su última observación es: "Si nuestro grande e importante vecino del norte decide retirarnos su amistad, no podemos más que deplorarlo, y tratar de llevar a cabo nuestra tarea sin ella".

Elim me preguntó ayer: "¿Dónde está nuestro Tío Sam del que todos hablan?". Creía estar sobre la pista de un nuevo pariente.

Más tarde

Aquí se está incubando una rebelión militar, ahora felicista. Nelson ya había oído rumores. Si llega tendrán que entregarnos a Huerta, así lo han prometido. Hemos tenido una relativa calma, muy relativa, durante varias semanas, y ahora las cosas arden de nuevo.

Tenemos una habitación siempre lista, que llamamos *nacht asyl*,* y varias cabezas incómodas han descansado allí en la famosa "cama de la asesina". Ayer compré varios sarapes de un hermoso azul pálido y blanco para el piso y el sofá.

Al regresar del bridge en casa de madame Lefaivre, donde dejé a De Soto perdiendo con una distinción melancólica mayor que la habitual, encontré al ministro japonés con el capitán del *Idzuma*, en uniforme de gala, que habían venido de visita, pero Nelson había salido. El capitán dijo que quería expresar especial y oficialmente a Nelson su aprecio por todas las cortesías que recibiera en Manzanillo del almirante Cowles y demás oficiales de nuestras naves. Habla francés e inglés apenas bien, como suelen ellos. Fue muy cordial, desde luego, y dijo que en estos momentos difíciles todos debemos ser amigos, apoyarnos unos a otros y mostrar comprensión recíproca ante las dificultades. Al mirarlo pensé, por alguna razón, en los horrores que ha sufrido su raza, y los actos de valor que ha realizado, en la guerra ruso-japonesa, sin pensar en individualismos. Observó la fotografía de Iswolsky, y Adatchi le mostró la de Demidoff, diciendo que Elim era tocayo suyo. Jamás olvidan *nada*.

Hoy todos los oficiales fueron a las célebres pirámides de San Juan Teotihuacan acompañados por el ministro de Educación Pública. Es un paseo fatigoso pero que siempre se organiza para los extranjeros distinguidos. (Yo lo hice con Madero, y llegué hasta los últimos escalones tan altos, exhausta y goteando, apoyada en su brazo.) Ellos, los ja-

* asilo nocturno *(N. de la T.)*

poneses, iban al Jockey Club, donde Moheno, el ministro de Relaciones Exteriores, les ofrecerá una cena. El gobierno está tan endeudado con varios restaurantes que no pudieron conseguir crédito para hacer la cena en el Sylvain's, como planeaban inicialmente.

Esta tarde encontré a lady Carden en el bridge. Se siente mal por el modo como se van desarrollando las cosas para su marido. Lo han llamado a Londres "a informar", igual que llamaron a Henry Lane Wilson a Washington, supongo. Hohler, que era *chargé* cuando llegamos por primera vez a México, ya está *en route* desde Inglaterra para hacerse cargo de la legación durante la ausencia de sir Lionel, pero supongo que sir Lionel no regresará. Le dije a lady Carden que diera mis mejores saludos a sir Lionel, agregando que en la embajada las cosas estaban lejos de ser pura diversión.

Sin embargo, sir Lionel no debería haber intentado oponerse a Estados Unidos. Todos los representantes se han vuelto un poco más cautelosos con respecto a "la política" a raíz de la desagradable notoriedad periodística que alcanzaron sir Lionel y Paul May. Lady Carden no se va, me alegra decirlo, y todos estamos haciendo planes para consolarla de la ausencia de sir Lionel.

31 de enero

Ayer recibí tu cable "Amor" y envié otro, "*Bene*", en respuesta. He estado pensando en aquellas horas, ya hace muchos años, en que mi adorada madre reposaba conmigo, su primogénita recién nacida, en los brazos.

Nelson ha recibido una proclama de agentes revolucionarios en la ciudad de México. La parte referente a los extranjeros afirma que cualquier protección que brinden a Huerta, o a sus allegados, provocará su ejecución inmediata y que en tales casos no se respetará *ninguna* bandera. Es uno de esos pequeños documentos amables que inspiran confianza y lo inducen a uno a meditar sobre la situación mexicana, no como podría o debería ser sino como *es*. Su lema es muy expresivo: "La revolución es la revolución".

Primero de febrero. Por la tarde

Escribo unas breves líneas mientras espero el té y a los visitantes. Esta mañana hicimos un paseo magnífico por el camino de Toluca con Seeger y el señor y la señora Graux, nuestros amigos belgas, los que llamamos *chemins de fer secondaires*.* Más allá de Tacubaya el camino se eleva a gran altura por encima de la ciudad, y durante millas los automóviles anduvieron por las alturas, atravesando trechos de tepetate blanco deslumbrante y tezontli rosa, las piedras de construcción de la ciudad desde época inmemorial. El camino estaba muy animado con indios que traían sus productos esta mañana de domingo. Venían de Toluca, a setenta kilómetros de distancia, moviéndose incansablemente por sus caminos con el corto y rápido trote azteca y llevando tales cargas de cerámica, canastos y leña que no se les veían más que los pies. También éste es territorio zapatista, y nos habíamos provisto de tres pistolas. En lo alto de los cerros podía verse el humo de las fogatas de campamentos, lo mismo de zapatistas o de carboneros. Fue en este camino que el hijo del ministro de Guerra, Blanquet, fue asaltado hace unas tres semanas. Hicieron desnudar a su grupo y sus miembros fueron enviados de vuelta tal como vinieron al mundo, pues les quitaron hasta el último abrigo posible, incluso la alfombra del automóvil.

Sin embargo, aparte de ser detenidos a intervalos por gendarmes que intentaron, sin éxito, hacer que dejáramos nuestras pistolas en la jefatura del pequeño poblado, nadie interfirió con nosotros. Nuestro grito de "embajada americana", aunque ya no es demasiado popular, no ha perdido toda su fuerza. A pesar del sol deslumbrante hace mucho frío en las alturas, y en el pueblito donde nos detuvimos para poner agua a nuestro auto se reunió a nuestro alrededor una multitud de indios medio desnudos que tiritaban y tosían, estornudaban y moqueaban, aparentemente padeciendo una de esas epidemias bronquiales que abundan en estas atmósferas altas y finas. Me temo que las monedas de cobre, aunque aceptables, no resultaron terapéuticas, porque, sin duda, después de nuestra partida todos acabaron en la pulquería más cercana. No podíamos decidirnos a dar la vuelta para dirigirnos al almuerzo y seguimos avanzando. Nos metimos en el valle de Toluca hasta donde está la estatua de Hidalgo, erigida en el lugar donde se encontró con las fuerzas virreinales en 1821.** Siempre me parece un sitio triste, porque cuando cayeron los españoles cayó el último gobierno estable de México, con excepción de los treinta años de Díaz.

* vías secundarias *(N. de la T.)*

** La autora confunde fechas. Hidalgo se enfrenta a los realistas en ese sitio en octubre de 1810. *(N. del E.)*

En la base de la estatua estaban sentadas tres mujeres indias, *enrebozadas*. Cada una de ellas tenía un bebé echado a la espalda y un bulto al lado, lo que daba a la escena una nota de misterio, inmutabilidad y soledad indias. En México nunca falta nada para que cada imagen sea bella en sí.

Hoy llegó una carta muy gratificante del señor John Bassett Moore, consejero del Departamento de Estado. Hay tantas dificultades, tantas enemistades listas para alzar sus cabezas ponzoñosas, tantas transacciones delicadas, hay tanto en la balanza que es estimulante recibir a veces una palabra de aprecio del cuartel general. También llegó una carta muy amable del general Crozier. Me alegro mucho de aquella visita suya a México hace dos años. Él entenderá exactamente cuál es la situación, y además muchas otras cosas.

Nelson pasó toda la mañana del sábado recibiendo la cuota correspondiente a 1914, para el Fondo Piadoso de las Californias. El duodécimo pago desde la decisión de La Haya en 1902. Díaz se proponía pagar el capital, pero ahora, por supuesto, el país no está en condiciones de hacerlo. Fuimos a Hacienda (la Tesorería) y me quedé sentada en el auto al sol en el histórico Zócalo, foco de los acontecimientos mexicanos desde época inmemorial. Los funcionarios sólo tenían 37,000 de los 43,000 dólares, pero le dijeron a Nelson que regresara a las doce y media y tendrían los otros seis mil. No pude evitar preguntarme de dónde los sacaron. Finalmente todo quedó depositado en el banco. Después recogimos a los Graux en el hotel Sanz y fuimos al Country Club para almorzar y jugar golf.

Primero de febrero, 10:30 de la noche

Esta noche llegó el temido cable de Washington avisando que el presidente se propone levantar el embargo de armas y municiones. La nota era para información especial de Nelson, no para entregarla a Relaciones Exteriores todavía, pero llegará la hora en que tendrá que prepararse para hacerlo. Ha sido enviada a todas las cancillerías de Europa, donde iniciará una tormenta, que será más o menos violenta según la cantidad de inversiones materiales en México. Apenas sabemos qué pensar; estamos confundidos y como atontados. Me alegro de que por lo menos tendrán que pasar algunas horas antes que los hechos se hagan públicos. Creo que no me atreveré a salir sin velo. Aun cuando los mexicanos han sido muy corteses con Nelson y conmigo, algún día, en vista de las terribles catástrofes que les hemos causado, su paciencia tiene que acabarse. Este acto no establecerá a los rebeldes en la ciudad de México, ni en ninguna otra parte, pero prolongará indefinidamente esta terrible guerra civil y hará crecer la marea de sangre de hombres y mujeres "y los niños —oh, mis hermanos".

Creo que Wilhelmstrasse, Downing Street, Quai d'Orsay, Ballplatz y todos los demás *ministères* encontrarán muchas fallas en el documento del presidente, pero ¿qué pueden hacer excepto lanzar anatemas contra nosotros a nuestras espaldas?

2 de febrero

Mi primer pensamiento al despertar esta mañana fue sobre la catástrofe irremediable que amenaza esta hermosa tierra. Nelson dice que él piensa que Huerta no hará caso, como no ha hecho caso de otras medidas del señor Wilson; pero no puede dejar de ser otra fuente de grave incomodidad.

3 de febrero, 11am

Acaba de llegar el segundo telegrama, diciendo que el presidente se propone levantar el embargo dentro de pocas horas y que Nelson debe informar a todos los estadunidenses y extranjeros. No hago más que repetir para mis adentros: "¡Dios! ¡Dios! ¡Dios!". Una generación de ricos y pobres por igual quedará a merced de las hordas que tendrán nuevas fuerzas y medios para luchar y abrirse paso por todo el país comiendo, pillando y violando. Habrá una estampida de gente abandonando la ciudad esta noche y mañana, pero los del interior ¿qué será de ellos? Es seguro que habrá violentas manifestaciones antiestadunidenses, especialmente en lugares apartados.

12:30

Las primeras noticias se filtraron anoche desde Veracruz. De la embajada no sale nada, porque todo nuestro personal sabe ser discreto. Es lo que el señor Lind ha deseado durante meses, y supongo que la noticia era demasiado satisfactoria para guardarla en secreto. La leerás mañana en el *Herald* de París y en el *Journal de Genève*. No te preocupes por nosotros. Tendremos protección de primera clase *si* Huerta declara la guerra. Es posible que no lo haga. Su política, que ha sido muy fuerte, es ignorar las proclamas de Washington. Por otra parte no debe tener intención de ser atrapado por Villa como una rata en un hoyo, y quizá una guerra con nosotros le parezca una solución más gloriosa a sus problemas. Villa y Carranza no llegarán a la ciudad juntos. No hay calle lo suficientemente ancha para permitir la doble entrada de sus contrarias pasiones, su violencia y su codicia.

Es "para morir de risa" cuando se agradece pública y oficialmente a Villa por sus generosas promesas de respetar vidas y propiedades en el norte.

3 de febrero. Por la noche

Hoy es un día atareado, como bien puedes imaginar. Nelson tuvo que informar a las diferentes legaciones. Yo fui a almorzar con él al centro, cosa que nunca hago. Encontramos al ministro español recorriendo el Paseo en su victoria, una figura patética. Ha tenido tantas preocupaciones y disgustos por la situación y se ha encontrado tan indefenso frente a las desgracias que han caído sobre sus compatriotas que ya nada le sorprende. Al oir las noticias sólo hizo un cansado gesto de aquiescencia. Para él, el levantamiento del embargo era, sin duda, algo inexplicable. Von Hintze había salido, y nuestra siguiente parada fue en la legación francesa, justo frente a la alemana. Eyguesseparsse, el secretario, que posee una de las siluetas más elegantes del mundo, estuvo sumamente cortés pero impasible cuando salió con Nelson a hablar una palabra conmigo. Está casado con una hermosa joven mexicana —hermana de Rincón Gallardo, marqués de Guadalupe— cuyo tiempo, fuerza, dinero y vida, si es necesario, están a disposición de su patria.

Cuando llegamos al restaurante en Plateros, el lugar más público y apropiado que se nos ocurrió para evitar alarmas, los periodistas asaltaron a Nelson con preguntas. La "nota" que buscan es saber cómo están las relaciones de Huerta con Nelson y la embajada, y anuncian que no van a perder de vista al *chargé*.

Después del almuerzo, en el cual nos acompañó el señor S., fuimos a la legación británica. Nelson dio las noticias a sir Lionel, mientras yo paseaba por el jardín con lady Carden, ambas estábamos decaídas y con los nervios de punta. Regresé a casa, descansé unos minutos y después me vestí y salí a cumplir mi programa de visitas verspertinas; llegué tarde al bridge en casa de madame Simon. Ella me preguntó directamente, aunque en el francés más amable: "¿Qué está haciendo su gobierno?". Vi a mucha gente durante la tarde, pero aparte de ese saludo no hubo una sola palabra de política. Creo que el asunto es demasiado desagradable para hablar de ello con alguien como yo, con quien es preciso cuidar la expresión de sentimientos.

Regresé a casa con lady Carden, quien estaba silenciosamente atónita ante la situación, justo a tiempo para cambiarme de ropa y bajar para la cena. En el *salon* esperaban Seeger y los Graux (quienes se van mañana para Veracruz y Nueva York). Nelson llamó para decir que estaba en el Palacio, a punto de entrar a ver a Huerta. Puedes imaginarte que tuvimos una cena animada por conjeturas. Regresó justo a tiempo para despedirse de los Graux, y después que se fueron estuvimos levantados hasta tarde hablando de esta terrible situación.

Sir Lionel se encontraba con el presidente cuando llegó Nelson. Por los violentos sonidos que llegaban a través de la puerta entreabierta Nelson pensó que por fin el viejo habían perdido la paciencia y el control, y se preparó para lo peor. Sin embargo, cuando finalmente entró, Huerta estaba perfectamente calmado y nunca fue más amigable. Jamás mencionó el nombre del presidente Wilson, y sobre el levantamiento del embargo observó con tranquilidad que no cambiaría mucho las cosas, sino que sólo daría un nombre reconocido al contrabando que viene haciéndose por la frontera desde hace tres años. Repitió muchas veces que el futuro lo justificaría, que él no había tenido nada que ver con la muerte de Madero y que la actitud de la administración hacia él era una simple "persecución". Nelson dice que jamás pestañeó. Terminó la entrevista diciendo que apreciaba mucho las cortesías tanto públicas como privadas de Nelson y que él era "muy necesario para la situación", tras de lo cual ordenó *copitas* y la cuestión del embargo quedó abandonada.

A propósito de las *copitas,* mientras estábamos hablando llamaron a Nelson para avisar que habían encarcelado a una periodista inglesa y a Wallace, el hombre que nos envió el Departamento de Estado, por intentar fotografiar a Huerta en el Café Colón, mientras bebía su *copita.* Ambos fueron puestos en libertad muy tarde, o más bien muy temprano, y creo que se lo merecían. La reputación de bebedor de Huerta se ha vuelto muy exagerada.

La entrada, la escalera y la cancillería estuvieron repletas de periodistas toda la tarde, hasta la una de la mañana. Ha sido un largo día de responsabilidad, excitación y fatiga.

4 de febrero

Los periódicos traen titulares impresionantes sobre el presidente Wilson. *El Puritano* ya sin su máscara, se ha declarado amigo de bandidos y asesinos, son sólo los ejemplos más leves.

Por la noche

Otro día completo. Toda la mañana estuve haciendo mandados. Por la tarde, después de decidir si brillar por mi ausencia o deslumbrar a mis amigos mexicanos con toda la luz de mi presencia estadunidense, decidí hacer visitas. Encontré a todo el mundo en su casa. Fui primero con la señora Gamboa, donde tuve que hablar español. Felizmente tienen algunas antigüedades muy buenas para sostener la conversación. Después fui a ver a los Evans. Han comprado una hermosa casa mexicana antigua y todos estamos interesados en ver cómo la modernizan sin estropearla. Después de eso fui a Tacubaya, y en el camino por la amplia calzada vi a la leva en acción. Había unos veinte hombres rodeados por hileras de soldados, y dos o tres mujeres de aire desconsolado.

La casa de la señora Escandón está situada en medio de uno de los hermosos jardines por los que Tacubaya es célebre, rodeado por altos muros cubiertos por un tumulto de flores y enredaderas. Ella y su hija, la señora Soriana, estaban en casa. El yerno es un español; es un genio de la mecánica y se la pasa este periodo revolucionario pacíficamente construyendo modelos pequeños y perfectos de barcos de guerra y locomotoras. Debo llevar a Elim allá cuando la "pequeña flota" esté en el laguito del jardín. Los Escandón son personas inmensamente ricas, agradables y cultas, pero como todos los de su tipo guardan distancia de la política. Su cortesía perfecta y amistosa me dio bastante tristeza.

Al regresar a casa, encontré a Clarence Hay con Nelson en el portón y lo llevé conmigo hasta el centro. Disfruté hablando y oyendo inglés en lugar de hablar mal español u oir mal francés. Luego examinamos una tienda de antigüedades y regateamos un poco, lo cual fue refrescante. En el camino de regreso me detuve en casa de madame Simon, donde encontré a Rincón Gallardo, quien entre otras cosas es jefe de los rurales.

Tenía muchas cosas interesantes que decir sobre la cacería de zapatistas, que parece ser el principal tipo de "caza mayor". Después de caer de improviso sobre pueblos adormilados, los zapatistas se retiran a sus fortalezas en los cerros. Para cuando la noticia llega a los lugares donde están apostados los rurales, ya pasó lo peor. Al día siguiente uno se encuentra con personas de aspecto inocente trabajando en los campos o pidiendo limosna: ¡los bandidos de la noche anterior! Haría falta un Hércules para limpiar este país montañoso de "la plaga de bandidos". Naturalmente que un arma, un caballo y toda la fuerza son más atractivos que un arado y una milpa.

Hay rumores de una manifestación de estudiantes para mañana —es el día de la Constitución— en que se proponen recorrer las calles gritando "¡Muera Wilson!". Todo el mundo fue cortés e, incluso, afectuoso al saludarme. Lo que piensan sobre el levantamiento del embargo ayer se lo guardan o lo expresan cuando no estoy. Hasta Rincón Gallardo, que está dando *todo* —tiempo, dinero, cerebro— a la pacificación del país bajo Huerta, mantuvo su exquisita calma.

XIV

Un "buen botincito" para bandidos. Té en San Ángel. Un picnic y un pueblo en llamas. La lección de "Dos Tontos". El nuevo ministro de Austria-Hungría. Fábrica de cigarrillos. Mensaje de Zapata.

6 de febrero

Ayer no hubo disturbios de ningún tipo. Nunca han estado las calles más pacíficas ni los cielos más tranquilos y bellos. Madame Simon ofreció una comida para el nuevo ministro austrohúngaro y después nos fuimos todos en auto por la carretera a Toluca, y avanzamos hasta un lugar muy alto desde el cual podíamos ver el sol poniente llenando todos los rincones del valle de Toluca con llamas de colores translúcidos, morados, rojos y castaños. Era como una Nueva Jerusalem o cualquier otra gloria prometida. Cada vez que veíamos un grupo a caballo nos preguntábamos si serían los temibles zapatistas que tanto inquietan esa parte del mundo. Sin embargo, todo estaba cuidadosamente patrullado, con hombres armados de tramo en tramo, con sus cartucheras llenas y sus rifles atravesados en la silla.

Nuestro grupo habría sido un "buen botincito" para bandidos: el ministro austrohúngaro, el ministro de Italia, Joaquín García Pimentel, el señor y la señora Ösi, madame Simon y yo. La señora Ösi llevaba una sarta de perlas magnífica y un enorme broche de diamantes que relucía al sol poniente. Yo dejé mis joyas en casa y madame Simon mantenía las suyas bien cubiertas. Me asombra que hayamos podido regresar igual a como nos fuimos. Fue maravilloso bajar de las alturas hacia la ciudad brillante de luces en la misteriosa media luz mexicana.

Me pregunto qué irá a hacer el presidente Wilson acerca de la revolución en el Perú. Veo que han deportado a Billinghurst desde el Callao y Augusto Durand, el jefe revolucionario, ha asumido la presidencia. Uno o dos días antes su cabeza tenía precio. Hará falta más de una administración para curar a los latinoamericanos de su gusto por las revoluciones. Te he enviado un ejemplar de *Cosmopolitan* con un artículo, "Dos tontos", de Frederick Palmer: se refiere a cierto aspecto candente de la situación mexicana que ha provocado muchos comentarios.

8 de febrero. Por la noche

Ayer fuimos a tomar el té al hermoso San Ángel Inn, seis personas en un automóvil y dos autos vacíos detrás. Viajar en auto por este maravilloso altiplano es una de las alegrías de la vida en México. Vimos el ocaso sobre los volcanes hasta que la "Dama blanca", Iztaccíhuatl, teñida de rosa, no era sino una gigantesca forma tendida contra un cielo púrpura, cubierta por una mortaja blanquiazulada; después volvimos a la carrera para cenar con Clarence Hay y los Tozzer, quienes tenían un palco para una apacible función de circo por la noche. Anteanoche, según le dijo Von Hintze a Nelson (y él está siempre bien informado), fusilaron a cuarenta hombres y oficiales en los cuarteles de Guadalupe Hidalgo. Acusados, quizá con razón, de conspirar contra Huerta. Desde hace días hay persistentes rumores de un levantamiento militar o *cuartelazo,* como lo llaman. Es posible que en el momento señalado uno de esos levantamientos triunfe. Si empujan a Huerta a la bancarrota y ya no puede pagar a sus tropas ¿qué será de *nosotros,* los extranjeros? Él manifestó toda la verdad acerca de las elecciones cuando aseguró que las condiciones eran tales que el gobierno de la nación necesariamente debía estar en pocas manos. Sin duda piensa que una dictadura eficaz sería la mejor solución, y eso porque conoce muy bien a su propio pueblo.

Esta mañana, después de la misa de las nueve, salí con Seeger, Hay, los Tozzer y Elim hacia Texcoco. Fue maravilloso andar a través del aire suave pero brillante, y cada vuelta de rueda nos llevaba a lugares históricos. Texcoco era la Atenas de México en días de los aztecas, y toda la extensión de este camino ahora tan polvoriento se recorría en canoas y barcas. Cerca de Chapingo hay una gran columna que marca el sitio del que partió Cortés en su bergantín, en su último desesperado y exitoso intento por conquistar la ciudad de México. Fue desde la cima de los cerros lejanos que los conquistadores vieron por primera vez las maravillas de Tenochtitlan, entre sus lagos resplandecientes y su miríada de jardines.

Encontramos que era día de mercado en Texcoco, y la vida indígena palpitaba al máximo en la antigua plaza con su reloj de sol azteca, sus palmas y sus eucaliptos. Allí los indios habían colocado innumerables puestos de cerámicas, canastos, cobijas, frutas y verduras. Nos divertimos mucho observando a una muchedumbre reunida en torno a un caldero humeante en el que un cerdo, todavía bastante intacto en su forma, se iba convirtiendo en sopa tan rápido como el agua y el fuego podían lograrlo. Cortés, en una de sus famosas cartas, nos da una descripción detallada de un mercado indígena, como si fuera un agente viajero moderno enviando datos a la empresa. En la cercana iglesia antigua estuvo por muchos años su corazón aventurero. Ahora sólo entran y salen de ella multitudes de indios analfabetos. Al lado hay un vasto seminario del periodo español, en desuso desde las Leyes de Reforma. Los resultados más visibles de estas leyes parecen ser, hasta donde he podido descubrir, grandes y polvorientos espacios vacíos donde antes hubo escuelas. Los hay por todo México.

Texcoco no ofrece muchos atractivos para los excursionistas modernos, de modo que regresamos en el auto y nos detuvimos en la hacienda de Chapingo, que perteneció a González, presidente de México antes del segundo gobierno de Díaz. A *él* le permitieron abandonar el país. Como señala Dooley: "En México no existe la palabra 'expresidente': se les conoce como 'el lamentado difunto' o 'el fugitivo de la justicia', y el único problema que tiene el país con los que permanecen en él es llevar la fiesta en paz".

La entrada a la casa, ostentosa y arruinada, está adornada por hermosas avenidas de eucaliptos y rodeada por docenas de casas de peones. El administrador nos autorizó a comer nuestro almuerzo en el jardín y nos sentamos alrededor de una vieja fuente seca y cubierta de flores. Hay recitó y nosotras recogimos ramos de violetas sin movernos ni una pulgada, y observamos a unas alegres lagartijas que entraban y salían a toda velocidad. Al regresar vimos grandes remolinos de polvo que con giros regulares se elevaban hacia el cielo sobre el lago; son el resultado de las obras de drenaje del lago y del valle de Texcoco.

Cuando pasamos el Peñón y enfilamos por el recto camino de vuelta alguien observó: "No hay actividad en la línea zapatista esta vez". Pero un instante más tarde se oyeron ráfagas de tiros por el rumbo de Xochimilco y vimos nubecillas de humo. Después llegaron como cuarenta rurales al galope. El sargento, un tipo de cara fresca y poco entendimiento, nos detuvo y nos preguntó si sabíamos de dónde venían los disparos. Aparentemente nosotros, sabiendo tan poco, sabíamos más que él. Y continuó en tono desvalido: "Son disparos de máuser, pero no hay tren, no hay teléfono ¿Cómo le vamos a hacer?". Cuando le preguntamos cómo se llamaba el pueblo donde ocurría eso se encogió de hombros y respondió: "¿Quién sabe?". Finalmente dejamos a los rurales librados a su suerte y encontramos un grupo de mujeres que corrían para poner a salvo sus vidas y su virtud. Todas ellas aprenden a salirse del camino de los soldados, pues lo menos que les toca oir son groserías horribles. No es raro ver una figura de falda rosa o azul perseguida entre los magueyes.

Regresamos a la embajada y tomamos té; ahí nos enteramos de que el enorme fuego que habíamos visto arder en la ladera de un cerro no muy alejado, y que pensamos que podría ser de un campamento de carboneros, era un pueblito saqueado por los zapatistas e incendiado a las dos de la tarde, mientras nosotros disfrutábamos nuestro apacible picnic en Chapingo "coronado de violetas".

Los Tozzer y Clarence Hay parten mañana por la noche hacia Oaxaca y Mitla, por una semana. A mí me habría gustado ir, pero nuestro lema es "nada de viajes". Debemos mantenernos alejados de cualquier posible problema. Después vino de visita Kanya de Kanya, el nuevo ministro austrohúngaro. Ha pasado diez años en el Ministerio de Relaciones Exteriores en Viena y se alegra de haber salido del torbellino de la política del Cercano Oriente. Para él, México es un lugar relativamente tranquilo. Hay apenas quinientos o seiscientos de su nacionalidad en todo el país, y casi no ha habido nada para ellos desde la tragedia de Maximiliano. Kanya es húngaro. Será un colega agradable y, sin duda, espero que el magiar se luzca. Dicen que es muy musical.

Por la noche Seeger regresó a cenar, y también Burnside, quien ha venido de Veracruz uno o dos días. Tuvimos una velada "política". Examinando las cosas parece que Estados Unidos, al contribuir al derrocamiento de Díaz, hace tres años, inició aquí la mortal obra de desintegración.

Pero todo el tiempo tengo ante los ojos el fondo encantador de cerros azules y lagos brillando con la puesta del sol; millones de patos salvajes volando a través del lago de Chalco; arriba el pueblo humeante y abajo el eco de los rifles máuser.

9 de febrero

Hubo un agradable almuerzo para Kanya en casa de los Lefaivre. Ellos —los Lefaivre— están agotados por su larga permanencia en México, cinco años, y las pesadas responsabilidades que implican las pérdidas materiales de los franceses, cada vez mayores; planean irse de licencia en marzo. Son buenos amigos y los extrañaré mucho, pero he aprendido a ver las separaciones con filosofía. La vida siempre vuelve a llenarse, como una jarra mágica.

Los periódicos han estado dando los detalles del horrible desastre del túnel de la Cumbre en Chihuahua, hace unos días. Un jefe de bandidos, Castillo, lo incendió lanzando hacia él un tren maderero en llamas. Un tren de pasajeros se topó con el incendio y todo lo que se ha podido recobrar son unos cuantos huesos carbonizados. Está cerca de la frontera y dicen que Villa permitió que el equipo de rescate llevara una escolta de soldados estadunidenses. En el tren había mujeres y niños estadunidenses; pero es —o podría ser— un paso trascendental para que nuestras tropas penetren en México. Dicen que Castillo lo hizo para vengarse de Villa. Este último está probando las responsabilidades que vienen con el éxito. Tiene que proteger Chihuahua, Juárez y una larga línea ferroviaria, y estoy segura de que la guerra de guerrillas no le parece un pasatiempo recomendable cuando se dirige contra él y sus ambiciones.

10 de febrero

Esta mañana visitamos la magnífica fábrica de cigarrillos del Buen Tono. Su fundador y millonario propietario es Pugibet, quien hace cuarenta años vendía cigarrillos en la calle. La fábrica es un modelo en todos sentidos, y un testimonio de su cerebro, energía e iniciativa. Él mismo nos mostró todo el vasto lugar. En una de las salas se abstuvo de instalar maquinaria porque eso habría significado dejar sin trabajo a centenares de mujeres.

¡Oh, la habilidad y agilidad de esas hermosas manos indias! Sus movimientos son tan rápidos que uno apenas ve algo más que el artículo terminado. Nos cargó de cigarrillos y muchos regalitos, y regresamos a casa después de visitar la gran iglesia que construyó cerca de allí. Al llegar a casa encontré las palabras "Papa", "Mama", "Elim" y "Kuss" escritas con gis blanco en grandes letras sobre la puerta de entrada, y lamenté tener que mandarlas limpiar.

Nelson ha protestado ante la cancillería por el lenguaje injurioso empleado por *El Imparcial* sobre el presidente Wilson, ya que este periódico es un órgano del gobierno. "Un puritano malvado con malos dientes de caballo"; "Exótico y nauseabundo pedagogo carrancista", son muestras de su estilo.

Por la noche

Todo el día he tenido el corazón encogido al pensar en los horrores que se multiplicarán. Nelson fue esta tarde a ver a Gamboa. De paso se mencionó el levantamiento del embargo y Gamboa dijo que pensaba que Huerta podría declarar la guerra. Igual que todos los demás, sin duda está pronto para abandonar al viejo. *Après moi le déluge** y "que el diablo se lleve al último" son los sentimientos que invaden a la gente aquí. El señor Jennings acaba de llamar para preguntar si sabíamos que interceptaron el correo de los zapatistas. En él iba una carta de Zapata al presidente Wilson, diciendo que él apoya y está completamente de acuerdo con su política (de Wilson) hacia Huerta. ¡Se dibujó una sonrisa en el rostro de todos!

A las cuatro fui a ver a los García Pimentel, donde cosimos para la Cruz Roja hasta las siete. Las mujeres presentes eran todas esposas o hijas de ricos hacendados. Me preguntaron si había noticias, y como siempre respondí: "Nada nuevo", pero sentí que se me nublaban los ojos. Esta medida es un duro golpe para ellos. Los hacendados en esta parte del país han hecho grandes sacrificios para cooperar con el gobierno federal (lo único visible con forma de gobierno), con la esperanza de conservar sus propiedades y contribuir a la paz.

Cuando regresaba a casa había una muchedumbre frente a la iglesia de La Profesa, en Plateros. La iglesia había sido parcialmente destruida por un incendio la noche anterior; su segunda desgracia desde nuestra llegada. La gran cúpula se resquebrajó durante el terrible terremoto del 7 de junio de 1911, aquel inolvidable día en que vi a Madero hacer su entrada triunfal en México. A las cuatro y media de la mañana la ciudad se agitaba como una nave en la tempestad, con un extraño ruido como de huracán.

La Profesa, que apenas acababan de reparar, fue construida a fines del siglo XVI y era un centro de actividad jesuita. Durante los siglos XVII y XVIII todos los grandes matrimonios, bautizos y funciones importantes tenían lugar en ella. En mi mente puedo imaginar el espectáculo de altivos virreyes y sus enjoyadas esposas, todos los funciona-

* después de mí el diluvio *(N. de la T.)*

rios relucientes y, por último pero no menos importante, el inevitable acompañamiento de la población indígena entrando y saliendo. Ayer, en San Felipe, la misa fue celebrada por un cura de marcado tipo ascético español del siglo XVIII, estilo Merry del Val. Cuando se volvió para dar la bendición pensé en tantos elegidos religiosos españoles que en épocas pasadas se volvieron con el mismo gesto y la misma expresión a dar la misma bendición a multitudes semejantes de rostros indios alzados hacia ellos. Los indios llenan las iglesias y agradezco que sea posible mostrarles el paraíso en alguna parte, y de alguna manera. Aquí abajo no son más que bestias de carga.

XV

Partida del ministro británico. Armas y marines en Veracruz. Pasan revista militar en la Condesa. Mister Lind. *El caso Benton. Huerta predice la intervención. Villa en Chihuahua.*

12 de febrero

Sir Lionel Carden partirá la próxima semana. Está muy amargado (y creo que con razón) por su experiencia en México. Se va a Londres *via* Washington. Supongo que se propone decirle muchas cosas al presidente, pero cuando llegue no lo hará. Algo en el aire le hará sentir que todo es inútil...

La protesta de Nelson ante la cancillería por el lenguaje abusivo de *El Imparcial* salió en grandes titulares en los periódicos de ayer. La lengua española se presta extraordinariamente bien para el insulto. Díaz Mirón, el autor de los artículos, ahora anda diciendo que matará a Nelson en la primera oportunidad. No creo que nada suceda, sin embargo, genera cierta incomodidad en esta tierra de sorpresas.

13 de febrero

Esta mañana recibimos un telegrama avisando que el padre de Nelson está gravemente enfermo (neumonía) y todo el día he estado desgarrada en angustias de indecisión. ¿Debo ir a Nueva York, posiblemente a tiempo para cerrar esos hermosos ojos ancianos? ¿O debo quedarme aquí?

Nelson se propone hacer venir de Veracruz a seis marines. Podríamos alojarlos aquí. Esta casa fue construida como si fueran dos departamentos grandes, que después fueron unidos por medio de puertas y escaleras cuando la tomó una embajada. En el enorme comedor del piso alto cabrían fácilmente seis catres y lo necesario para lavarse. Ahora se usa para guardar baúles, para planchar y para guardar de todo. Personalmente no creo que en la ciudad de México vaya a pasar nada, más allá de mi premonición de que cualquier día de éstos podríamos dar asilo a Huerta. El pergamino que contiene su hora final todavía permanece enrollado en el regazo de los dioses.

17 de febrero

Esta mañana resolví no ir a Nueva York, pese a que Berthe ya tenía mis cosas listas para salir mañana por la noche. Tuve miedo de no poder llegar a la ciudad cuando estuviera de regreso en Veracruz.

Esta mañana fui a ver a Von Hintze y le hablé de la función de circo para la Cruz Roja, el viernes por la noche. Él ya había mandado invitaciones para una gran cena precisamente en esa fecha, pero la pospondrá para el sábado. Opina que aquí habrá problemas y *pronto*, y que jamás tendré tiempo de ir y regresar a Estados Unidos. Así se deciden los destinos. De repente vi con claridad que debía quedarme con Nelson y mi niño, y esperar el resultado. Von Hintze considera que la situación es desesperada y ha enviado una circular diciendo a sus compatriotas que abandonen el país. En ese cuento, "Dos tontos", verás algunas de las desventajas que representa el irse para las personas que tienen todo aquí. Von Hintze mandó traer de Veracruz armas de tiro rápido Maxim. En caso de tumultos tres buenas ametralladoras y hombres que las sepan manejar darían amplia protección a cualquiera de las legaciones.

Díaz Mirón, el hombre que amenaza la vida de Nelson, ya ha matado a tres hombres. Otro individuo a quien le disparó anda cojeando por la ciudad, y él mismo tiene un brazo lastimado. Es un poeta y un neurótico, aunque en su juventud escribió algunos de los versos más hermosos que existen en español. Ahora está viejo, violento y excéntrico. No creo que de sus amenazas vaya a resultar nada. Huerta tiene otros Díaz Mirón, pero un solo *chargé d'affaires* estadunidense, y si es necesario puede meter a Díaz Mirón en la Penitenciaría o en Belén. Sólo temo que algún otro loco tome la idea y haga lo que Díaz Mirón no ha podido hacer.

Esta tarde llegó un cable muy lindo del señor Bryan, diciendo que el presidente está profundamente preocupado por las amenazas contra Nelson y que debemos arreglar que cada vez que salga de la embajada lo sigan hombres del servicio secreto, y también, si es necesario, tener una guardia militar en la casa. Hace varios días que tenemos a un hombre del servicio secreto caminando de arriba para abajo ahí afuera, y debe estar aburriéndose mucho.

La mañana estuvo templada pero brillante cuando me fui caminando hasta casa de Von Hintze. Parece extraño que sobre un telar tan hermoso deban tejerse hechos sangrientos y tragedias. Von Hintze no es un alarmista, pero al decirme que me fuera a Nueva York, basando su teoría en que todo el que pueda irse debe hacerlo, ciertamente hizo que decidiera quedarme. *No puedo* estar lejos si algo sucede aquí. Y ahora estoy de nuevo tranquila. El hecho de haber estado dispuesta a partir, sin evadir la tarea difícil, me permite quedarme en paz.

18 de febrero

Tenemos como nuevo secretario de Relaciones Exteriores a un caballero, que va a sustituir a Moheno, el alegre entrometido que ocupó el cargo durante los últimos meses. Se supone que López Portillo y Rojas, el nuevo secretario, es un mirlo blanco, es decir un hombre honesto. Ha ocupado varios cargos públicos sin hacerse rico, ni siquiera cuando fue gobernador del estado de Jalisco. Pero él, como todos, hará lo que dicte Huerta.

Máximo Castillo, el bandido responsable del horrible accidente del túnel de la Cumbre, fue capturado ayer por tropas estadunidenses. En el desastre murieron veintiún compatriotas. Me pregunto qué hará Washington con él. ¿A cuál de los dos dirigentes aún no reconocidos podrá entregarlo? Fue atrapado cuando daba un gran rodeo a una cadena montañosa con unos pocos seguidores, tratando de evitar a Villa. Es otro caso de buena suerte para "el tigre".

Huerta continúa teniendo fe-en-sí-mismo. Nelson dice que a menos que Von Hintze tenga informaciones precisas de que Blanquet (secretario de Guerra y amigo íntimo de Huerta) va a traicionarlo, el final todavía está lejos de divisarse. Pero la traición es parte de este paisaje al igual que los volcanes.

Tuve un día agotador, lleno de contrariedades; además, tuvimos la primera tolvanera de la temporada, lo que ayuda a poner los nervios de punta. El gobierno nos manda tres ametralladoras Gatling, que Nelson debe hacer entrar al país "como le parezca mejor". No será sencillo. Aquí todo está en situación inflamable, y no hace falta más que un cerillo para que todo se encienda.

Por la noche

Acabo de regresar de la recepción de la señora Huerta en Chapultepec. Fue la primera en dos meses, porque ha estado de luto por la muerte de su hermano. La "corte" vestía de negro. Para el té me encontré sentada al lado de Huerta, aunque quien me acompañó hasta la mesa fue el secretario de comunicaciones, "Highways and Buyways" "carreteras y compra caminos" como lo llaman. Tuve una pequeña conversación "de corazón a corazón" con el presidente, lamentablemente en mi mal español. Me dio unas flores y me ofreció todas las delicias que había en la mesa, y a cambio yo le di un clavel rojo para la solapa. Pidió enchiladas y tamales —no le interesan las jaleas color de rosa ni los sándwiches delicados— pero el mayordomo, sonriendo, le dijo: "No hay".

Estaban presentes algunas *gens du monde*.* Parece cruel que boicoteen a su propio gobierno como lo hacen en forma continua y consistente. Huerta prometió poner a nuestra disposición una casa más grande para la Cruz Roja, y yo le pedí que asistiera a la función benéfica del circo, el viernes, aunque sólo fuera por un momento. Tiene algún compromiso militar para esa noche. Creo que después podremos organizar una corrida de toros realmente productiva para la Cruz Roja, si él lo sanciona. En este país siempre hay dinero para corridas de toros. Si no costaran tan caros los toreros, y los toros, una corrida sería una excelente forma de financiar cualquier organización.

Después del té, Huerta estuvo todo el tiempo con Nelson en la recámara contigua al gran *salon*, y Nelson tocó el tema de las ametralladoras. Él dijo que podía traer cualquier maldita cosa que quisiera, o el equivalente en español, pero le advirtió que lo hiciera sin ruido. Fuimos casi los últimos en irnos y Huerta me condujo del brazo por las anchas escaleras cubiertas con un tapete rojo, mientras me decía que los mexicanos son amigos de todos, y me ofreció un pony para Elim. Cuando llegamos al vestíbulo de cristal, frente al cual estaban esperando los automóviles, nos hizo subir a *su* auto. "El auto *de ustedes*", insistió cuando yo dije: "¡Oh, pero éste es el de usted!". No pude hacer otra cosa más que subir, mientras los oficiales hacían la venia. Nuestro auto nos siguió, vacío. Me sentía como un vampiro en el cementerio o alguna otra cosa horrible, sentada allí en el gran *salon*, sabiendo que Huerta tiene a todo el mundo en contra; al final no podrá evitar resbalar, por

* gente de mundo *(N. de la T.)*

más que trate de afianzarse. Necesita fidelidad. Y no la hay en ninguna parte ni nunca la ha habido en México, si hemos de creer a la historia. Cuando Santa Anna salió de la ciudad de México con doce mil soldados, en 1847, para enfrentar a Scott en Puebla, finalmente llegó con un cuarto de ese número, porque los demás desaparecieron en el camino, poco a poco.

Hubo bastantes uniformes aquí esta tarde. Con sentimientos mezclados miré esos pechos adornados con alamares de oro. Sentí piedad ante la idea de la incertidumbre de la vida y tuve una enfermante sensación de la poca fiabilidad de todos los sentimientos que los dominan cuando se trata de defender la Constitución.

Oímos que Díaz Mirón parte esta noche hacia Suiza, lo cual, si es cierto, dará por terminado *ese* pequeño problema. Las manos hábiles del dictador mueven los títeres a voluntad, y me imagino que no piensa correr riesgos con la joya más preciada de su corona, o sea Nelson, su último vínculo con Estados Unidos. No dejo de pensar en lo benéfica que es una dictadura, siempre y cuando esté de tu parte. La mayoría de la docena de hijos de Huerta estaba en la recepción, desde la menor, una brillante niña de siete años, hasta el fatuo hijo mayor, un oficial de unos treinta años. Lo más sobresaliente de su persona era un anillo de oro con un gran diamante junto a otro, aún más grande, engarzado en platino.

Hoy apareció el primer número de una nueva revista cómica llamada *Mister Lind*. Es insultante y sucia, con una caricatura de Lind en la segunda página. No puedo decidir si el nombre es brillante o estúpido.

Los mexicanos son maestros de la caricatura y los juegos de palabras; en general en sus revistas cómicas hay algunos chistes políticos realmente agudos. Por sus páginas, en formas varias, se desperdigan deseos de que Wilson tenga un temprano deceso. Sin embargo, me imagino que esos deseos son como *boomerangs* y que es la revista la que tendrá una vida breve e improductiva. En la gran página central hay una imagen titulada "El reparto de tierras". Representa un cementerio y debajo trae las palabras: "tenemos 200,000 terratenientes", una broma siniestra sobre la división de las tierras. Por encima se ven zopilotes con el sombrero del Tío Sam. Otra caricatura muestra a varios mexicanos cargando un ataúd con la inscripción "Asuntos nacionales", y al lado el presidente Wilson llevando un cirio. La prensa se vuelve cada día más antiestadunidense.

MÉXICO: Y A *TI* ¿QUIÉN TE DIO VELA EN ESTE ENTIERRO?

En una de las visitas que Nelson hizo al presidente, en su famosa cabaña de retiro, situada entre huertos en Popotla, él empezó a hablar del reparto de tierras, diciendo que el indio tiene derechos inalienables al suelo, pero que las tierras deben devolvérsele en circunstancias de justicia y de orden. De ningún modo deben ser utilizadas como recompensa para revolucionarios momentáneamente exitosos. Agregó que Estados Unidos nunca ha respetado los derechos de sus indios sino que resolvió la cuestión por la fuerza.

19 de febrero

Esta mañana fuimos a la gran *revue* militar en la Condesa, uno de los hipódromos más lindos del mundo. Pensé en los fuertes hombres de Postdam bajo cielos opacos. Ahora me encuentro en este paraíso radiante viendo tropas más coloridas que ofrecen un espectáculo excelente y que quizá pronto van a tener que pelear con "el Coloso del Norte". Ciertamente dentro de un año muchos de ellos habrán sido enterrados por las manos de sus hermanos. El presidente quedó muy satisfecho con el 29º Regimiento, la tropa golpista que lo ayudó a llegar al poder hace un año. Les dirigió algunas palabras y sus manos le temblaban cuando condecoró la bandera del batallón prendiendo la cruz en la punta del asta y agregando una larga cinta roja, en lugar de la escarapela que generalmente acompaña a la condecoración. Ellos dieron una magnífica exhibición. Los rurales estaban al mando de Rincón Gallardo, quien iba montado sobre un caballo espléndido, lucía toda la majestuosidad de un traje de charro amarillo con ribetes de plata. En conjunto fueron una visión pintoresca e inolvidable. Los rurales usan grandes sombreros en pico, trajes amarillo grisáceo con los pantalones estrechos de vaquero, chaquetas cortas bordadas y largas corbatas flotantes de seda roja; ¡excelentes blancos para los disparos! Supongo que había seis o siete mil soldados en total. Todo estaba impecable: hombres, caballos y equipos. El ser capaz de organizar semejante exhibición frente a sus múltiples enemigos es un testimonio de las cualidades militares de Huerta. Estuve sentada junto a Corona, el gobernador del Distrito Federal, observando el brillante *défilé* y oyendo la estimulante música marcial. Los mexicanos tal vez tienen las mejores bandas del mundo: *le beau côté de la guerre.** ¡Pero qué horrores encubre el brillo de sus metales! En dos ocasiones la emoción fue demasiado para Huerta, por lo que desapareció para tomar una *copita* en un espacio trasero convenientemente cerrado.

Por la noche

Partí en auto con Kanya y madame Simon para ir a Xochimilco, y antes de salir de la ciudad atropellamos a un pobre pelado. Fue terrible la sensación de golpearlo con el automóvil. Salté, corrí hacia él y lo encontré echado sobre su pobre cara, con un gran chorro de sangre saliendo de una herida en la cabeza.

No me permitieron tocarlo hasta que llegó un sargento. Entonces lo volvimos de espaldas y le vendé la cabeza lo mejor posible con un pañuelo que alguien me dio y con uno de mis largos velos púrpura. Después tomé el auto —Kanya y madame Simon no están acostumbrados a ver sangre— y fui rápidamente a la comisaría y conseguí un médico. El chofer, que en realidad era el culpable, temblaba como un álamo. Cuando volvimos me pareció que habían llegado todos los peones

* el lado bello de la guerra *(N. de la T.)*

del mundo. Finalmente logramos acostar a la víctima en la camilla y ahora supongo que su pobre alma está con el Creador. Como el auto es propiedad de Kanya me imagino que no lo llamarán al tribunal, y él será muy generoso en socorrer a la familia. Por varias razones, doy gracias de que no fue el automóvil de la embajada. Estoy muy turbada con todo; pensar que salimos de paseo en esta hermosa tarde y nos convertimos en el instrumento para enviar a esa pobre alma a la eternidad.

Más tarde fui a ver a madame Lefaivre. Está en cama con sinovitis y al mismo tiempo trata de supervisar a los que hacen sus maletas. Al salir de la legación encontré a Von Hintze. Me informó, con una sonrisa malévola, que el desfile fue para celebrar, o más bien para conmemorar, el motín del famoso 29° Regimiento contra Madero, en febrero del año pasado. Bueno, espero que no nos metamos en líos con los poderes constituidos. Él me saludó diciendo: "Me dicen que usted presidió la conmemoración militar de hoy".

Yo dije: "¡Cielo santo! ¿*Qué* conmemoración?". Yo no sabía nada del asunto y sólo estaba interesada en ver qué clase de espectáculo iban a dar las tropas.

No escribo más. Me siento muy triste, con la imagen de esa pobre cabeza ensangrentada y el recuerdo del impacto de su cuerpo contra el automóvil.

20 de febrero

El pobre hombre todavía está vivo, pero va a morir. Lo curioso de esta fatalidad (es la única palabra para ello) es que él acababa de llegar de Querétaro, donde había vendido una casa por 4,200 pesos los cuales tenía consigo y que después le fueron robados por la policía. Yo observé que cuando lo colocaron sobre la camilla por un instante su mano apretó convulsivamente su cinto. Supongo que al moverlo por un momento recobró la conciencia y alcanzó a pensar en sus bienes. Sin duda era el único pelado de la ciudad que tenía consigo esa suma, o *cualquier* suma. El chofer está en la cárcel, y después de todo Kanya sí va a tener muchos problemas antes que este asunto se resuelva.

Acaban de salir las revistas cómicas de esta semana. Todas se ocupan del señor Wilson por su aprobación al gobierno del Perú. En *Multicolor* aparece sonriendo mientras entrega el Reconocimiento a Perú —una hermosa mujer que representa la Revolución— mientras con la otra mano arranca de la pared el mapa de México.

El otro día, Nelson tuvo una conversación de lo más interesante con Huerta. Éste dijo que comprendía que la existencia de cualquier gobierno en México, sin la buena voluntad de Estados Unidos, era difícil, si no imposible, y que le dolía profundamente que no tomaran en cuenta las múltiples dificultades bajo las cuales ha estado trabajando. Fue en esa entrevista que Nelson arregló la cuestión respecto a traer las armas. Huerta señaló que todos los pedidos que Nelson le había hecho en nombre de Estados Unidos se los había concedido, y que todo el ejército federal tenía orden de tratar con especial consideración a los estadunidenses. Dijo que no deseaba criticar al gobierno de Estados Unidos, pero sí señalar que si lo derrotan en el intento de pacificar el país se verá forzado a enfrentar la difícil e ingrata tarea de una intervención armada. Continuó diciendo que al observar la situación mexicana es preciso no perder de vista el hecho de que México es un país de indígenas (y mencionó las dificultades que *nosotros* hemos tenido con nuestros indios), que durante siglos la población ha sufrido la opresión de los españoles y las clases terratenientes; que durante el régimen de Porfirio Díaz habían concebido el deseo de mejoramiento material, pero no se les había dado oportunidad (porque las oportunidades son para unos pocos); que bajo el régimen de Madero el hábito revolucionario se generalizó, con su secuela de promesas imposibles de cumplir. Y también que en México la tarea presente no era establecer una democracia sino establecer el orden. No criticó a los rebeldes del norte pero dijo que, en caso de triunfar, jamás serían capaces de establecer un gobierno en México, y que uno de sus primeros actos sería volverse en contra de Estados Unidos. De Maximiliano a Huerta todos han sabido que nuestra amistad es esencial.

El caso de Benton va a causar una infinidad de dificultades, y el problema de México aparece nuevamente en el escenario internacional. Una vida vale otra vida, tal vez, ante Dios, pero aquí abajo el asesinato de un rico súbdito británico es más importante que el de un pobre estadunidense o mil mexicanos. La mejor versión y la más digna de confianza es que Villa disparó contra él mientras Benton le reclamaba la confiscación de su propiedad en Chihuahua. Ésa es la razón por la que no han querido entregar el cuerpo a la viuda, pues se daría cuenta de que tiene heridas de bala *en los lugares equivocados*. Villa afirma que fue fusilado después que una corte marcial lo declaró culpable de atentar contra la vida de él, Villa. ¡Puedes imaginarte a un inglés rico tratando de matar a Villa! Todo lo que cualquier extranjero quiere aquí es que lo dejen en paz. Sea cual fuera la verdadera historia, en la frontera hay intensa indignación. Sir Cecil Spring-Rice ha hecho una protesta formal ante el Departamento de Estado. La prensa británica está alborotada y un corresponsal me dijo que el parlamento va a llamar a sir Edward Grey para que responda algunas preguntas. Por fin la cosa se mueve.

Ayer regresó el doctor Ryan, más o menos desilusionado de su viaje a Washington. Todo el apoyo para los rebeldes. El señor Lind está tan fascinado con ellos que entiendo que está aconsejando que les den ayuda financiera directa, un préstamo. No ha percibido la forma y el color de los acontecimientos y está obsesionado con la idea de sacar a Huerta. Eso y su alucinación sobre Villa le ocultan el panorama. ¿Qué sucederá si obligan a Huerta a salir? Eso es lo que todos queremos saber: qué va a pasar después. Es una perspectiva donde aparecen el derramamiento de sangre, el sufrimiento y la devastación.

22 de febrero

Elim ha ido con el doctor Ryan a su primera y espero que *última* corrida de toros. Me rogó tanto que finalmente accedí. Me siento intranquila al respecto. Anoche hubo una cena muy chic en casa de Von Hintze, para sir Lionel, quien se va el miércoles. Lo lamento mucho por él, pero este asunto Benton podría ser una justificación hasta cierto punto. Él dice que sólo estará ausente seis semanas, pero ¿quién sabe? Ha llegado Hohler, buen amigo nuestro. En sus manos los asuntos estarán seguros.

Nelson está atareado sacando a uno de los corresponsales estadunidenses de la temible cárcel de Belén. Lo metieron allí con toda esa gente horrible llena de piojos, tifoidea y otros gérmenes; debe haber pasado horas difíciles.

24 de febrero

Apenas una línea esta mañana. Me estoy preparando para mi fiesta de bridge con los estadunidenses; esta tarde habrá premios. Tengo varias fotografías de Rovell, grandes y lindas, en buenos marcos antiguos.

Anoche vino a cenar Patchin, el muy agradable joven corresponsal del *Tribune*; después tuvimos la habitual plática de política. Clarence Hay leyó un poema suyo (que te mandaré después) sobre el asesinato del joven general Gabriel Hernández, en julio pasado, a manos de Enrique Zepeda, quien era entonces gobernador del Distrito Federal. A Zepeda lo conocen como "sobrino" de Huerta, pero se supone que es su hijo. Zepeda dio una cena a la que Nelson estaba invitado, pero a última hora la carga de trabajo le impidió asistir. Los dioses lo acompañaron esa vez, porque después de la cena, a medianoche, Zepeda, muy *allumé,** fue a la Penitenciaría donde estaba preso el general Hernández, lo sacó al patio y lo mató a tiros. A continuación sus hombres quemaron el cuerpo, aunque antes tuvieron la buena idea de rociarlo con kerosene. Zepeda estuvo en la cárcel ocho meses y acaba de salir. Cuando no está intoxicado parece que es casi un "estadunidense" por sus ideas.

Miércoles, 25 de febrero

Anoche fuimos a la estación a despedir a sir Lionel. Pensé que los vivas que se escucharon al salir el tren de la estación eran para él, pero al parecer eran para unos toreros que se iban y que siempre son los primeros en el corazón de sus compatriotas. Sir Lionel lleva consigo documentos, planes, mapas, etcétera, así como una colección plenamente autenticada de horrores cometidos por los rebeldes en su campaña. Quizá no tenga oportunidad de desplegarlos ante el presidente Wilson, pero disfrutará mostrándoselos a sir Cecil Spring-Rice.

Ayer, desde el palacio del gobernador de Chihuahua, Villa hizo una declaración sobre la muerte de Benton. Estaba sentado en una silla semejante a un trono sobre un elevado estrado, en estilo casi regio, rodeado de sus secuaces rindiéndole homenaje. El palacio de los gobernadores está decorado con el mayor lujo, pues con ese fin han saqueado las casas de los más ricos habitantes de la ciudad. Imagínate el cuadro de ese bandolero ignorante y sanguinario rodeado por sus despojos y sus "cortesanos". Nunca oyó que "la cabeza que lleva corona descansa mal", pero sin duda tendrá una experiencia práctica al respecto. Se ha contradicho repetidamente en sus declaraciones sobre la muerte de Benton. El cuerpo, testigo mudo de haber sido rociado de balas por un pelotón de fusilamiento, yace bajo un montón de basura.

* "encendido" o "borracho" *(N. de la T.)*

XVI

El impresionante desfile organizado por Huerta para los corresponsales especiales. El Grito de Dolores. Toneladas de "papelería" para la embajada. Desacuerdo entre Villa y Carranza. La guardia de la embajada encuentra ocupación.

26 de febrero. Al mediodía

Acabamos de volver a casa después de ver el desfile (desde Chapultepec hasta el Zócalo) de todas las tropas que hay actualmente en la ciudad. Salieron para festejar a los corresponsales especiales, invitados al alegre espectáculo ofrecido por Huerta, ya que el gobierno corre con todos los gastos. Los corresponsales regulares de la capital están un poco molestos por el asunto. Estuvimos sentados en el auto en el Zócalo, y vimos el *défilé* bajo el cielo despejado y el sol suave y penetrante. El estandarte del 29º Regimiento llevaba la larga cinta roja que Huerta le sujetó el otro día, con manos temblorosas. Los destacamentos estaban todos bien armados. Tenían rifles y cartucheras nuevas bien cargadas; el efecto era de lo más alentador, *para* Huerta. Los corresponsales especiales, desde las ventanas del Palacio, tenían sus cámaras de fotografía y de cine en acción. Realmente Huerta ha hecho maravillas para mantener al ejército unido en tan buenas condiciones y por tanto tiempo, frente a una desventaja tan abrumadora. Los clarines y la música militar resonaban sobre la plaza, por tantos siglos escenario de las esperanzas y los temores, los comienzos y los fines de este pueblo mexicano.

Pensé en el aniversario del Grito de Dolores en 1911, aquella noche del 16 de septiembre en que estuve de pie en el balcón central del Palacio con De la Barra y Madero, cuando el primero todavía era presidente *ad interim* y el segundo estaba lleno de esperanzas. Desde allí veíamos cincuenta o sesenta mil caras vueltas hacia arriba, mientras la celebrada Campana de la Independencia* sonaba sobre nuestras cabezas, seguida por las grandes campanas de las iluminadas torres de la Catedral. En México el presente está más cerca del pasado que en cualquier otra parte. Cuando regresábamos a la casa fuimos fotografiados una docena de veces por los desconsolados corresponsales a quienes no invitaron al Palacio para asistir al desfile. Viniendo por Plateros, Nelson vio el auto de Huerta frente al restaurante El Globo y me dejó para entrar a hablar con él.

Esta mañana le quitamos su envoltura invernal a la gran planta de plátano del jardín de enfrente, si es que se puede llamar invierno a estos días de cielos despejados. Sus hojas, cual hermosos estandartes amarillo pálido y puro, ondean suavemente en una atmósfera perfecta. Ahora estoy esperando que llegue Hohler para almorzar. Sir Lionel partió (durante un tremendo norte) en la nave de guerra *Essex*, que lo llevará a Galveston. Su país le está haciendo casi los mismos honores que nosotros hacemos a los maderistas que se fugan.

Villa todavía no ha entregado el cuerpo de Benton. Si esto tarda mucho más, el mismo ya no podrá dar testimonio de la verdad. Lamentablemente se rumora que un oficial federal ha colgado a un ciudadano estadunidense, Vergara, en Piedras Negras. Su indulto, enviado desde el cuartel general, llegó demasiado tarde. Huerta probablemente escarmentará al oficial apresurado, si es que en realidad cometió esa acción. Esta mañana oímos que Carranza va a acabar pronto con O'Shaughnessy cuando *él* llegue aquí. ¡Cuando llegue!

Tuve una interesante conversación con Hohler, quien es totalmente sincero y digno de confianza, y capaz de ver las cosas como son. Estuvimos largo rato tomando café y hablando de la red internacional de la que ahora México es una malla incierta y frágil. Él se propone hacer lo que pueda por *sus* connacionales. No tiene temores y actúa en forma práctica y sin nervios.

El reverso de la medalla es su faceta de incansable coleccionista y conocedor de cosas bellas. Lo que él no consigue lo encuentra el ministro belga. Entre los dos no dejan casi nada para los demás.

* Se trata de la famosa campana que el cura Hidalgo tocó desde su iglesia en el pueblo de Dolores, en el estado de Guanajuato, muy temprano en la mañana del 16 de septiembre de 1810, en el llamado y conocido "Grito de Dolores". El primer grito de independencia de México, destinado a continuar durante más de un siglo de muertes y desastres. *(Nota de la edición original.)*

27 de febrero

Villa sigue negándose a entregar el cuerpo de Benton, aún a riesgo de ofender a Estados Unidos. Huerta espera que Villa se ahorque con su propia cuerda. Dice que es tonto, violento, indisciplinado y *no puede* hacer lo que debería. Los rumores de que se niega a recibir órdenes de Carranza van tomando una forma más explícita. Dice que Carranza no se ha puesto en peligro ni una sola vez y que él (Villa) lo ha hecho todo; además, que no recibe órdenes de nadie. Repetidamente y en vano se le ha pedido que vaya a conferenciar con Carranza, y ahora oímos que la montaña de todas las virtudes constitucionales va a ir hacia Mahoma. La fatal embriaguez del éxito se le está subiendo a la cabeza a Villa. Ahora posee una riqueza que asciende a varios millones de pesos. Las confiscaciones de Torreón y Chihuahua fueron enormes, sin contar lo que él y sus secuaces han tomado en las ciudades pequeñas que han saqueado. No tiene la sensatez necesaria para percibir en qué dificultades ha metido el asesinato de Benton a las personas que están ansiosas por ser sus amigos. Al parecer piensa que un hombre que no sabe leer ni escribir debe "dejar su marca" de otra forma.

Nuestras ametralladoras Gatling, con municiones, llegan hoy a Veracruz en el vapor de la Ward Line. Las traerán hasta aquí como abastos para la embajada, papelería y cosas así. Huerta sabe lo que son, pero quiere que las cosas se hagan en una forma en la que él pueda cerrar el ojo. La "papelería" pesará toneladas.

28 de febrero

Esta mañana le cortaron los rizos a Elim en forma espantosa, pero le dejaron el flequillo. Está tan orgulloso como un cachorro con dos colas. El "crimen" fue cometido por un barbero haitiano de habla suave que no volverá a tener una oportunidad en contra de mi único hijo. Elim no sabe nada de muerte y disolución: ha estado llamando "Mima" por toda la casa y ahora acaba de entrar corriendo a la sala donde escribo para pedirme que le compre una trompeta. Es tan listo para la música que siento la tentación de sacrificar a todos los de la casa y conseguirle una. Pronto estará tocando el himno nacional.

Ayer tomé el té con madame B. Se veía muy bonita recostada entre sus costosos encajes con cintas azules. El bebé, que nació hace diez días, parece un "conquistador" en miniatura con sus severos rasgos españoles y su brillante cabello negro. El padre de madame B., que es uno de los hacendados más ricos, habló por primera vez con Huerta hace algunas semanas en el Jockey Club. El presidente le preguntó: "¿Cómo están las cosas en Morelos?" (el territorio zapatista donde hay inmensas haciendas azucareras), y don L. le respondió: "Usted nos está matando con sus demandas de contribuciones". Huerta se enojó. "Usted no hace nada por el país —afirmó—; ni usted ni sus hijos." Don L. respondió: "He perdido un millón y medio en el último año". "Tiene suerte de tenerlo para perderlo", comentó sombríamente Huerta. "Ahora hay una gran cosecha de caña para recoger, pero no consigo hombres —continuó don L.—, todos están en el ejército. Déme hombres y yo le daré contribuciones."

Huerta, de inmediato, le envió los hombres necesarios, la caña se está cosechando y don L. está convencido de que Huerta hace lo que puede, pero su hija, que me contó todo esto, agregó con una sonrisa y un relampagueo de dientes blancos: "Perdóneme, pero ¿qué *podemos* hacer con su señor Wilson encima?".

Por la noche

Hoy tuvimos un día agitado. Telegramas de Nueva York diciéndonos que el padre de Nelson ha recibido los últimos sacramentos. Telegrafiamos a Nueva York para saber si está en el puerto uno de los barcos menores más rápidos. Yo podría ir en él hasta Nueva Orleans y de ahí por tren a Nueva York, en setenta y ocho u ochenta horas desde Veracruz. Berthe ha estado empacando mis cosas. Comprendo que las vidas tienen fin, pero aun así mi corazón está muy triste.

Cumplí mi compromiso de llevar a los ministros de Rusia y Austria a las excavaciones aztecas de Tozzer. Sus gobiernos han aportado dinero para trabajos arqueológicos en México (nunca he entendido *bien* por qué), y Tozzer estaba muy ansioso de que vieran lo que ha hecho. Nos dieron té y *regalitos* de cabezas de ídolos extraídas allí mismo, esta vez ofrecidas espontáneamente. Soplaba una tolvanera, los volcanes no se veían y todo en general estaba empolvado. Pero mis pensamientos volvían todo el tiempo al tema de la vida y la muerte, y estaba ansiosa por regresar a casa.

Los Lefaivre parten definitivamente el 12. Están desmantelando la legación y madame Lefaivre todavía está acostada con su rodilla enyesada. El secretario y su esposa, por supuesto, tienen sentimientos entremezclados al verlos partir. Todos sabemos lo que *eso* significa, dados los beneficios que le acarrea la ausencia del jefe. Madame Lefaivre le dijo al secretario: "¿Y si el barco no zarpa el 12?". Él respondió del modo más amable, pero ella sonriendo contestó: "¡Oh, conozco el corazón de los secretarios!".

Primero de marzo

Acabo de volver de misa, pensando cómo estarán el alma y el cuerpo del padre de Nelson [...]

Esta mañana Washington debe estar pensando "que más afilados que los dientes de víbora" Carranza y Villa desafían a los poderes supremos. Nos niegan, incluso, el derecho de preguntar con respecto a Benton, que como dicen es un súbdito británico, y agregan que sólo escucharán las reclamaciones que les haga la propia Gran Bretaña "a través de los debidos canales diplomáticos". Nadie sabía que existieran tales canales. Y, además, añaden que esa regla se aplica a otras naciones que quieran buscar reparación de daños para su gente. Ciertamente el monstruo Frankenstein está creciendo. Carranza dice también que ya investigó el caso Benton, pero sólo para usarlo en caso de que Gran Bretaña desee tratar el asunto con él como jefe de la revolución.

Vergara, el *supuesto* ciudadano estadunidense *presumiblemente* ejecutado en Piedras Negras por un oficial federal, y cuya muerte tanto indignó a Washington, sólo escapó para unirse a las fuerzas rebeldes. Investigado el asunto, parece ser que era el jefe de una gavilla de dieciocho bandidos, y su actividad consistía pasar armas y municiones por la frontera para los rebeldes, o llevar grandes rebaños de ganado robado al lado estadunidense. De ser así, los federales habrían tenido perfecto derecho de fusilarlo.

Tu carta del 31 de enero, que muestra tan profunda comprensión de todo, no dice nada de la carta escrita a máquina que te mandé sobre el viaje a Veracruz. Debe de ser un alivio para ti recibir una carta legible. McKenna, el nuevo, joven, discreto y competente secretario de Nelson, me hizo el favor de mecanografiarla.

Lo que dices haber visto en los periódicos sobre "tropas enviadas apresuradamente hacia México" me recuerda a un corresponsal de uno de los grandes periódicos de Nueva York. Apareció aquí el otro día diciendo que por información secreta de Washington lo mandaban de inmediato a Veracruz, a fin de que estuviera listo para dirigirse a la ciudad de México con las tropas.

Huerta envió anoche una guardia a la embajada, pensando en la seguridad de la joya más valiosa de su corona —es decir Nelson. Hubo una equivocación (siempre *hay* algún error en México) y mandaron una guardia armada de ocho hombres al American Club, un lugar a donde Nelson va rara vez. A eso de las nueve y media nos llamaron muy preocupados para decir que el club estaba custodiado por esos guardias, aparentemente porque las autoridades temían desórdenes. Los periodistas enviaron telegramas informando a Nueva York, pero se trataba sólo de un equívoco. Esta mañana llegaron cuatro soldados con rifles como "huéspedes" permanentes, pero no los necesitamos. Tenemos al buen y viejo Francisco y al gendarme joven, Manuel, que se incorporó hace unos meses. Aquí cada legación tiene un guardia. Me alegro de tener a Francisco y a Manuel, sobre todo por Elim. Siempre parecen saber con exactitud qué está haciendo en el jardín.

Agradecimos al cielo cuando vimos en uno de los periódicos el titular "Huerta desaira a O'Shaughnessy". Por supuesto no es verdad, pero causará una excelente impresión en casa y ayudará a Nelson a obtener información precisa y de primera mano sobre asuntos de cierta importancia. El mismo periódico muestra, además, un retrato de Huerta en alguna función de caridad con su esposa e hijas y Naranjo, el secretario de Educación Pública. Se veía como (y sin duda se sentía) la personificación del aburrimiento. Los titulares son: "Huerta disfruta la vida social mientras en la capital ruge la agitación".

2 de marzo

Recibí tu carta del 5, enviada después del levantamiento del embargo. Puedo entender muy bien que te preocupe nuestra estancia en México. Nosotros nos preocupamos por un rato, pero por ahora ya habrás recibido mi carta contándotelo todo. Hará falta algo gigantesco, algo exterior a Huerta, para que se vea forzado a devolver a Nelson sus cartas credenciales, por más que lo exhorten ardientes y furiosos los secretarios del gabinete.

Anoche, al regresar a casa, encontramos que Huerta había mandado a seis soldados más, con un sargento. Me hizo sentir como si la casa fuera el escenario para un acto de alguna *opéra bouffe*.* Les dimos un paquete de cigarrillos y un trago a cada uno de los soldados y supongo

* ópera cómica. *(N. de la T.)*

que descansaron en los sillones, en el suelo o en el jardín. Nelson jamás deja la casa sin su hombre del servicio secreto, un individuo decente, pero que lejos de ser discreto para desempeñar su trabajo viste un traje azul brillante con rayitas blancas, estrecho y chillón, y pistolas que se delinean contra su cuerpo cada vez que hace un movimiento. Tenemos un hermoso automóvil nuevo: es bajo, funciona con suavidad y está pintado de negro con una linda franja gris alrededor. El agente se sienta junto a Jesús; cuando Nelson baja del auto él también y lo espera ostentosamente mientras Nelson hace lo que tiene que hacer. Es una lata horrible y del todo innecesaria, pero cuando Nelson protestó Huerta contestó: "Es mejor así".

XVII

La tortura de Terrazas. Las excentricidades bancarias de México. Partida de los Lefaivre. Métodos zapatistas. La muerte de Gustavo Madero. Primera experiencia de revoluciones latinoamericanas. Ingenioso discurso de Huerta.

4 de marzo. Por la tarde

Anoche recibimos la noticia de que el padre de Nelson ya se aproxima a un desenlace mortal. Esta mañana a las siete, después de una noche sin dormir entre "preocupaciones y angustias", bajé a contestar la llamada del señor Jennings, de los periódicos Hearst —que siempre es muy amable para todo—, avisando que mi suegro había muerto tranquilamente a las seis y media. Tú conoces los días de muerte, tan tensos, tan atareados, tan agotadores. Lo primero que hice fue ir a ver al padre Reis en San Lorenzo, el San Silvestre de México, y ordené una misa de réquiem para el próximo sábado 7, a la que invitaremos al gabinete, al *corps diplomatique* y a nuestros amigos. Ahora estoy de nuevo en casa vistiendo las ropas de luto que usé para los funerales de mi entrañable hermano.

4 de marzo. Por la noche

La casa parece tan silenciosa esta noche. Ya no esperamos telegramas. Sé que se verá muy guapo aun yaciendo en su lecho de muerte. La fatiga del día atareado y doloroso pesa sobre mí. Hoy vinieron muchas personas a ofrecer sus simpatías y condolencias. El último fue Hohler, quien vino a tomar el té después de ver a Nelson y apenas acaba de irse.

Ahora todo ha concluido y todos se fueron. Elim está echado en el suelo frente a mi pequeña estufa eléctrica. Las fibras tocadas tan intensamente por la partida de mi amado hermano vibran de nuevo, no sólo por la muerte y la separación sino por la vida y las imperfecciones de sus relaciones. Nelson ha aceptado la muerte de su padre, se sobrepuso y sigue con su trabajo, del cual hay más que suficiente.

Qué cierto es que los hombres siguen su destino antes que sus intereses; hay algo innato e inalterable que impulsa a cada uno. Genio y figura hasta la sepultura, dice un proverbio español, y, en efecto, la mente, el temperamento, las inclinaciones no son alterados por las circunstancias de la vida, y se llevan hasta la tumba.

5 de marzo

Anoche mientras leía, esperando que sirvieran la cena, apareció en mi sala un fantasma *incognitus*, más que un visitante: un tal "Mr. Johnson", ansioso, intrépido, dinámico, eficiente y sin rasurar [...]

El joven Terrazas, hijo del exgran hombre de Chihuahua, de quien te escribí cuando fue apresado por Villa, en la toma de Chihuahua, hace varios meses, todavía no es liberado y Villa amenaza con ejecutarlo mañana si no le dan el medio millón de rescate. El padre reunió la mitad de esa suma con gran dificultad, pero temiendo alguna treta (y tiene todas las razones para desconfiar) no entregará el dinero hasta recibir a su hijo. Al parecer al muchacho lo han maltratado horriblemente, varias veces lo han colgado casi hasta morir, para después bajarlo y golpearlo. El joven Hyde, del *Mexican Herald*, dijo ayer, a propósito de cosas similares, que vio a un hombre a quien trajeron a México anoche y que fue torturado por los rebeldes; le habían arrancado la piel de las plantas de los pies, había perdido las orejas y la lengua entre muchas otras mutilaciones, pero todavía vivía. La única diferencia entre los rebeldes y los federales es que los primeros tienen *carte blanche** para torturar, saquear y matar, mientras que los federales *deben* portarse bien, hasta cierto punto, lo quieran o no. Se juegan la existencia. Huerta, aunque quizá no lo inquieten ciertos escrúpulos ni tenga otra moral que los dictados de su conveniencia, tiene que mantener su prestigio ante el mundo y es lo bastante sagaz para comprender lo que eso vale. Los rebeldes se inquietan en cuanto hay algún asunto relacionado con gobernar o con el orden. Sin duda, Villa es un magnífico bandido, si bandidos es lo que Estados Unidos anda buscando. Veo por los periódicos que el señor Bryan suplica al comité de Relaciones

* carta blanca *(N. de la T.)*

Exteriores que no permita que la situación de México se discuta en el Congreso [...]

Uno por uno, los mexicanos a quienes dimos asilo y salvoconductos para Veracruz, después de darnos su palabra de honor de no conspirar contra el gobierno, rompen esa palabra y se pasan a los rebeldes. Acabamos de ver el nombre del doctor Silva (exgobernador de Michoacán, a quien acompañamos hasta Veracruz) como miembro de la comisión, algo tardía, nombrada por Carranza para investigar el asesinato de Benton.

Estamos atónitos ante la renuncia del señor John Bassett Moore como consejero del Departamento de Estado. Es un hombre culto, conocedor y con mucha experiencia práctica en asuntos latinoamericanos.

Ayer el secretario de Relaciones Exteriores vino a presentar sus condolencias a Nelson, y también a protestar contra el traslado de nuestras municiones y ametralladoras Gatling hasta la embajada. El embarque todavía está en la aduana de Veracruz. Hay setenta cajas, y *no* son livianas. El ministro se cayó en el umbral cuando llegó y Nelson y el mayordomo lo levantaron. (Era su primera visita. No sé si es supersticioso.) Como recordarás, Huerta le dijo a Nelson, en la famosa conversación en la recámara de Chapultepec, que podía traer todas las armas que quisiera, pero que lo hiciera sin ruido. Ahora se sabe en todo el país y está creando un conflicto entre los mexicanos. En estos momentos de dolor y agitación Nelson ha tenido una cantidad desusada de trabajo oficial.

He estado todo el día ocupada con la lista para la misa de réquiem que habrá mañana. Ya está casi acabada. Mi pequeño Rizos Trasquilados se ha ido arriba y yo descanso escribiéndote estas líneas.

7 de marzo

Estamos esperando para dirigirnos a la iglesia. Tú conoces todos los pensamientos y recuerdos que llenan mi corazón. Aquel descenso de colinas envueltas en nieblas hacia la ciudad gris y fría para enterrar a mi adorado hermano. Ahora estoy por salir hacia una iglesia adornada con festones negros enmedio de una mañana radiante y maravillosa. Al final todo es lo mismo.

9 de marzo

No he escrito desde el sábado en la mañana, antes de salir para la misa de réquiem. He estado muy ocupada viendo gente y atendiendo centenas de tarjetas, telegramas y notas. Huerta no apareció en la iglesia, como algunos pensaban que lo haría. En su representación, López Portillo y Rojas, el secretario de Relaciones Exteriores, se sentó junto a nosotros. Todo fue bello y triste a la vez. Después fuimos a la sacristía para recibir las condolencias de nuestros amigos, como se acostumbra aquí. A pesar de que *él* nunca visitó nuestra casa de México, parecía inexpresablemente vacía cuando llegamos. Me alegré de ver la mesa llena de papeles y las decisiones importantes que esperaban a Nelson.

Huerta fue muy amable con él al verlo hoy, lo llamó "hijo", le dio un abrazo afectuoso y le mostró sus condolencias. Después, Nelson tuvo una larga conversación con él en una salita privada del Café Colón, al que Huerta llegó por la puerta de atrás. Huerta es de ideas amplias y en presencia de Nelson es muy cuidadoso con lo que dice de Estados Unidos. Siempre habla del presidente Wilson como *Su Excelencia, el señor Presidente Wilson,* sin diatribas de ningún tipo. Lo que realmente lo irritó es que tengamos a 4,000 soldados en Fort Bliss y esperemos que él les pague. Dice que México no está en guerra con Estados Unidos, que a los rebeldes se les permite ir y venir como les parece e incluso organizarse en la frontera. ¿Por qué esa discriminación? Dice que nuestro gobierno piensa que él es un bandido igual que Villa, pero que si Washington fuera justo vería que él mantiene la boca cerrada, hace su trabajo lo mejor posible frente a la terrible injusticia de que es víctima, y no le pide nada a nadie salvo que lo dejen en paz. Que él podía haber tomado el poder en México mucho antes de lo que lo hizo. Repitió que muchas personas influyentes lo habían instado a poner fin al desastroso gobierno de Madero; que no está en la política con fines personales; que sus necesidades son pocas y sus hábitos los de un viejo soldado. Y siempre insiste en que no fue él quien mató a Madero [...]

En cuanto a eso, uno puede hablar horas y horas con gente de todo tipo sin encontrar ninguna evidencia directa de la participación de Huerta en la muerte de Madero. He llegado a pensar que fue una inexcusable y fatal negligencia suya, relacionada con la excitación y la preocupación de aquellos trágicos días. Él es lo suficientemente astuto para comprender que Madero muerto sería aún más incómodo para él que estando vivo, debería haber insistido en que se asilara en el único sitio en que podía hacerlo. Sin embargo, a veces hay una extraña suspensión de los procesos mentales en México; cuando todo es posible y, sin embargo, nada parece probable, jamás nadie prevé ninguna situación.

Ayer tuve una larga llamada de Rincón Gallardo, el marqués de Guadalupe, el inteligente y joven general. Aparte de su trabajo militar está haciendo algo en lo que todos los miembros de la clase alta deberían participar, a saber, contribuir a amalgamar las clases sociales. Su padre, duque de Regla y *Grand d'Espagne*,* fue el primer hombre de la sociedad mexicana que recibió a Díaz cuando tomó el poder. De hecho fue en su casa que Díaz conoció a doña Carmen. Me dijo que en aquellos tiempos Díaz no era, en modo alguno, el tipo de hombre que es ahora, después de treinta años de poder y conocimiento.

Ayer a medianoche, Nelson, quien se había ido a dormir temprano, tuvo que bajar al recibir mensajes telefónicos urgentes, que lo enteraban de que los Rangers de Texas cruzaron la frontera y llegaron hasta Sabinas Hidalgo, para recuperar el cuerpo del seudoestadunidense contrabandista de ganado, Vergara. No se sabe si el informe es correcto, pero por supuesto se trata de un acto que aquí provocaría resentimiento en todas las clases, y en realidad todas las clases nos odian.

Villa, en la imposibilidad de obtener el monto completo del rescate de Terrazas *père*,** ha decidido no ejecutar al hijo sino llevarlo consigo al sitio de Torreón, y ponerlo donde más tupida sea la balacera. La loca danza de la muerte continúa, y me siento como si nosotros fuésemos los músicos. El señor Lind ha idealizado tanto a los rebeldes del norte que ha llegado a creerlos capaces de todas las virtudes cívicas, y está obsesionado con la vieja tradición de que el norte derrote al sur cada vez que haya un problema. Pero los hechos no prueban su deducción, porque en México es el sur el que ha producido el mayor número de grandes hombres, "los cerebros del gobierno". El sur ha estado más cerca de obtener la amada paz; el sur ha mostrado el mayor grado de prosperidad y progreso. Veracruz es el lugar más pobre como posible campo de estudio de estas condiciones, pues es el refugio para descontentos de toda índole, en su mayoría rebeldes, que huyen de las consecuencias de *algún* acto contra *alguna* autoridad. Siento un peso en el corazón ante la sombría fatalidad que ha permitido que nuestra política fuese conformada *desde allá*.

* grande de España *(N. de la T.)*
** padre *(N. de la T.)*

Hubo una tolvanera esta tarde: todo el color desapareció del aire y cayeron algunas pesadas gotas de lluvia fría. Anduve una o dos horas "dejando tarjetas" y después regresé a casa. Me alegro de estar aquí en mi cómoda casa, aunque no puedo evitar un estremecimiento al pensar en los horrores justificados, e incluso alentados, por nosotros en todas partes. B. dijo una vez que la política de Estados Unidos, al levantar el embargo, iba a dar a los mexicanos una prueba de lo que es una guerra civil de verdad. El otro día Carranza lanzó unos gorjeos en el sentido de que "yo comprendo a Villa y Villa me comprende a mí". Sin duda es cierto; pero dicen que después de sus raros encuentros el anciano caballero tiene que pasar varios días en cama.

Acabo de leer el artículo del señor Creelman sobre Lind. Ha captado el espíritu de Veracruz y describe con exactitud al señor Lind y su *ambiance** allí. Habla de él como "el agente enclaustrado del señor Wilson". "En una habitación pequeña y oscura con piso de losetas rojas, abierta sobre un patio mexicano pobre." Agrega, "al fondo del consulado estadunidense de Veracruz, está sentado John Lind, representante personal del presidente de Estados Unidos, como lo ha estado por siete meses, sonriendo, observando y esperando, mientras México y sus 15 millones de hombres, mujeres y niños llegan a la ruina". Se me eriza la piel. ¡Es tan cierto!

10 de marzo, 5 p.m.

Regreso de despedir a la querida madame Lefaivre; parte esta noche con pierna y pie hinchados, y temo por ella en ese largo viaje. Con su buen ánimo habitual llevaba su caja de pinturas sin empacar y estaba sentada en un baúl dando algunos toques restauradores a una Madonna de valor muy incierto que acaba de descubrir el cónsul general alemán. Los Lefaivre tienen un *pied-à-terre*** en París, con cosas hermosas heredadas del padre de madame Lefaivre. Lefaivre ha decidido partir, aunque se le caiga el cielo, y nosotros le decimos riendo que también su mujer se le caerá. Le pedí que esperara un poco, por razones políticas, pero su larga permanencia aquí le ha afectado los nervios y, además, está enfermo de la garganta. Por mí lamento verlos irse, pues son muy buenos amigos. Escribo esto mientras espero para el té a Hohler y

* ambiente *(N. de la T.)*
** apeadero (casa) *(N. de la T.)*

a una mujer que es corresponsal especial. Burnside me dice que ella ha estado en el centro de muchas tempestades y es brillante y discreta.

11 de marzo

Nelson está muy agitado en relación con las armas que están en la aduana aquí en la ciudad de México. Los funcionarios lo hacen correr de uno a otro lado. En realidad no quieren que las tengamos, a pesar de que las legaciones de Francia, Alemania, Inglaterra y Japón están bien provistas desde hace tiempo. Ésta mañana bajé cerca de las cuatro en busca de alguna lectura y oí en el jardín a la "guardia pretoriana" charlando y riendo, como lo han hecho los centinelas de todas las épocas. Tienen cigarrillos en abundancia y pulque limitado para facilitar su vigilia.

Más tarde

¡Supimos que el señor Lind está en pláticas con los zapatistas! Si va a soñar ese sueño y pasárselo a sus amigos de Washington, todos vivirán la peor pesadilla jamás pensada. Zapata ha sido el terror de todos los presidentes —Díaz, De la Barra, Madero y Huerta— en los últimos cinco años. Comete sus crímenes y desmanes bajo la bandera de "tierra para el pueblo" y ha tenido cierta consistencia en su proceder, siempre contra el gobierno; pero es muy discutible que después de estos años de derramamiento de sangre, rapiña y saqueo haya logrado condiciones más tolerables para cualquiera, con excepción de los violadores y los saqueadores. Una vez vi unos restos *vivientes* que llevaron a la Cruz Roja, después de una de sus acciones en Tres Marías, como a cincuenta kilómetros de aquí. Atacaron un tren, lo saquearon, rociaron a los pasajeros con petróleo y prendieron fuego al tren. Los médicos que fueron a la estación a sacar los restos del interior del transporte dicen que el espectáculo fue imposible de olvidar. El nombre Zapata ya se ha vuelto sinónimo de bandolerismo, y son muchos los que operan bajo ese nombre. Ningún general enviado a Morelos ha logrado jamás imponer el orden. Por ejemplo, uno fue enviado a Michoacán con dos mil soldados de caballería, para controlar a una fuerza de varios centenares de bandidos; y aunque tenía forraje gratis le cobró al gobierno 50 centavos por caballo. Como ves, se ha convertido en un círculo vicioso, pero rentable.

El tipo de cambio ha tenido una caída seria. El peso, que estaba dos a uno cuando llegamos a México por primera vez, y había estado tres a uno, o cercano a eso, cayó el sábado pasando a cuatro y medio por dólar de oro. Hay varias explicaciones. Huerta ha amenazado con fundar su propio banco si los banqueros no hacen algo por él. Algunos dicen que los bancos provocaron la caída para asustarlo y otros que Huerta propuso la creación de un banco propio para asustarlos a ellos. De cualquiera modo, el peso cayó. Dicen que durante esa conversación con los banqueros acerca de los préstamos que no querían darle, Huerta observó bromeando que en Chapultepec hay árboles suficientes para colgarlos a todos sin que se amontonen. Esos viejos ahuehuetes han visto mucho, pero un cargamento de banqueros, indígenas y extranjeros colgando de sus ramas junto con sus largos musgos grises sería una novedad.

Ha sido un día airoso en este altiplano donde casi nunca hay viento. Las cintas amarillo pálido del plátano están hechas jirones, pero debemos perdonar una extravagancia ocasional de este clima, insuperable en su calmada belleza. Además existe la ventaja de que una puede usar la ropa de invierno en verano y la de verano en invierno [...]

El desorden aquí ha sido muy perjudicial para los intereses franceses. Especialmente desde la época de Maximiliano han tenido el hábito de invertir en México. Ahora tienen miles de millones de francos improductivos. ¡El pobre y viejo Tío Sam recibirá una hermosa cuenta de *la belle* France!

7:30

Todas mis visitas se han ido y Elim está jugando a las corridas de toros con la carpeta de terciopelo rojo de una de las mesas, hablando para sí en español y haciendo con exactitud cada gesto de su juego. Agradezco al cielo que la temporada de toros terminara. Ya no tendremos sirvientes de cara larga los domingos; entristecidos como niños porque no forman parte de la alegre multitud que pasa por la embajada camino de la plaza y haciéndome sentir una malvada por no permitir que *todos* vayan.

Nelson fue a tratar de ver sus armas; presumiblemente están en la aduana. Por lo menos ha llegado hasta ahí, con los oídos llenos de promesas.

Llegó un telegrama de la tía Laura diciendo que en un día o dos partirá de Tierra Caliente. Le estoy haciendo arreglar la linda habitación de la esquina, junto a la mía.

14 de marzo

Supimos que las armas y municiones que supuestamente debían llegar aquí *sin ruido* como efectos para la embajada, llevaban en la factura el nombre del coronel encargado del arsenal de Springfield. ¡De ahí las dificultades! Ahora reposan en una iglesia abandonada cerca de la estación militar, fuera de la ciudad. Si los hubieran mandado como Nelson pidió no habría habido problema. Ahora será necesario hacer interminables trámites.

Mi casa está invadida por niños. Me dicen que la parte trasera parece un orfanato. Lindos pequeños aztecas de ojos brillantes. En esta tierra desdichada ¿cómo puedo negar abrigo y comida a niños que por así decirlo son arrastrados por la corriente hasta mi puerta? La cocinera tiene tres, la lavandera dos y la recamarera nos va a traer otro. *La recherche de la paternité** indica que el responsable fue nuestro tranquilo y confiable mensajero, Pablo. Le descontaré diez pesos al mes de su salario por seis meses, como una sana proclama a los sirvientes acerca de mis sentimientos. A ella la mandaré al hospital y pronto estará de vuelta. La lavandera acaba de pedir prestados diez dólares para mudarse, porque la leva anda tras su marido. A veces me siento como uno de los primeros religiosos: ningún asunto indígena me es ajeno.

Anoche después de cenar, el doctor Ryan nos contaba (también estaba Patchin, que está por regresar a Nueva York) la muerte de Gustavo Madero, que él presenció y sobre la cual corren tantas versiones. Poco después de la una, regresando a la Ciudadela, donde estaba acuartelado Félix Díaz, para asistir a heridos que habían llevado allá, Ryan se encontró con Madero, a quien sacaban con una guardia de doce hombres. Díaz no lo quería allí, aduciendo que no era prisionero de él sino de Huerta. Madero gesticulaba como histérico y agitaba los brazos en el aire. Según Ryan supo después, estaba ofreciendo dinero a los guardias para que lo escoltaran y pudiera salir de la ciudad. De pronto pareció perder el control y echó a correr, por lo que uno de los guardias disparó, hiriéndolo en el ojo cuando aquél se volvía para mirar hacia atrás. El otro ojo era de vidrio. Eso después dio origen a la historia de que le habían arrancado los

* investigación de la paternidad *(N. de la T.)*

dos ojos. Como siguió corriendo, toda la guardia le disparó y Madero cayó, lleno de balas. Ryan examinó el cuerpo después y encontró diez o doce heridas. Todo tuvo lugar en el pequeño parque frente a la Ciudadela. Éste es el relato auténtico, y por lo menos sabemos que Huerta no fue, en absoluto, responsable de la muerte *de él*. Sin duda, si Gustavo se hubiera mantenido tranquilo, en lugar de correr, estaría aún vivo. Era un advenedizo, pero tenía cualidades de vitalidad e intelecto y cierto magnetismo animal. Suya es la famosa frase de que "de una familia de hombres listos eligieron para presidente al único tonto". No tenía más de treinta y cinco o treinta y seis años y *amaba* la vida. Tenía la capacidad de la respuesta rápida, una mirada intensa y manos que buscaban riquezas. Bueno, eso ha terminado, pero permanece como parte de la historia inalterable de México. ¡Pobre México, abrumado de revoluciones! Aquí todos han sido revolucionarios de alguna clase, aunque, más bien, de dos clases. Huerta sirvió bajo Díaz, quien se deshizo de él, y sirvió bajo Madero de quien él se deshizo. Orozco era aliado de Madero contra Díaz, después estuvo contra Madero, bajo Huerta, y así sucesivamente. La historia de casi todos los hombres públicos muestra cambios de bandera similares, y en cuanto a los que *fomentan* la revolución, Estados Unidos, sin duda, ha desempeñado un papel consistente y persistente, durante tres años, y no hay individuo ni facción de aquí que lo supere.

Nunca olvidaré mi primera experiencia en revoluciones latinoamericanas. Era una hermosa tarde de mayo, hace ya casi tres años, cuando una alborotada muchedumbre de varios miles recorrió las calles gritando "¡Muerte a Díaz!". Al final, la turba se reunió en el Zócalo bajo las ventanas de los aposentos del Palacio Nacional, donde Díaz estaba acostado con un diente y la mandíbula terriblemente ulcerados. Dos días más tarde, en las horas silenciosas de la madrugada, el otrora temido, adorado y todopoderoso gran hombre de México, con sus familiares más cercanos, fue sacado de contrabando en un tren proporcionado por el señor Brown, escoltado por Huerta, y llevado a Veracruz. De ahí se embarcó en el *Ypiranga*, para unirse a otros reyes en el exilio, después de despedirse, quizá para siempre, de la tierra de sus triunfos y glorias. En esos días *él* estuvo en serio peligro, pues había creado el México moderno a partir de la sangre y el caos.

Cuando eliminaron a Madero —en la forma casi automática en que se derrocan gobiernos en América Latina— nos negamos a reconocer al hombre que por la fuerza armada logró quitarlo para colocarse él. Pon una revolución en la ranura y sale un presidente. Nosotros aislamos a Huerta; le bloqueamos por completo la ayuda de otras naciones; destruimos su crédito; le decimos que *debe irse*, porque no toleramos a ningún hombre que llega al poder con derramamiento de sangre. Al parecer, Huerta hizo una observación divertida, aunque imposible de repetir, sobre el reconocimiento del Perú, diciendo en parte que tanto él como Benavides eran líderes militares y que los dos habían ejecutado un *coup d'état* que culminó con el derrocamiento del gobierno existente. En el Perú la *révolution du palais** costó las vidas de ocho funcionarios, entre ellos los secretarios de Guerra y de Marina, el exilio del presidente Billinghurst, y todo terminó con el establecimiento de una junta de gobierno. En cuanto a los peruanos, se dice que sufrieron de vértigo al verse reconocidos tan rápida e inesperadamente.

Recordarás que hace algunos meses dimos asilo por una semana a Manuel Bonilla y después lo llevamos hasta Veracruz, en circunstancias dramáticas, bajo la promesa de no sumarse a los rebeldes. Bueno, se unió a ellos lo más rápido que se lo permitieron el tiempo y el espacio, y leí en el periódico de esta mañana que ahora Carranza lo ha encarcelado por conspirar contra *él*. Supongo que no estaba satisfecho con lo que recibía de los rebeldes e intentó algo subversivo que le pareció prometedor. Si Carranza tiene una prueba de cualquier índole contra él —y probablemente aun sin ella— lo ejecutará una mañana de éstas al llegar el alba. ¡Oh, los miles de hombres que han caminado en el pálido y helado amanecer de México para rendir sus últimas cuentas!

17 de marzo

Ayer no escribí. La tía Laura llegó inesperadamente a las ocho, y no había nadie en la estación para recibirla. Sin embargo, todo está bien si termina bien y ahora está arriba en su habitación con alfombra roja, papel tapiz rojo y oro, y sol a raudales; espero que esté descansando. Para variar un poco, aunque no tengo mucho de dónde elegir, le puse en su mesa de noche *Marius the Epicurean* y *The Passionate Friends*, con una sola rosa blanca. Ha soportado su propio destino todos estos años con tanto valor y tanto ingenio que doy gracias por tenerla aquí donde puede volver sus encantadores ojos azules, que tanto me recuerdan los tuyos, a favor de *mi* circunstancia. Esta mañana al ver su rostro comprendí muy bien por qué la llaman "el Ángel del Istmo".

* revolución de palacio *(N. de la T.)*

Las noticias del norte muestran la desintegración lenta pero segura de las filas rebeldes. Es la vieja historia de la casa dividida aun a costa propia. También es posible que Villa esté cediendo ante las delicias de Chihuahua —parecidos a aquéllas de Capua— y tal vez vacile en emprender una nueva campaña contra Torreón, que podría acabar mal. Ignoro cómo toma el señor Lind esta caída de los rebeldes, porque es indudable que ha sido una caída. Estamos empezando a ver los resultados de los largos meses de telegrafiar sus sueños al presidente. No dudo de que si algún día despierta y llega a comprender la calaña de sus compañeros de cama, con los que ha estado soñando, se querrá morir. Las lucubraciones de Washington no entienden con facilidad el tipo de cosas que ocurren aquí. Saben todo sobre los rateros, la trata de esclavos blancos, las corporaciones corrompidas, los mayordomos desleales, los descuidos de los superintendentes de escuela dominical, las trampas en el beisbol y cosas por el estilo, pero las turbias y exóticas pasiones que mueven a Villa están totalmente fuera de su capacidad de comprensión.

El pobre, viejo y asustado Carranza debe estar más que incómodo con la idea de que ese bruto grandote, deslumbrado por el triunfo, lo espera en su dosel en la casa de gobierno de Chihuahua. Su "causa" está muerta si escucha a Villa, y si no lo hace *él* estará muerto.

Esta mañana recibí una visita del ministro..., y conversamos sobre los asuntos que ninguno de nosotros puede ignorar. Él ve la política sin ilusiones y en forma bastante bismarckiana. Dice que los estadunidenses estamos destruyendo un pueblo que apenas está tomando conciencia de sí mismo y que en algunas generaciones podría convertirse en una nación, pero que nunca lo hará porque nosotros vamos a estrangular su primer grito. Considera que si para nosotros es una necesidad geográfica y ética que no haya ninguna nación armada entre Estados Unidos y Panamá, y si tenemos la paciencia y los nervios de acero necesarios para contemplar su disolución en la línea que seguimos ahora, será nuestro sin disparar un tiro. Pero añade que nos pondremos nerviosos, como suelen hacer los modernos, viendo a un pueblo en el potro de tormento, y nuestra política cederá. Y agregó, con una sonrisa, que las naciones son como mujeres, nerviosas e inconsistentes; y que felizmente para los mexicanos y las potencias extranjeras interesadas no podremos soportar la tensión de ver los horrores que entrañará nuestra política. Le rebatí ese disparo de despedida, pero él se fue con gesto de no estar convencido.

19 de marzo

Ayer fui a Chapultepec para las *fiançailles** del segundo hijo de Huerta con la hija del general Hernández, quien ahora está en el frente. Fue una enorme recepción y estuvieron muchos integrantes de la antigua sociedad. El poderoso, rico y chic clan de los Rincón Gallardo está desempeñando en el gobierno de Huerta el papel que tenían los Escandón en el régimen de Díaz: un trabajo de amalgama, a pesar de que boicotearon en forma consistente el régimen de Madero. Por supuesto hubo muchas "curiosidades". Las dos hermanas solteronas de Huerta estaban allí con sus recias caras chatas de indias y espesas pelucas *o* cabellos oscuros. Naturalmente una de ellas se decidió por un vestido en color oro viejo, y la otra por uno rojo y azul, pero estaban muy dignas y sonrientes. Otra de las curiosidades era la señora Blanquet. El propio Blanquet es uno de los ancianos más guapos y de aspecto más *distingué* que he visto nunca, pero su esposa es rechoncha, de cara chata y muy oscura; parece salida de algún rincón largamente olvidado de su historia donjuanesca. Madame Huerta se veía muy linda y amistosa. Llevaba un buen vestido de seda blanca cubierto con fino encaje negro. Traía puesto el famoso diamante grande y redondo colgado al cuello con una fina cadena.

El futuro novio, de 23 años, tiene los ojos de su madre, y la familia se veía simplemente feliz en medio de su *grandeur*. El viejo "sin lágrimas" estaba de lo más contento y su discurso durante el té fue un gran éxito de espontaneidad, con unas pocas verdades fundamentales y mucha chispa. Empezó por decir a la joven pareja que no contara con él ni con su posición, sólo con sus propios esfuerzos, para crearse una posición y honor; y que empiecen con modestia.

"Ustedes saben cómo empecé yo —agregó con una gran sonrisa iluminándole el rostro—, ¡y mírenme ahora!"

Desde luego todos aplaudieron y rieron. Después se puso nuevamente solemne. "La lucha —dijo— es la esencia de la vida, y los que no son llamados a la lucha han sido olvidados por el Cielo. Todos ustedes saben lo que yo cargo." También les dijo que debían honrarse y respetarse mutuamente, y tratar de ser modelos; y en otra humorada agregó: "Yo he sido un modelo, pero mediano".

Todo pasó en forma muy agradable, con muchos brindis. Huerta cuando habla acostumbra mover las manos y los brazos, a veces to-

* esponsales, compromiso *(N. de la T.)*

do el cuerpo, sin dar la menor impresión de animación; pero esos viejos ojos miran a la persona a quien se dirige en la forma concentrada del líder nato. Tuvo una pequeña reunión con muchos de los grandes hacendados para pedirles su apoyo moral en la crisis nacional, y me imagino que la respuesta de ellos ha sido muy satisfactoria. Entre otras cosas deben contribuir con ciento sesenta caballos para traer el nuevo cañón y demás piezas que pronto llegarán de Francia. Deben aportar diez hombres cada uno, etcétera. Tuvo la inteligencia de pedirles que hagan cosas que *pueden* hacer [...]

El otro día vi un peso de plata de los rebeldes. Tenía escrito como lema "ejército constitucionalista" y "¡Muera Huerta!", en lugar de algún pensamiento más amable como "En Dios confiamos" [*In God We Trust*].

Las historias de los excesos de los rebeldes que nos llegan aquí, traídas por los refugiados de Durango, superan toda descripción. Fueron los constitucionalistas al mando del general Tomás Urbina los primeros en entrar a la ciudad, ensañándose especialmente con los curas. Las iglesias de los jesuitas y los carmelitas fueron saqueadas, y cuando llegaron a la catedral obtuvieron el mejor botín del saqueo. Hasta abrieron las tumbas de los antiguos obispos y revolvieron los restos polvorientos con sus bayonetas, buscando efectos de valor, después de despojar a la sacristía de los objetos sagrados y las invaluables vestimentas antiguas. La esposa del cabecilla rebelde llevaba en su carruaje (o más bien en el carruaje de algún otro) el manto de terciopelo que le quitaron a la Virgen del Carmen de la catedral. Los curas ni siquiera pueden entrar a las iglesias para decir misa, y su principal ocupación parece ser tocar las campanas el día del santo de cualquier capitanejo que se encuentre en la ciudad. Las orgías que hay en la casa de gobierno son una combinación de borrachera, regocijos con mujeres del pueblo (que se adornan con las joyas y ropas de las antiguas aristócratas de Durango), destrozo de muebles y peleas. Las personas antes acomodadas de la ciudad andan vestidas de peón, porque cualquier otra cosa se la quitarían. Eso parece ser el "constitucionalismo" en su más pleno sentido mexicano ¡y qué crímenes se cometen en su nombre! Montones de muebles elegantes, bronces, pianos y pinturas, otrora pertenecientes a las casas de la clase alta, llenan la plaza o son arrojados a basureros fuera de la ciudad. Son demasiado pesados para que los rebeldes se los lleven y están demasiado lejos de la frontera para vendérselos a los texanos, que según entiendo están comprando buena parte del botín de Chihuahua a precios absurdos.

XVIII

De vuelta en Veracruz. Almuerzo en el Chester. *Los horrores de la prisión de San Juan de Ulúa. Té en el* Mayflower. *Los métodos del Ministerio de Guerra y del comisario. ¿Torreón cae otra vez? Don Eduardo Iturbide.*

Veracruz, 21 de marzo

La ciática de Nelson es tan grave que el doctor Fichtner le dijo que tenía que irse de inmediato a nivel del mar. Por lo que anoche partimos en compañía del doctor Ryan. En la estación encontramos a cincuenta soldados del famoso 29º Regimiento para "protegernos", así como un vagón puesto a nuestra disposición por Huerta. Nosotros ya habíamos arreglado viajar con Hohler y el señor Easton, que es el secretario de las Líneas Nacionales, en su vagón privado, pensando en no causar al gobierno el gasto de uno especial para nosotros. Como el gobierno ya le debe millones a los ferrocarriles, unos cientos de pesos más no harán mucha diferencia. Salimos media hora tarde, porque insistimos en que retiraran el vagón del gobierno, pero no pudimos librarnos de los cincuenta soldados, entre los que se encontraba un simpático joven capitán que sufría un agudo ataque de amigdalitis.

En Veracruz encontramos que soplaba un norte y me alegré de haber traído mis trajes sastres. El señor Lind no se veía tan bien como antes. Creo que ocho meses de la comida y la monotonía de Veracruz lo han afectado, además del evidente fracaso de su política. Se siente muy mal con respecto al artículo de Creelman. Me lanzó una mirada de supremo pesar cuando mencioné el disgusto de Shanklin porque dicen que fue él quien encontró a Huerta en las *coulisses** de un teatro, con una actriz en cada pierna y otra colgada al cuello que le daba a beber brandy. La verdad es que Shanklin fue a presentarle sus respetos al

* bastidores *(N. de la T.)*

palco durante alguna función de caridad y encontró a Huerta, muy aburrido, acompañado por dos asistentes. La cuestión de Lind no es tan fácil de refutar. Él *sí* escribió la carta al rebelde, Medina, y ha construido sus sueños y los ha enviado a Washington. Su política es un total fracaso, y creo que por las noches el fantasma de la derrota camina a su lado.

Almorzamos a bordo del *Chester* con el capitán Moffett, que es muy juicioso con respecto a la situación. Después de permanecer una hora en la cubierta barrida por el viento regresamos al vagón, donde encontramos al capitán McDougall del *Mayflower*, deliciosamente espontáneo, que venía a preguntarnos si no queríamos trasladarnos a su barco con equipaje y sirvientes. El único contratiempo en este viaje es que el almirante Fletcher está en la ciudad de México. Nosotros no le dijimos a nadie que veníamos a Veracruz, y él no anunció que iba a la capital con la señora Fletcher y las dos hijas de ambos. Sin embargo, no es sino uno de esos molestos *contretemps** para los cuales no hay remedio. Ellos se fueron por la ruta "interoceánica" mientras nosotros llegamos por la "mexicana". Yo habría regresado, dejando a Nelson en el *Mayflower*, pero como tiene planeado regresar mañana por la noche, para mostrarle correspondencia al almirante, esperaré y viajaremos juntos.

Domingo

Anoche cenamos en el *Essex*, al que el almirante Cradock ha trasladado su bandera, porque el *Suffolk* se fue a Bermuda para que le den otra capa de pintura y le hagan otros arreglos. El almirante Cradock es el mismo encantador amigo y compañero de siempre. Jugué bridge hasta altas horas de la noche con el almirante, Hohley y el capitán Watson. Watson acaba de llegar de Berlín, donde durante tres años fue *attaché* naval. Vi muchas fotografías de viejos amigos: los Granville, sir Edward Goschen, los Grew, el Káiser. Después de un viaje algo incierto de vuelta a la costa, Hohler, Nelson y yo caminamos por los oscuros intersticios de los muelles de Veracruz y de la terminal del tren hasta el vagón. Llevaba vestido largo y zapatos de tacones delgados, y caminaba inclinada a causa del fuerte norte.

No podemos salir hasta el *Florida*, al mando del capitán Rush,

* contratiempos *(N. de la T.)*

debido al mar embravecido. Fui a misa con Ryan, a la catedral. Desde la última vez que la vi la han pintado de un frío gris poco agradable, con ribetes blancos. Antes tenía su *belle patine** castaño rojizo, que brillaba como bronce al sol poniente y era hermosa a todas horas. Sin embargo, los vientos, las tormentas y el sol ardiente pronto embellecerán de nuevo el horrible trabajo de los hombres.

En el vagón. Domingo por la noche

Almorzamos con el almirante Cradock y varios de sus hombres en el vagón, al que ya habíamos invitado al capitán Moffett y al capitán McDougall; un grupo medio "apretado" pero muy alegre donde estuve con nueve oficiales en el pequeño comedor. Después de comer salimos hacia San Juan de Ulúa.

Lunes, 10:30 a.m.

Estoy escribiendo cómodamente en mi cabina. Todavía no estamos cerca de la ciudad de México. Mis amados volcanes no están radiantes, hay un velo polvoriento que cubre todo. A menudo sucede lo mismo un mes antes de que empiecen las lluvias.

Anoche, a las siete, cuando llegamos a la estación encontramos que el tren, que debía partir a las 7:20, se había ido, con nuestro vagón privado y los sirvientes desde las 6:55. Los sirvientes les pidieron que desengancharan el vagón, pero no. Pueden imaginarse las caras de los *chargés* que *tenían* que estar en la ciudad de México el lunes de mañana. Al final todo acabó cuando alistaron otra locomotora y la mandaron a alcanzar al tren y traer nuestro vagón de vuelta. Después que el telégrafo y el teléfono, y toda la estación y, en realidad, toda la ciudad, se pusieron de cabeza, partimos a las diez. Si el vagón no hubiera regresado nos proponíamos subir a una locomotora y perseguir al tren a través de la noche tropical. La locomotora que finalmente conseguimos se descompuso después. En una de las laderas empinadas, oscuras y perfumadas de flores, extrañas siluetas morenas se reunieron para observar en silencio la reparación, a la incierta luz de antorchas y faroles. Ahora debemos llegar a la ciudad a las 12:30, la locomotora, nuestro vagón, el vagón donde van los cincuenta soldados y su pobre ofi-

* bella pátina *(N. de la T.)*

cial, que no ha tomado ni una gota de agua desde que salió de la ciudad de México el viernes por la noche. Le mandamos almohadas y cobijas para tratar de ponerlo cómodo, pero no pudo aceptar nada que provenga de nosotros, aunque con buena disposición, ni de las viandas ni de los vinos.

Debo contarte nuestra visita a la prisión de San Juan. Después de comer, el doctor Ryan, el capitán McDougall, el doctor Hart, el señor Easton y yo abordamos el bote del *Mayflower* y fuimos conducidos al muelle de ese tristísimo lugar. Soplaba un fuerte viento desde el mar purificador que, por lo menos de octubre a abril, ayuda a impedir que San Juan sea un nido de alimañas intolerable. El lugar es enorme, formado por edificios de diferentes periodos desde la Conquista hasta Díaz, con canales que se intersectan entre grandes masas de mampostería. Para llegar a la comandancia tuvimos que ir rozando el borde del agua, donde hay estrechas hendiduras de alrededor de tres pulgadas de ancho, en muros de un metro y medio de espesor, que llevan a mazmorras oscuras y sin ventilación. De esas aberturas salían débiles sonidos humanos.

Al cruzar la reja nos encontramos en el gran patio donde transcurre la vida de la prisión, dominada desde lo alto por el departamento del coronel y las celdas muy bien custodiadas de los presos políticos. Hombres de buena conducta, con su distintivo en un brazo, nos ofrecieron en venta cocos y huesos de frutas finamente tallados por ellos. Para nosotros representaban monos, cabezas y otras cosas por el estilo; para los presos que las hacen representan salud y ocupación durante horas terribles, aunque sólo Dios sabe cómo hacen para elaborar diseños tan finos e intrincados en la semioscuridad de los "mejores" calabozos.

Después subimos sobre los grandes parapetos, mientras el norte soplaba feroz. Yo traía puesta mi falda estrechísima de Jeanne Hallé y un sombrero de tul negro, porque después íbamos a tomar el té al *Mayflower*. Caminamos sobre grandes techos planos de mampostería que, de trecho en trecho, tienen agujeros cuadrados, con rejas. Espiando hacia abajo, por cualquiera de ellos como a unos treinta pies en las tinieblas, al principio no se oía ningún sonido, sólo se sentía un espantoso hedor indescriptible que se mezclaba con el aire salino; pero cuando arrojábamos cajas de cigarrillos a la negrura maloliente nos llegaban ruidos sordos y vagos gruñidos humanos. Incluso podíamos ver, entre la negrura, manos humanas estirándose o el brillo de algún ojo. Si arriba, en ese fuerte norte, apenas podíamos soportar el olor que salía ¿cómo sería abajo en las profundidades? En esos agujeros viven unos ochocientos hombres.

Regresamos al patio central, con los corazones sobrecogidos al saber que no podíamos hacer nada por aliviar el sufrimiento. Sirvieron la comida vespertina de la cárcel: café, frijoles aguados y un trozo de pan. ¡Oh esos Juanes, Ramones y Josés pálidos por la malaria, que respondieron al llamado a comer, trayendo sus tazas y sus platos de lata para desfilar ante las grandes ollas! Pestañeando y tropezando pasaban entre los centinelas armados, para regresar en un momento a su horrenda oscuridad. El capitán McDougall, una persona muy humana, probó el café de una de las tazas de lata. Dijo que no era malo y estuvo dando paquetes de cigarrillos y diciendo una palabra amable a los hombres que pasaban frente a él.

Compramos todos los pequeños objetos que vendían y les distribuimos docenas de paquetes de cigarrillos. Pero nosotros, con libertad, honores, opulencia y esperanzas, sentíamos la futilidad de nuestra presencia allí, donde la bendición de la libertad que nosotros teníamos era todo lo que pediría cualquiera de ellos. Los presos están allí por todos los delitos imaginables, pero muchas de las caras, más que brutales, se veían tristes y marcadas por la fiebre. *Todos* parecían olvidados por el Cielo e ignorados por los hombres. También visitamos el pequeño cementerio azotado por el viento, con sus escasas tumbas. El eterno oleaje cálido entra y sale del breve tramo de arena que lo limita. Casi la única "curación" es la que el agua salada hace a los pobres cuerpos que habitan tras los agujeros de la prisión. Hay una piedra que marca el sitio donde enterraron a algunos de nuestros hombres, que murieron al tomar la fortaleza en 1847. El doctor Ryan descubrió un pie en una buena bota estadunidense: al parecer restos de un individuo recientemente devorado por un tiburón.

Esa fortaleza ha sido sede de generaciones de horrores, y no hay nadie en el mundo capaz de destruir esos muros mohosos o que, por lo menos, alivie el sufrimiento que ocultan. Una de las consignas de Madero era suprimir esa prisión, pero él llegó, pasó y San Juan de Ulúa persiste. No he descrito ni una décima parte de los horrores. Sé que en todas las comunidades *debe* haber prisiones y *debe* haber abusos, pero este agujero de ratas, a la entrada del gran puerto, donde nuestras naves están ancladas a menos de un tiro de piedra, es algo increíble.

Después, el contraste del té, música y jóvenes oficiales elegantes y dispuestos a bailar sobre el hermoso *Mayflower*, me inclinó más bien a la inmovilidad. ¡Me resultaba difícil dejar que Dios se encargue Él solo de *Su* mundo!

24 de marzo

Estoy sentada en el automóvil garrapateando esto a la sombra de unos árboles junto a la hermosa Alameda, esperando que Nelson termine sus asuntos en la cancillería. Después él se irá a la Secretaría de Guerra y yo de compras.

Ayer en la tarde, al regresar de Veracruz, Nelson corrió a telefonear a los Fletcher. Vinieron a las cuatro para el té. Más tarde Nelson salió con el almirante y yo fui en el auto a San Ángel con la señora Fletcher y sus dos lindas hijas. Ella es muy agradable. Su apreciación del ocaso sobre los volcanes, que para la ocasión lucían su aspecto más espléndido, fue todo lo que podía pedir mi corazón. Esta noche regresarán a Veracruz.

Me siento muy bien después de una noche de descanso; el aire me envuelve como una estola luminosa y el sol es suavemente penetrante.

Todavía no nos han entregado las armas y las municiones. Por supuesto, en ausencia de Nelson no se hizo nada. De todos modos él no las quería: ¿para qué sirven en manos de civiles? [...]

La Secretaría de Guerra está a un paso del Zócalo, a un lado del gran edificio cuadrado del Palacio Nacional. Desde donde estoy veo las suaves torres color rosa de la catedral, con sus siluetas de encaje. A la izquierda está el Museo Nacional, hermoso edificio antiguo del tezontle rosa que los españoles usaron tan bien en sus construcciones. Alberga todos los tesoros aztecas que aún quedan después de siglos de destrucción. Tiene un acogedor patio entibiado por el sol, donde están agrupados los altares sacrificiales y las piezas más grandes. La mayoría de ellas fueron encontradas en el mismo lugar donde ahora está la catedral, misma que remplazó al teocalli de los aztecas. Ésta fue la primera edificación que los españoles destruyeron, para levantar en su lugar la hermosa catedral. Me rodea una multitud creciente de mendigos, atraída por unos centavos indiscretos que le di a una anciana india que me bendijo en voz demasiado alta; gritos de "¡Niña por el amor de Dios!" y "¡Niña por la Santa Madre de Dios!" me hacen sentir que es mejor alejarme. Los mendigos aquí invocan el nombre de Dios en forma tan incesante que la palabra *pordiosero* ha pasado a ser parte del lenguaje.

En casa, antes de comer

Nelson salió de las oficinas de Guerra después de encontrar en el corredor al enormemente alto coronel Cárdenas, quien es el mejor tirador de México. Se supone que él sabe con exactitud qué fue de los restos mortales de Madero. Él comandaba el escuadrón que transportaba a Madero y a Pino Suárez del Palacio a la Penitenciaría cuando los mataron. Después fuimos al tercer lado del Palacio Nacional, donde está el cuartel de zapadores, para ver cómo sigue el oficial del 29º Regimiento que nos acompañó a Veracruz. Fue muy interesante, ya que a las doce, vimos a diversas personas llevando comida al cuartel. Los guardias registraron a todos —hombres, mujeres y niños— pasándoles las manos por los costados. Las mujeres más jóvenes recibían pellizcos o palmadas donde al guardia se le antojaba dárselos y ellas daban gritītos y brinquitos, a veces molestas, a veces complacidas. Llevaban grandes canastos de tortillas, enchiladas, frijoles, frutas, etcétera. Los hombres del cuartel dependen por completo de ellas para comer, ya que el ejército no los abastece. Otro guardia mantenía a buena distancia a unos niñitos, demasiado solícitos, azotando cerca de sus piernas un trozo de cuerda retorcida que hacía un ruido penetrante. Todo muy entretenido. Finalmente el propio joven capitán salió a agradecernos y a decirnos que ya está casi bien. Mostraba una mirada sorprendida en su rostro pálido. Quiere que Nelson influya para que lo nombren mayor. Y por qué no, cuando parece que a todos los oficiales los han ascendido; sin duda, una astuta treta de Huerta. Ha creado varios grados en la cúpula para tener más campo de acción. Necesitará espacio para maniobrar con un ejército formado en su mayor parte por oficiales de alta graduación. Va a conseguir el préstamo interno de cincuenta millones, con la garantía del préstamo de París. El ministro austrohúngaro acaba de llegar para pedirme que vaya con él a San Ángel, así que *adieu*.

25 de marzo

Acabamos de dar un hermoso paseo en automóvil hasta San Ángel Inn, hablando de política y del paisaje. Los volcanes tenían, a todo lo largo, nubes que parecían pañoletas enredadas a sus resplandecientes cabezas.

Kanya de Kanya estuvo con el conde Aerenthal durante sus cuatro años en Viena, como ministro de Relaciones Exteriores, y durante ese tiempo tomó copiosas notas relacionadas con las candentes cuestiones del Cercano Oriente, que, por supuesto, arrojarán luz sobre los grandes problemas internacionales de ese periodo. Espera encontrar aquí el tiempo y la calma para ponerlas en orden, aunque no pueda publicarlas hasta que haya corrido mucha más agua bajo el molino de Austria-Hungría.

Llegué a casa a tiempo para sentarme un rato con la tía Laura, antes de vestirme para la cena, para la cual esperaba a Hohler. La comida fue algo agitada. Llamó un periodista para decir que Torreón había caído y dio algunos detalles convincentes, como el de que se había salvado la vida de Velasco. El préstamo de cincuenta millones de dólares retrocedió hacia una penumbra distante. Inmediatamente nos imaginamos las hordas saqueadoras y destructoras de Villa —el "tigre humano", como le dicen algunos de nuestros periódicos— cayendo sobre la apacible ciudad de México. Nelson ordenó el auto y él y Hohler salieron, apenas terminada la cena, hacia la Secretaría de Guerra en busca de noticias. Sabemos que se desarrolla una gran batalla. Mientras escribo los hombres están matándose y mutilándose entre hermanos en el fértil distrito de La Laguna, donde se producen horrores increíbles. Se dice que Velasco es honesto y capaz, y tiene dinero y municiones.

El general Maure, quien se marchó al frente hace unos días, no quiso partir hasta tener dinero suficiente para mantener a sus hombres durante dos meses. Se supone que también él es honesto, y si *efectivamente* alimenta a su tropa, en lugar de meter el dinero en algún banco de Estados Unidos (si *todos* alimentaran a su gente, en lugar de pedirles trabajar a hombres agotados y con el estómago vacío), es posible que avance hasta la victoria. La corrupción de los oficiales es lo que anula el trabajo del ejército, y Huerta dice que es imposible combatirla. Cualquier hombre al que se le sometiera a una corte marcial estaría seguro de recibir el apoyo de Estados Unidos. Para mantenerse leales, las tropas no piden más que comida suficiente para continuar con vida durante la campaña. El cuadro de soldados hambrientos a los que encierran durante la noche en vagones de carga para que no deserten, y después llaman a luchar cuando los sueltan por la mañana, es para enfermar a cualquiera. Por supuesto, las manos libres para saquear y el estómago lleno de comida ajena son irresistibles cuando se presenta la oportunidad.

Ha llegado una carta muy gratificante del arzobispo Riordan, agradeciendo a Nelson su desempeño en el asunto del Fondo Piadoso.

México, con base en el derecho internacional, ha declinado hacerse cargo de la cuenta de los alimentos (que ya asciende a centenares de miles en oro) de los refugiados internados en Fort Bliss. Me pregunto hasta cuándo querrá el Tío Sam hacer de anfitrión. Esta situación, entre muchas otras también trágicas derivadas de nuestra política, nos produce una gran sonrisa burlona, a expensas del Tío Sam.

27 de marzo. Por la mañana

Estoy sentada en el auto en el Bosque de Chapultepec, a la sombra de un gran ahuehuete, mientras Nelson conversa con el dictador en su automóvil allá en la avenida. Toda clase de pájaros cantan, y un precioso colibrí ("chupamirtos" los llaman los indios) está tan cerca que oigo su "hum". Elim corre sobre el verde césped con su red tratando de cazar mariposas. Pienso en este "día tan lindo, tan suave, tan fresco, tan brillante". Ésta parece la ciudad de la paz. En el norte el gran combate continúa. Los rebeldes usan casi exclusivamente balas expansivas, que no dan oportunidad de vida a los heridos. Huerta, a quien Nelson vio anoche, está calmado e imperturbable. Su préstamo de cincuenta millones de pesos es un hecho consumado. Eso no le gustará a Washington.

Nelson hablaba esta mañana de la famosa entrevista entre Lind, Gamboa (entonces secretario de Relaciones Exteriores) y él, un encuentro que ha pasado ya a ser parte de la historia. Lind, con su característico ademán de golpearse la muñeca izquierda con la mano derecha, para agregar énfasis a sus palabras, le dijo a Gamboa: "Hay tres cosas que podemos hacer si Huerta no renuncia: primero, usar el boicot financiero". (Que ya se realizó.) "Segundo, reconocer a los rebeldes." (Esto se ha hecho del modo más completo al levantar el embargo, al darles pleno apoyo moral y al estar listos para financiarlos sin la menor cooperación ni decencia de parte de ellos.) "Tercero, intervenir."

Esas proposiciones fueron planteadas hace casi ocho meses, y hoy la posición de Huerta es mejor, con mucho, que en aquel momento. Ha mantenido la ley y el orden en sus provincias. Todavía queda la tercera posibilidad, la intervención, pero ¿con qué fundamento decente podemos intervenir?

Si por algún remoto azar los rebeldes llegaran hasta aquí ¡qué profanaciones, qué violaciones sufriría la ciudad de México, la apacible, la bella!

En casa. Por la tarde

Esperé mucho rato a Nelson esta mañana. El general Rincón Gallardo se acercó a hablar conmigo; se veía muy elegante en su traje de montar color caqui con un toque de alamares de oro. Es un hombre erguido, de cabellos claros y facciones rectas de aspecto anglosajón. Acaba de regresar de una gira de inspección por Hidalgo; cabalgó por todo el estado con un par de asistentes y lo encontró todo en paz. Por supuesto le pregunté si había noticias del norte, pero como por todas partes los cables y las comunicaciones están cortados, nadie sabe. Eduardo Iturbide (de quien se habla para suceder a Corona como gobernador del Distrito Federal) también vino a hablar conmigo. Había mucha gente esperando ver a Huerta, pero él se toma su tiempo. Después de ver a Rincón Gallardo y a Nelson, el presidente se marchó, ignorando a los decepcionados ocupantes de media docena de automóviles.

Iturbide siempre dice que no tiene ningún talento político, pero dadas las circunstancias era inevitable que fuera arrastrado por los acontecimientos. Él daría prestigio y dignidad a cualquier cargo. Hay una descripción del emperador Agustín de Iturbide, "valiente, activo, guapo, en la flor de la vida", que se le puede aplicar por completo. A veces me pregunto si el destino de don Eduardo no será tan trágico como el del hombre cuyo nombre lleva. Los ingredientes de la tragedia nunca faltan en ninguna situación política mexicana. La única variación está en la forma como se mezclan. Lo que yo llamo la magia mexicana impide hacer un juicio. Uno nunca piensa que algo va a pasar aquí hasta que ya pasó, a pesar de que un millar de situaciones análogas se han desarrollado hasta su inevitable final trágico. Fue don Eduardo quien me hizo la profunda observación que apunta a la tragedia: "Nosotros los entendemos a ustedes mejor de lo que ustedes nos entienden a nosotros".[1]

Huerta se mantiene muy calmado estos días, dice Nelson; *allí*

[1] Más tarde, bajo la presidencia de Gutiérrez, don Eduardo salió de México en circunstancias de lo más peligrosas. Con Zapata y Villa amenazando su vida, estuvo oculto varios días en una de las legaciones extranjeras en la ciudad de México. Finalmente se obtuvo un salvoconducto de Gutiérrez y salió de la ciudad con el señor Canova, uno de nuestros agentes. Villa tuvo noticia de su partida y lo persiguió a Aguascalientes, Torreón y Chihuahua, hasta que lo encontró finalmente en Ortiz. Allí, en la oscuridad, don Eduardo logró escapar del tren y vagó ocho días por el desierto del norte hasta que llegó al río Grande, que atravesó nadando entre Mulato y Polvón.

no hay nerviosismo mientras espera las noticias. Supongo que sabe lo mal que están sus hombres, y también la calaña indefinida de los rebeldes. Habló de que hacían falta dos años de trabajo para la pacificación, y de que después se iría a vivir a Washington, para probarnos que no es ni un indio salvaje ni un bandido. Está muy contento de haber conseguido su préstamo; el dinero está aquí, él sabrá cómo emplearlo.

Al principio, Huerta estaba rodeado por hombres experimentados y responsables, pero cuando todos entendieron que Estados Unidos no reconocería su gobierno se iniciaron intrigas contra él y lo obligaron a hacer cambios en su gabinete. Más tarde, cuando un amigo le reprochó eso él respondió con mucha franqueza: "Nadie lo lamenta más que yo, porque ahora, desdichadamente, todos mis amigos son ladrones".

El número de ayer de *Mister Lind* tiene como portada al señor Wilson y a Villa de pie en un charco rojo, brindando con vasos que gotean sangre. Es terrible pensar que puedan existir semejantes cosas, aun en la imaginación. Nelson ha protestado ante las autoridades federales.

28 de marzo

Esta mañana los periódicos traen la "triste" noticia de que Carranza parece haberse perdido en el desierto; ¡la montaña se perdió cuando iba hacia Mahoma! Se supone que lo persigue el general Acevedo, quien conoce ese territorio como su propio bolsillo, con 1,200 hombres. Creo que Villa lloraría lágrimas de cocodrilo si algo le pasara a Carranza; pero ¿qué haría Washington sin ese noble anciano para alzar la bandera del Constitucionalismo? "Un año de las gestiones de Bryan provoca risa a todo el mundo." La idealización de un viejo *licenciado* deshonesto, que ya había hecho sus planes para traicionar a Madero, y la santificación de un bandido sanguinario, bien podrían hacer reir al mundo entero, si no implicara la agonía de todo un pueblo.

Esta mañana fui con el doctor Ryan a visitar el Hospital General. Es un establecimiento magnífico, sobre el modelo del Hospital General de París, con equipos eléctricos y de hidroterapia, treinta y dos pabellones grandes llenos de sol y aire, salas de operaciones y edificios especiales para enfermos de tuberculosis, niños y enfermedades contagiosas. Lo triste del asunto es que sólo está ocupado en un tercio de su capacidad. La leva siempre se lleva de allí a muchos hombres. Esperan cerca de las elegantes puertas y agarran a los pacientes dados de alta, lo que hace que los pobres infelices prefieran sufrir y morir en indescriptibles agujeros.

Al regresar fui al Palacio Nacional con Nelson, quien andaba buscando al presidente. Las armas todavía no llegan a la embajada. Mientras Elim y yo estábamos sentados en el automóvil el *chargé* francés salió de su auto con el capitán De Bertier, el *attaché* militar francés que acaba de llegar de Washington y que se veía muy elegante uniformado de manera impecable, listo para ser presentado oficialmente a Huerta. Tenían cita a las doce, que ya habían dado, pero el presidente no estaba allí porque se había ido a Popotla. Acabo de llegar a casa. El señor De Soto me llamó para decirme que hay malas noticias del frente; pero creo que incluso las malas noticias son rumores, porque todas las líneas en las cercanías de Torreón fueron cortadas hace días.

28 de marzo, 11:30 p.m.

Por fin recibimos noticias del norte (por medio de Associated Press), de Gómez Palacio y Ciudad Juárez. Habían llegado dos trenes cargados de heridos rebeldes, y Villa telegrafió pidiendo urgentemente material médico, pese a que llevaba consigo una cantidad enorme. Al término de cinco días de lucha continua los rebeldes no habían logrado abrir ninguna brecha en las inconquistables líneas defensivas de Torreón y Gómez Palacio. Soldados heridos dicen que por orden de Villa cargaron hacia una muerte casi segura en Gómez Palacio, atrayendo el pesado cañoneo de las armas federales. Se les sacrificó de modo deliberado para que otras fuerzas pudieran atacar la ciudad por diferentes puntos sin encontrar mucha resistencia. Y hay extraños rumores de que Villa sucumbió a la tentación de los hombres del cinematógrafo y no lanzó el ataque hasta el amanecer. Es terrible contemplar la masacre de inocentes Pepes y Juanes que no cuestionan nada. Ardo en deseos de poder ayudar en el servicio de hospital. Ambos lados tendrán terribles necesidades, y un hombre herido no es ni rebelde ni federal.

Ésta es, en gran parte, una revolución agraria, y Huerta fue el primero en darse cuenta. Dice que todos le han hecho promesas al pueblo y nadie las ha cumplido. Me pregunto, si el pueblo tuviera alguna vez la oportunidad de hacer promesas, ¿las cumpliría? ¿Quién sabe? Sin embargo, no se trata de tomar partido, sino de ver los hechos.

La invitación de Estados Unidos a Huerta para que asista a la Conferencia de La Haya fue solemnemente aceptada por él; ahora toca a los juristas internacionales decidir si el hecho mismo de haber enviado la invitación no implica un reconocimiento tácito. Es uno de esos deslices que ocurren ocasionalmente, y Huerta es demasiado astuto para dejar pasar esa o cualquier oportunidad de anotar un tanto contra Estados Unidos. Si las cosas fueran de otro modo, él sería capaz de *enredar* a Washington como nunca lo han *enredado* antes; pero las cosas no son de otro modo y lo único que puede hacer es mostrar un valor inmenso, una sostenida indiferencia y una voluntad indomable en lo que se presente. Ahora mismo se están mandando más y más tropas hacia el norte.

Quedamos encantados al saber que Warren Robbins y Jack White van a ser enviados aquí como segundo y tercer secretarios. Hay abundante trabajo para todos, y será agradable tener amigos y colaboradores. Ha sido un periodo duro para Nelson enfrentando solo todas las decisiones y representaciones oficiales.

Las noticias del norte son más alentadoras, pero continúa una lucha terrible. Elim y yo fuimos con Nelson a Chapultepec. Aunque el bosque ya no está lleno de gente por la mañana, como en los viejos tiempos, porque la banda ha desaparecido junto con muchas otras cosas, todavía hay muchos paseantes en las veredas sombreadas por ahuehuetes. A través de los añosos árboles se filtra una frescura brillante, los pájaros cantan, los niños juegan. Su belleza me produce a la vez alegría y hastío. Como esperábamos, encontramos al presidente sentado en su automóvil, que estaba rodeado por media docena de otros autos llenos de gente que le hace peticiones de todo tipo. El general Corral, con su uniforme caqui, vino a saludarme y a decir adiós. Acababa de despedirse del presidente e iba camino a la estación, de donde partirá hacia el norte con dos mil hombres. Apreté su mano y le deseé que Dios lo acompañe. Es posible que nunca vuelva a hallarse bajo esos árboles luciendo una sonrisa en el rostro y con la esperanza en el corazón.

El presidente salió de su automóvil y yo del nuestro y tuvimos una plática en la que le presenté a Elim. ¡Huerta es realmente un viejo *encantador*! Le dije que ansiaba irme a Saltillo con la Cruz Roja. Él comentó: "Habrá trabajo aquí en la ciudad, y yo la nombraré a usted para dirigir la Liga Internacional. Usted es muy buena, señora". Y me estrechó la mano con sus pequeñas zarpas aterciopeladas. Ha dejado de usar el sombrero de alas caídas y ahora lleva sombrero de copa y su levita larga y suelta, porque "da más dignidad", dijo, cuando Nelson le dijo que se veía "elegantísimo".

Después fuimos a la estación de Buena Vista, donde estaban entrenando las tropas del general Corral. Nos encontramos con una escena muy atareada. Había largas hileras de vagones de carga, con los pisos cubiertos de paja fresca; otros convoyes contenían soldaderas con sus hijos, los bebés de pecho y los niños más grandes que pueden ser útiles. A los pequeños de entre dos y siete años los dejan en casa. Hay muchos impedimentos de todo tipo. Esas mujeres, como no tienen casa, acostumbran llevar consigo todas sus pertenencias: jaulas con pájaros, cabras, latas de aceite viejas, llenas de sólo Dios sabe qué. Los soldados reían y bromeaban, y las vendedoras de frutas, de dulces de vivos colores y refrescos de colores aún más vivos, estaban muy atareados. El sol quemaba terriblemente y nos vinimos, yo elevando en mi corazón una plegaria por esos pobres infelices. ¿*Está* "Dios en su cielo?" ¿*Está* "todo bien en el mundo"?

Lunes por la mañana

Estoy aconsejando al doctor Ryan que se vaya a Torreón. Yo misma telegrafié al almirante Fletcher pidiéndole que envíe una caja de equipo de hospital, vendas, algodón, yodo, cinta adhesiva y tabletas de bicloruro con el oficial que viene a quedarse con nosotros. El doctor Ryan podría partir mañana en la tarde. Hay trabajo, mucho trabajo que hacer, y me enferma que "mi posición" me impida ir con él. Mis manos ansían trabajar.

En cuanto a las noticias, todos en la ciudad están encantados, tanto huertistas como villistas por igual. ¡Los primeros han recibido nuevas de una victoria completa, y los últimos han sabido que las fuerzas rebeldes han tomado todas las entradas de Torreón y que los federales se retiran!

XIX

El congreso se reúne sin el representante de Estados Unidos. Huerta hace su "profesión de fe". El señor Lind sale de escena. Ryan parte hacia el frente. Los attachés *militares de Francia y Alemania. El Jockey Club.*

Primero de abril. Por la mañana

Por tiempo indefinido llegó ayer el teniente Courts (uno de los asistentes del almirante Fletcher). Es un joven oficial capaz y agudo, preparado para estudiar la situación en forma inteligente y objetiva. De nuevo la enorme casa está llena.

Ayer almorzamos en la legación alemana en honor del *attaché* militar francés, conde de Bertier de Sauvigny, y del alemán, Herr Von Papen. Ambos han venido de Washington por algunas semanas. Estaban los Simon, los Von Hiller y varios más, todos tratando de ilustrar a los dos recién llegados acerca de la situación. Ambos se hallaron en una posición que requiere cierto tacto y agilidad para mantenerse en su sitio, *à cheval,** pues están entre Washington y la ciudad de México. Von Hintze nunca ha sentido simpatía por Huerta. En ocasiones, muy raras, le ha concedido algún elogio a regañadientes, pero un hombre de la meticulosidad de Von Hintze siempre se encontrará *fluide contraire*** a un hombre con los defectos de Huerta; mismos que, como he discutido alguna vez con Von Hintze, en México se vuelven virtudes. Más tarde todos vinieron a tomar el té conmigo. De Bertier es un hombre muy guapo, alto, de tipo galo, distinguido y de facciones finas; Von Papen, de sonrisa agradable e inquisitiva, es la quintaesencia del teutón; con su cabeza cuadrada y cada hueso de la cara en relieve, contrasta con el tipo mestizo mexicano al que mis ojos están acostumbrados.

* a horcajadas *(N. de la T.)*

** contrario *(N. de la T.)*

Simon dice que la historia sobre el préstamo es cierta. Huerta les dijo a los magnates de la banca que tenía, detrás de la puerta, dos soldados por cada caballero, y que les daba diez minutos para resolver qué iban a hacer. Obtuvo el préstamo.

Por la noche Hay y Courts y H. Walker y Ryan cenaron con nosotros, y todos se quedaron hasta tarde. El doctor Ryan teme no poder llegar hasta Torreón. Anteanoche volaron la carretera entre Monterrey y Saltillo, y es inútil tratar de cruzar ese desierto a pie o a caballo.

Más tarde

Fui a Chapultepec con Nelson y Courts. Quería mostrarle a Courts el cuadro administrativo engarzado en la belleza matinal del parque. Nelson tenía asuntos urgentes con el presidente. Allí estaba la acostumbrada congregación de automóviles, el presidente en el suyo, hablando con el secretario de Hacienda. Después llegaron Hohler, Manuel del Campo y los dos García Pimentel, todos vestidos de negro, pues venían de las honras de Ignacio Algara, hermano del *chargé* mexicano en Washington. Iban a comer un sándwich y nos invitaron a Courts y a mí a entrar al restaurante con ellos, cosa que hicimos. Pocos minutos después apareció Nelson, y con él el presidente. Inmediatamente sirvieron las tan comentadas *copitas*, y el presidente apenas tocó su bebida. Después de un rato de bromear con Nelson, mientras la *jeunesse dorée** de México miraba más bien incómoda, Huerta se fue, despidiéndose de mí con una reverencia y de los demás con un amplio ademán circular. Traía un telegrama de ciudad Porfirio Díaz, que informaba que los rebeldes habían tenido pérdidas enormes y los federales mantenían su terreno, lo cual puede ser cierto o no. La notita que te adjunto aquí vale para los mexicanos en general y para la situación en particular:

Lo más seguro con respecto a las muchas historias sobre lo ocurrido ayer en Torreón es la respuesta que dio un mozo mexicano a la pregunta de su amo de si llovería. Después de observar cuidadosamente el cielo, Juan respondió: "Puede que sí y puede que no, pero lo más probable es que quién sabe".

* juventud dorada *(N. de la T.)*

2 de abril

Ayer el congreso reanudó sus sesiones. Huerta se mostró perturbado cuando Nelson le informó por la mañana que no podría estar presente. En la misma sala que vio la disolución de la cámara, el indio viejo, en un discurso conciso que acreditaría a cualquier dirigente, esbozó brevemente la labor de gobierno, dejando pendientes los informes detallados de las diferentes secretarías. Hay una nota trágica en el hecho de que este gobierno perseguido, en medio de todas sus ansiedades, pueda discutir cosas como la hidrología subterránea del altiplano y el envío de delegados al congreso de electrotecnia de Berlín. Huerta remató su discurso con estas palabras solemnes y conmovedoras:

> Antes de abandonar esta sala debo grabar en los corazones de ustedes mi propósito, que en otra ocasión comuniqué a la Asamblea Nacional en la forma más explícita: la paz de la República. Si para obtenerla se hace indispensable el sacrificio de ustedes y mío, sepan de una vez por todas que ustedes y yo sabremos cómo sacrificarnos. Éste es mi propósito, mi profesión de fe política.

El aplauso fue inmenso. Pero la tarea parece sobrehumana. Luchar contra los rebeldes *y* contra Estados Unidos no es simplemente difícil, es imposible.

2 de abril. Por la noche

Villa habla libremente de sus planes para cuando triunfe: lo primero y fundamental, ejecutar a Huerta y a toda su familia política, pues "el primer deber de un ejecutivo mexicano es ejecutar"; después, establecer una dictadura por un año. El programa chorrea sangre ¡y ésa es la gente que estamos respaldando!

Lind parte esta noche hacia Washington, y así sale de escena don Juan Lindo (a veces me dan ganas de llamarlo don Juan Blindo),* que inició su vida en un pueblo escandinavo como Jon Lind y la ha finalizado soñando sueños nórdicos en Veracruz, en la hora de la agonía de México. Mi corazón está inexpresablemente perplejo ante este juego del destino. Además, Lind *nos* habría lanzado a la guerra desde hace tiempo si no

* Juego de palabras apoyado en blind, ciego *(N. de la T.)*

fuera por el agudo sentido común y por el conocimiento entrenado del ser humano que posee el dotado comandante de la flota en Veracruz [...]

Una ardiente indignación me invade ahora que el señor Lind sale de uno de los capítulos más desastrosos de la historia de México y regresa a Minnesota. (¡Oh, tan lejos en todo sentido!) Lleva en sus manos la sangre de los que fueron muertos con la armas del levantamiento del embargo. Esas armas que, algún día y hora que ignoramos, inevitablemente deberán volverse contra los donantes. Todo es tan seguro como la muerte, aunque hay muchos que se niegan a mirar incluso teniendo *ese* hecho frente a la cara.

De todos modos no estoy muy enterada respecto al sistema de los agentes confidenciales. Tienen mejor posición que los espías dentro de la comunidad pero están mucho menos informados, por lo que pueden llevar a cometer errores (queriendo o sin querer, es un detalle) a cualquiera que confíe en su testimonio. A propósito del señor Lind, uno de los extranjeros de aquí dijo que era como si Washington tuviera en San Francisco a un francés para que averiguara sobre nuestras relaciones con Japón. Por alguna razón, en general, cualquier información enviada por agentes confidenciales es aceptada sin vacilar, pero desgraciadamente el nombramiento no les concede ninguna gracia divina.

5 de abril

Es Domingo de Ramos, y hay un viento suave y un sol cálido. A las nueve de la mañana se bendijeron las palmas en la Catedral. Los grandes pilares de la iglesia tenían colgantes color púrpura y cientos de palmas se agitaban en las manos devotas, de mendigos y de ricos por igual. Hubo buena música gregoriana en lugar de las habituales composiciones recargadas. Cerca de donde yo estaba arrodillada había una niña indígena paralítica, arrastrándose sobre las manos más hermosas que he visto nunca. Su calvario es constante.

A la entrada de la iglesia los indios ofrecen hermosos objetos de palma trenzada de todas las formas imaginables. Compré un hermoso diseño en forma de cruz griega del que penden unas hierbas plateadas. Ahora está colgado sobre mi cama.

Supimos que Zapata tiene al obispo de Chilapa y pide un gran rescate. Como las familias pudientes de esa parte del país han huido o ya les han robado todo lo que tenían, es posible que el dinero no llegue. Hay una amenaza de crucificarlo el viernes santo si no pagan, pero no creo que esté realmente en peligro, porque de seguro todos pensarían que ese acto atraería una maldición sobre las gentes y el lugar. Es la segunda vez que lo apresan. Hace apenas unas semanas que lo rescataron los federales.

Lunes por la noche

Tuvimos un agradable almuerzo en la terraza del restaurante de Chapultepec: Von Hintze, Kanya de Kanya, Stalewski, los Bonilla, Courts, Strawbensie (el joven oficial naval del *Essex* que supuestamente entrena a los voluntarios de la colonia británica), lady Carden, Von Papen y nosotros; De Bertier, el *attaché* militar francés, no se apareció. Con respecto a Torreón (que es "la llave del sur" para los rebeldes y "la llave del norte" para los federales) piensan que tal vez los federales se vieron obligados a evacuar la ciudad y ahora están luchando por recuperarla. Parece ser que cualquiera puede tomar Torreón, pero nadie puede conservarla.

Martes por la noche

A las dos partió el doctor Ryan hacia el frente, acompañado por Von Papen. Ryan ha aprendido a viajar con poco equipaje, pero Von Papen llevaba muchas cosas estorbosas: utensilios para comer, uniforme, cobija, sombrero, *pungaree,** etcétera. Ya irá dejando sus posesiones una por una, porque después de Saltillo, adonde deben llegar mañana por la noche, es posible que tengan que seguir a caballo o a pie. Me conmovió profundamente ver partir al doctor Ryan. Le hice el signo de la cruz sobre su hombro[1] y lo encomendé a Dios mientras nos encontrábamos de pie en el portón bajo un cielo brillante. Está muy contento de llevar consigo esas provisiones, suficientes para doscientas cincuenta o trescientas curaciones, sin contar los otros materiales.

Toda la tarde tuve visitas. A las cuatro vinieron las dos hermosas hermanas García Pimentel, Lola Riba y Rafaela Bernal. A las cinco el ministro japonés trajo a su esposa en su primera visita formal. Son personas cultas, de una calidad que le hace a uno sentir que en su casa

* bufanda confeccionada con algodón de la India *(N. del T.)*

[1] Cuando despedimos al doctor Ryan, quien se iba a Serbia, me sugirió riendo que omitiera la cruz ya que entre esa despedida en México y nuestro encuentro en Washington seis semanas más tarde fue apresado dos veces y estuvo a punto de ser fusilado.

están acostumbrados a lo mejor. Tuve que *hacerles* conversación hasta las seis, hora en que Clarence Hay me salvó la vida. A las siete, cuando acababa de subir, apareció un banquero francés. A las ocho estaba demasiado cansada para la cena, y Nelson y yo la ignoramos. Las "palomas de la paz" están empezando a instalarse en el palomar de la embajada esta noche; ya hay aquí alrededor de una *tonelada* de ellas.

Miércoles por la mañana. 8 de abril

Anoche llegó un oficial federal de Torreón, el coronel Arce. Dice que el viernes, el 3, dicha población todavía estaba en manos de los federales. A Urbina, notorio jefe rebelde, lo habían capturado y obligado, junto con otros revolucionarios, a desfilar por las calles de Torreón entre un destacamento de tropas federales. Después fue ejecutado sumariamente en presencia de una inmensa multitud. Las líneas ferroviarias están abiertas entre San Pedro y Saltillo y de ahí hasta la ciudad de México. A menos que vuelvan a volarlas, el doctor Ryan y Von Papen podrán llegar hasta San Pedro, donde están apostados con grandes refuerzos los generales de Maure, Hidalgo, Corral (el que yo despedí). Tomaremos este informe por lo que vale. Una cosa sabemos: la carnicería continúa.

Ahora la historia es que el general Velasco, el muy competente jefe federal al mando de Torreón, evacuó la ciudad en forma voluntaria, se llevó su ejército y sus cañones a los cerros próximos, con todos los no combatientes, mujeres y niños. Cortó el suministro de agua y ahora está esperando órdenes de Huerta para bombardear la ciudad. Él, por supuesto, tiene abundante agua donde está, pero Torreón debe ser un horror. Esta historia concuerda con mucho de lo que hemos estado oyendo. Si es cierta será realmente un gran *coup* por parte de los federales.

9 de abril. Jueves santo

Las iglesias están repletas en estos días santos. Hombres, mujeres y niños de todos los estratos de la sociedad son fieles en el cumplimiento de sus obligaciones. En esta ciudad de paz ¡cómo contrastan los relatos de sacrilegios en territorio rebelde! Cinco curas muertos y tres apresados para pedir rescate en Tamaulipas, durante el último mes; un convento fue saqueado y quemado y las monjas ultrajadas; una catedral fue arrasada y los rebeldes se llevaron los antiguos utensilios españoles de oro y plata. ¿En qué clase de adultos se convertirán los niños para quienes profanar iglesias y ultrajar mujeres son espectáculos comunes; esos que en sus años tiernos ven las calles rojas de sangre y la propiedad pasando arbitrariamente a manos de quienes de momento tienen el poder? Los niños parecen ser lo más triste del asunto, y la próxima generación cosechará un fruto muy amargo. El que pueda que agarre y el que pueda que conserve, es la verdadera divisa de los constitucionalistas.

Hace tiempo, antes de las Leyes de Reforma, solía haber las más grandiosas procesiones religiosas. Incluso ahora, en que todo el esplendor está ausente queda un algo imposible de suprimir. Hoy la población va y viene entrando y saliendo de las iglesias y visitando los repositorios (con sus brillantes luces y sus ramos de azahares, rosas y alcatraces, además de incontables variedades de hermosas palmas) con todo el ardor de los viejos tiempos. No hay restricción que impida a los indios el ser sumamente pintorescos a la menor oportunidad.

Yo fui, como de costumbre, a San Felipe, nombrada así en recuerdo del santo mexicano que, en el siglo XVI, encontró su martirio en el Japón. Está justo frente al Jockey Club. Fuera del zaguán, en las sillas que generalmente colocan en la banqueta para los socios, estaban sentados varios hombres de la mejor sociedad. Todos, sin excepción (*creo* que podría poner la mano en el fuego por ellos), habían ido a misa; lo cual, sin embargo, no impidió su habitual escrutinio cuidadoso de los pequeños y lindos pies de las mujeres mexicanas que pasaban. Dos y medio C es la talla habitual de los zapatos de una mexicana.

La Casa de los Azulejos donde el Jockey Club ha tenido su sede por generaciones es una casa antigua hermosísima. Está cubierta de lindos mosaicos de Puebla, azules y blancos, colocados por un mexicano extravagante y artístico en el siglo XVII. Está perfectamente preservada a pesar de las muchas clases de revolucionarios que han pasado por la avenida San Francisco, que junto con el *Paseo* forma el camino entre el Palacio y Chapultepec. Los hombres del club apuestan fuertes sumas y hay historias de pérdidas fabulosas, así como de ocasionales disparos mortales. Es el club chic y aristocrático de México, el último e inviolable retiro de los maridos. Todo el que se precie de *ser* alguien es socio.*

* Ahora el club ha sido despojado de sus suntuosos adornos, sus cuadros históricos y su biblioteca, y es una casa de obreros bajo los filantrópicos constitucionalistas de mente amplia. El hermoso patio antiguo se usa ahora como caballeriza. *(Nota de la edición original.)*

Un telegrama del doctor Ryan que llegó esta mañana informa: "Los federales han perdido Torreón. Velasco, retirándose, se encontró con Maure, Maass e Hidalgo en San Pedro; el ejército reorganizado está ahora atacando Torreón, y seguramente lo recuperará". Él y Von Papen llegaron hasta Saltillo por tren. Allí las comunicaciones estaban cortadas. Hubo un gran encuentro en San Pedro de las Colonias, y espero que mientras escribo esto el fiel Ryan esté cumpliendo su obra de misericordia entre los heridos.

Hoy hubo una reunión en la embajada para hablar de las maniobras de defensa entre los estadunidenses en el caso de que algo ocurriera en la ciudad. Von Hintze y Von Papen han tratado de hacer algo semejante en su colonia. Los japoneses, desde hace tiempo, tienen *carte blanche* del gobierno para traer municiones y marines de sus barcos en Manzanillo. Hace algún tiempo, sir Christopher hizo venir al teniente Strawbensie de Veracruz para enseñar a los ciudadanos ingleses algunas defensas rudimentarias, y los franceses también tuvieron un oficial naval durante varias semanas.

Anoche, al parecer, la embarcación que llevaba 480,000 pesos a la costa norte para pagar a las tropas fue capturado por los rebeldes. A "Juan y José" siempre les toca lo peor. Existen enormes dificultades geográficas para transportar el dinero destinado al ejército en el norte. Hay que cruzar cadenas montañosas y desiertos, además de la dificultad estratégica de llevarlo hasta el lugar apropiado sin que lo capturen los rebeldes o los bandidos. Y después de eso está también la posibilidad de que los oficiales se lo echen a sus propios bolsillos. ¡No sorprende que "Juan y José" vendan sus rifles y sus municiones y se pasen a los rebeldes, donde se permite y alienta el saqueo! *Ellos* están siempre hambrientos, cualesquiera que sean las intenciones y los deseos del gobierno central.

Los telegramas del norte son muy contradictorios y, en general, desfavorables al gobierno. Esta mañana los corresponsales extranjeros recibieron la advertencia, en una nota de la cancillería (supuestamente la última advertencia), de que no deben enviar informes falsos beneficiosos a los rebeldes, pues redundan en daño tanto de los extranjeros como de los federales. Se les aplicará el famoso "33"* si no se andan con

* En la actualidad persiste el mismo criterio legal: "[...] el Ejecutivo de la Unión tendrá facultad exclusiva de hacer abandonar el territorio nacional, inmediatamente y sin necesidad de juicio previo, a todo extranjero cuya permanencia juzgue inconveniente", artículo 33 de la Constitución Política de los Estados Unidos Mexicanos. *(N. del E.)*

cuidado. Aquí ya no se juega; psicológicamente mucho depende en realidad de lo que pase en Torreón.

El inteligente editor del *Mexican Herald* observa, a propósito del mensaje presidencial de la semana pasada: "Nuestra idea de algo apropiado que Carranza podría hacer es leerle a Villa el mensaje del presidente Huerta. La variedad de cosas por las que tiene que preocuparse un presidente, además de la guerra y las confiscaciones, son suficientes para quitarle el *glamour*".

Todo lo que Villa sabe sobre ingresos se resume en la palabra *saqueo*. Incluso en esta tierra fértil, donde todas las montañas rezuman oro, plata y cobre y toda semilla confiada a la tierra está lista para brotar y multiplicarse por cien, aquel que no se ocupe de plantar y cavar no podrá cosechar ni guardar. Todo el norte es una gran devastación y una invitación a los espectros del hambre.

XX

Viernes santo. Juguetes mexicanos con sonidos simbólicos. El "incidente de Tampico". Sábado de Gloria y Pascua. Una fotografía internacional. La última recepción en Chapultepec.

Viernes santo, por la tarde

Cuando regresaba a casa esta mañana, después de ir a la iglesia, el viernes santo parecía ser un día ruidoso. Los indígenas estaban atareados en sus puestos de la Alameda. Miles de niños y niñas compran carritos de madera llamados "matracas", construidos de tal manera que al arrastrarlos producen un sonido como de madera que se rompe. Se supone que ese ruido evoca la fractura de los huesos de Judas. También hay unos asombrosos objetos de lata, parecidos a ralladores de nuez moscada, que giran sobre un palito y que emiten el mismo sonido simbólico. Frente a las iglesias, pequeños niños y niñas venden folletos piadosos gritando con sus voces agudas, "Las siete palabras de Nuestro Señor Jesucristo", o "El pésame de nuestra Señora Madre de Dios".

Presiento que algo está sucediendo y por ello volví a la catedral a las tres, con el corazón algo perturbado por acontecimientos terrenales. En la puerta, los pequeños vendedores de las palabras divinas estaban tan insistentes como siempre. Miles de personas entraban y salían, y con cualquier bulto que llevaran ya fuera un bebé o alguna carga subían a besar la gran cruz colocada sobre las gradas del altar mayor. Pensé en mí misma el viernes santo del año pasado en Roma, escuchando al padre Benson predicar las "Tres Horas" en San Silvestre.

Los acontecimientos se suceden en forma caleidoscópica en América Latina, pero por fin tengo un momento para contarte lo especial de hoy.

Esta mañana, Nelson fue informado por la cancillería de algo que se menciona como "el incidente de Tampico". En realidad el ministerio no sabía mucho del asunto. Pero al regresar a casa a la una, Nelson encontró un telegrama muy claro del almirante Fletcher, y seguramente habrá problemas [...]

Nelson tomó el texto subrayado y salió corriendo en busca de Huerta. Aquí cualquier incidente incluye la posibilidad de guerra. Estuvo ausente toda la tarde, buscando al presidente, pero no lo encontró sino hasta las seis. La respuesta escrita de Huerta tenía el habitual estilo inteligente latinoamericano; sus observaciones verbales sobre el tema dirigidas a un extranjero no pueden transcribirse. Los periodistas han estado viniendo toda la tarde y se decepcionaban al no encontrar a su "fuente de información".

El toque final para los nervios de todos lo dio Elim arrastrando su matraca por los corredores. Lo separamos de ella entre chillidos de protesta.

Nelson dijo que posiblemente podría haber arreglado el asunto de no ser por el diminuto subsecretario, que nunca antes se había encontrado con el presidente y que durante toda la entrevista estuvo tratando de demostrar su hombría. López Portillo y Rojas está ausente debido a las vacaciones de Pascua. A la puerta de la oficina del presidente un indio grandote y hosco le dijo a Nelson que no podía verlo porque estaba durmiendo la siesta. Como Nelson no podía apegarse del todo a la advertencia acerca de los perros dormidos* y aceptó dar un paseo, del que regresó para encontrar a Huerta a punto de subir a su automóvil. Le pidió a Nelson que fuera con él y Nelson lo hizo, sentado a su lado, con el secretario frente a ellos en el *strapontin*.** Nelson dijo al presidente que tenía que hablarle de "un asunto muy delicado". El presidente hizo uno de sus gestos de complacencia y empezó el juego. Huerta dijo que presentaría excusas por "el incidente de Tampico". Nelson indicó que su gobierno no lo consideraría suficiente. Huerta preguntó, con franqueza: "¿Qué es lo que quieren ustedes?". Nelson respondió: "Los honores", y explicó que podía arreglar el asunto dando los saludos un día al amanecer, por ejemplo. El presidente se puso a meditar, y entonces el

* Hay un proverbio inglés [*let sleeping dogs lie*] que recomienda no molestar a los perros dormidos. *(N. de la T.)*

** asiento plegable *(N. de la T.)*

secretario, pensando que había llegado su oportunidad, rompió el silencio y observó que de hacerlo se ofendería el honor nacional, que no había garantía de que los saludos fuesen devueltos, que estaba en juego la soberanía de México, etcétera. El presidente de inmediato se endureció. ¡Así un don nadie pudo torcer los destinos de una nación!

Se habla de crear una zona neutral en Tampico durante los combates. Cada vez que se daña un tanque de petróleo no sólo se pierden varios cientos de miles de dólares sino que hay grave riesgo de que el petróleo corra hacia el río y éste se incendie. Puedes imaginar las consecuencias para los barcos que hay en el puerto y también para la ciudad.

Ahora son las diez; la respuesta de Huerta fue enviada al Departamento de Estado y al almirante Fletcher. Muchos periodistas han entrevistado a Nelson, y él acaba de subir. Estos días de negociaciones delicadas —cuando una palabra de más o de menos puede causar problemas— son agotadores, por llamarlos de alguna manera. Pero así se hace la fama [...] Me parece que lo único que *no* hice hoy fue comprar una especie de diablo, que también representa a Judas, hecho de barro, de cartón y en todas las formas concebibles, de los miles que venden en todas las esquinas.

Sábado de Gloria

Hoy se quemaron los "Judas" de *papier-maché** en las esquinas, para gran alegría de niños y adultos, mientras cañones, torpedos y cohetes de todo tipo hacían ruido. De nuevo recordé aquellos días de Roma, y la quietud del sábado santo, "ocultos en la tumba con Cristo".

Va a haber muchos problemas en torno al incidente de Tampico. El "Viejo" está empecinado y siente que debería ser suficiente con una excusa pública presentada por el general Zaragoza. Lo que haremos nosotros son meras conjeturas. Recientemente uno de los periódicos traía una caricatura del señor Bryan hablándole a "México". Bajo el dibujo venía esta linda frase: "Debo decir que estoy muy molesto, y si no te reformas inmediatamente, no vacilaría en decir lo que quizá podría no inclinarme a decidir".

* papel con engrudo *(N. de la T.)*

Domingo de Pascua, por la mañana

Un firmamento celestial contempla la mañana de la Resurrección, y es, en realidad, la resurrección de muchos mexicanos que en estos últimos días han derramado su sangre por razones que ignoran. El subsecretario de Relaciones Exteriores pasó una hora con Nelson, de las dos a las tres de la mañana. El gobierno mexicano no quiere rendir honores a la bandera, aunque por supuesto tendrá que ceder a nuestra demanda. En Tampico continúa la lucha. Los buques de guerra estadunidenses están atiborrados de infelices refugiados y la animosidad contra los estadunidenses es cada vez mayor. El general Zaragoza expresó el disgusto oficial por el arresto, pero el saludo a la bandera se posterga.

Nelson ya ha ido dos veces a Relaciones Exteriores. Le dijo al subsecretario que le avisara al presidente que el saludo es indispensable. Buscó precedentes en los libros de derecho internacional de la embajada, para conciliar sus sentimientos nacionalistas, su cultura y su bizarría. Si el subsecretario dice que Huerta insiste en su negativa, Nelson intentará un pedido personal. Es el saludo o la intervención, supongo.

Parece que el señor Bryan dijo que no ve razón por la que el gobierno mexicano no deba "saludar alegremente" y que "sin duda las fiestas eclesiásticas han interferido con la resolución de asuntos". ¿Esto es el final, o no? ¿Quién sabe?

12 de abril, 5 p.m.

A la una se recibió una respuesta escrita, sin duda muy inteligente, en la que se niegan categóricamente a hacer el saludo requerido, o más bien *exigido*, de veintiún cañonazos, en Tampico. Los mexicanos dicen que la ballenera ancló en una parte de la ciudad que entonces formaba parte de la zona militar, sin permiso alguno; que en ese momento se combatía y la ciudad estaba bajo ley marcial. Los hombres habían ido a conseguir gasolina para el barco con el tesorero (en general en esos mandados los hombres van acompañados sólo por un oficial de baja graduación). La respuesta termina con un *acuerdo especial* de Huerta en el sentido de que no podría cumplir con las demandas de Estados Unidos sin herir el honor y la dignidad nacional de México e infringir su soberanía, misma que él está dispuesto a defender en cualquier momento y forma. ¿Qué vamos a hacer ahora? Los empleados han trabajado como locos todo el día y de la embajada han salido innumerables cables. Nelson dice que no irá a ver a Huerta, aunque al pasar por el restaurante de Chapultepec, viniendo del Club Reforma, que está cerca y donde habíamos ido a almorzar, vio el automóvil del presidente. Bajó y se paseó por el restaurante a fin de dar a Huerta una oportunidad de hablar, si quería, sin tener que buscarlo. Sin embargo, Huerta estaba comiendo con oficiales de la guardia rural, y Nelson se marchó de inmediato. Huerta estuvo toda la mañana en las carreras de automóviles, y nosotros, en nuestra preocupación anglosajona, por supuesto las habíamos olvidado. La situación es de nuevo muy tensa; otra vez aparecen en el horizonte la guerra y la destrucción, que son un espectro para nosotros, así como para esta extraña república indígena que estamos tratando de moldear a nuestra imagen y semejanza.

Nelson ha dicho a todos los periodistas que no dará información a nadie; que es un "manantial seco" y que para obtener noticias deben telegrafiar a sus oficinas centrales. A partir de las nueve y media rige la censura más estricta y no van a poder recibir ni dar mucho. Aun los cables de la embajada se demoraban, hasta que Nelson fue a la oficina e hizo sus arreglos.

El pony blanco y la silla mexicana que el presidente encargó para regalárselos a Elim, felizmente no han aparecido. ¡Puedes imaginarte qué noticia más jugosa representaría en casa ese regalo! Sería tan delicado rechazarlo como aceptarlo.

13 de abril. Por la noche

No hay noticias. Me pregunto qué hicieron en Tampico a las seis. Ha llegado una nota muy insistente de la cancillería enumerando, creo que por primera vez, las muchas quejas de México contra nosotros: los problemas causados por el levantamiento del embargo y el consiguiente suministro de armas a los rebeldes; afirman que los federales tienen derecho a conducir la lucha en Tampico como les parezca conveniente; dicen que no tolerarán interferencia en sus asuntos nacionales, etcétera. Nosotros, que armamos a los rebeldes, no podemos quejarnos de que los federales se defiendan. Ellos insisten en que la ballenera del *Dolphin estaba* en territorio prohibido cuando los hombres fueron arrestados, pero la declaración no es oficial. Hoy Washington estará buscando la manera de salir del problema o bien, con mirada torva y fría, pensando en la intervención.

Organicé para Elim una búsqueda de huevos de Pascua en el

jardín, a la que asistieron nueve pequeños. Después tomamos el té, en medio de la gracia del idioma español que todos los niños extranjeros prefieren hablar. Las madres y otras damas se fueron a las seis, después de lo cual llegaron el *attaché* militar francés, De Bertier, y Letellier, y hablamos de cosas mexicanas hasta las ocho. De Bertier dijo que ésta es la segunda situación más interesante que ha observado. La primera fue el inicio del poder francés en Marruecos. Esa llama clara de la civilización francesa, temblorosa y vacilante en un principio que creció en los desiertos y montañas del norte de África, y guió a los árabes, "una raza pura", con tan sólo un puñado de soldados valientes y osados provenientes también de una "raza pura". Le parece que el problema es mucho más complicado en México, donde interviene una *salade** de razas.

14 de abril, 2 p.m.

Esta mañana, como tantas mañanas aquí, tuvo su propio color especial. Nelson no había visto a Huerta desde la entrevista del viernes por la noche, cuando abordaron el saludo a la bandera. Fuimos a Chapultepec donde, frente a la escalinata del restaurante, se celebraba el habitual *petit lever*,** con generales, ministros del gabinete y otros funcionarios. Nelson fue hasta el auto del presidente, mientras el automóvil en el que estábamos Clarence Hay y yo, se refugiaba del sol ardiente bajo la sombra de algunos hermosos ahuehuetes. De lejos vimos que el presidente salía de su automóvil y Nelson iba hacia él; después los dos ascendieron la amplia escalinata del restaurante. Pocos minutos más tarde, Ramón Corona, quien ahora es jefe del Estado Mayor, vino rápidamente hacia nuestro auto:

"Vengo de parte del presidente a pedirles que asistan a la fiesta militar en el cuartel Pereda", dijo. El presidente llevó a Nelson en su automóvil y yo lo seguí en el nuestro, con Corona. Hay desapareció ante la complicada situación. Al llegar al cuartel encontré que nosotros éramos los únicos extranjeros y yo la única señora en el estrado (donde había aún más generales y ministros del gabinete que en Chapultepec), para observar los diversos ejercicios que el bien entrenado cuerpo de gendarmes hizo para el presidente. Por el momento no tienen caballos,

* ensalada *(N. de la T.)*

** audiencia más o menos informal de los reyes al levantarse *(N. de la T.)*

lo cual es un grave problema. Permanecimos un par de horas observando con gran interés los distintos pasos, prácticas y ejercicios. Estuve sentada entre Corona y el joven y encantador Eduardo Iturbide, actual gobernador del Distrito Federal. Es maravilloso lo que han hecho estos indígenas, reclutados apenas en el último mes. Ya te he contado una o dos historias de cosas que vi en Berlín y Roma. Recordarás cómo solían pasar por Alsenstrasse los nuevos reclutas camino a aquel gran cuartel al otro lado del Spree; grandes campesinos robustos, torpes e ignorantes, que seis semanas después eran capaces de pararse bien erguidos, mirar a los ojos a un oficial y responder "Sí" o "No" a una pregunta. El cuento italiano me lo contó un teniente que venía de ejercitar a unos reclutas en la Villa Doria-Pamphili. Después de varias semanas de instrucción le preguntó a un hombre: "¿Quién vive ahí?", señalando el Vaticano. "No sé", fue la respuesta. Le preguntó a otro, que respondió con rapidez: "El papa". El oficial, muy alentado, volvió a preguntar: "¿Y cómo se llama?", y la desdichada respuesta fue: "Vittorio Emanuele". Este último cuento divertía particularmente a los oficiales. Me dijeron que la mayor dificultad estriba en obtener de los indios algún grado de concentración.

Finalmente los ejercicios concluyeron con la banda policial —una de las mejores que he oído en mi vida— tocando el vals "Bachimba", compuesto en honor de la gran victoria de Huerta, cuando luchaba por Madero, contra Orozco. Huerta me dio el brazo y entramos a tomar un refrigerio muy elaborado —champaña, patés fríos y dulces—; me sentaron a la derecha del presidente. Huerta pronunció un discurso que parecía provenir de los labios del káiser Guillermo. Habló sobre la necesidad de disciplina y los grandes resultados que eso tendría para la nación. Dijo que esperaba que cuando el país estuviera pacificado los incontables miles de hombres del ejército volverían a los campos, las minas, las fábricas, fortalecidos y capaces de librar la batalla de la vida por haber sido entrenados en la obediencia, la concentración y la comprensión. Cuando el discurso terminó y lo mismo todos los brindis (el primero fue por mí), el presidente dio la señal y me di la vuelta para irme. Estábamos en medio de una mesa en forma de herradura, cargada de flores; me preparé a salir por el mismo lado que había entrado, pero él me detuvo.

"No, señora —me dijo—, nunca vaya hacia atrás, siempre para adelante. Adelante."

Repitiendo "adelante" tomé el camino que me indicaba. Al bajar las escaleras hacia el patio encontramos ¡*cuatro* cámaras listas, aproximadamente a tres yardas de nosotros! Creo que Huerta más bien se sorprendió y yo misma me endurecí un poco, pero ¿qué puede hacer "una perfecta dama"? No era el momento de vacilar, de modo que nos quedamos ahí parados y dejamos que los fotógrafos hicieran lo que quisieran. No podía cometer la descortesía de negarme a que me retrataran, pero aquí, al borde de la guerra, era una situación curiosa para los dos. Bueno, a veces la censura puede ser una buena amiga: esta foto no estará mañana en todos los periódicos de Estados Unidos. Si dentro de unos días se rompen las relaciones diplomáticas será una fotografía histórica.

El Viejo siempre es encantador, posee cortesía y tacto. En cuanto a su actitud internacional, es intachable. En todos los casos en que ha habido algún error ha sido obra de otros, no de él. Quizá su actitud política nacional deja "mucho que desear", aunque no creo que merezca ser criticado en forma alguna. Ha mantenido la desgarrada tela de su gobierno con desesperación y decisión, y ahora está frente al mundo sin ninguna obligación internacional. ¿Quién ha hecho algo por él? Traicionado en casa e ignorado u obstaculizado en el exterior, lleva toda esta república sobre sus hombros.

5:30 p.m.

Tiemblo de inquietud. Al salir del automóvil me encontré con Hyde del *Herald*. Acaba de recibir un telegrama (cuyo verdadero sentido quedaba claro al leer una palabra sí y otra no, para confundir a la censura) en el que avisan que toda la flota del Atlántico norte está marchando apresuradamente hacia el Golfo, y que están enviando a mil marines desde Pensacola. Hyde comenta que hoy Huerta dijo: "¿Una calamidad? No, ¡es lo mejor que nos podía pasar!".

Oigo la voz de Hohler en la antecámara [...]

14 de abril, 6:30 p.m.

Inmediatamente después de Hohler llegaron Burnside y Courts y se produjo el inevitable *powwow** sobre la situación. Burnside dice que todos nosotros tenemos el punto de vista de la ciudad de México, y es posible que así sea. Hohler estaba muy molesto por un mensaje ga-

* conferencia *(N. de la T.)*

rrapateado a lápiz que acababa de recibir del norte, en que le informan que Villa ha confiscado muchos vagones cargados de algodón británico y que se cometieron muchas crueldades en contra de los españoles. En territorio constitucionalista ciertamente no se entiende mucho eso de "mío y tuyo" y casi no hay protección. En cambio aquí la propiedad y la vida sí se respetan.

Hay informes de que Huerta quieren enviar el "incidente de Tampico" a La Haya para su solución. Insiste en que él estuvo en lo correcto y en que cualquier tribunal imparcial le hará justicia. Como quiera que sea, sabemos que tendrá que conceder los honores. Sólo falta que encuentre el modo. *Cherchez la formule*, si no *la femme*.

15 de abril

Otro día completo hasta el agotamiento, luego de asistir a la reunión en Chapultepec. Allí, mientras el presidente y Nelson conferenciaban, nosotros, los sesenta o setenta invitados —mexicanos, plenipotenciarios, funcionarios, civiles y militares— esperamos desde las seis hasta mucho después de las siete para pasar a tomar el té, o el "lunch", como lo llaman aquí. Aparte de algunas miradas ocasionales hacia las puertas cerradas nadie manifestó impaciencia. Todos saben que se trata de las negociaciones más graves y delicadas. Pasamos el tiempo en la terraza bordeada de palmas, escuchando la música de una banda de rurales, que formaban un grupo pintoresco ataviados con trajes color naranja bordados en plata, con corbatas escarlata, casi bermellón, y grandes sombreros terminados en pico, de fieltro blanco, con una gruesa cuerda alrededor de la copa, del mismo color encendido de las corbatas. Se sentaron en una esquina de la gran terraza tocando magníficamente la música nacional, danzas llenas de ritmo, o aires populares melancólicos y sensuales, acompañados de cítaras, mandolinas, guitarras, arpas y unos extraños instrumentos pequeños que parecen calabazas y se tocan igual que una mandolina.

Por fin el presidente y Nelson se aproximaron con aire inescrutable. No hubo tiempo de preguntar por los resultados. El presidente me ofreció su brazo y después quiso que Nelson llevara a madame Huerta, pero el *chef du protocol* impidió esa cooperación demasiado estrecha diciendo que ese lugar correspondía al ministro ruso. Hablé con Huerta hasta el límite de mi español con intención de apaciguarlo, pero él lanzaba miradas inquietas en todas direcciones. Incluso le cité las palabras de santa Teresa, "La paciencia todo lo alcanza". Él me preguntó, abruptamente, qué pensaba yo de su actitud internacional, y antes de que pudiera contestarle a algo tan difícil por fortuna la respondió él mismo: "Hasta ahora —dijo— no he cometido ningún error, creo, en mi política exterior; y en cuanto a paciencia, es de lo que estoy hecho". Y agregó: "Yo mantengo la boca cerrada". Cambié de tema, pues ése era demasiado delicado para sentirme cómoda, diciéndole que su discurso del día anterior dirigido a las tropas podría haberlo pronunciado el emperador de Alemania. Pensé que eso distraería su mente un poco, ya sabes que adora a Napoleón, y estaría dispuesto a incluir al káiser. Volvió a relucir y me agradeció el cumplido, como lo habría hecho cualquier hombre de mundo... Es una situación curiosa. Todo el tiempo tengo una incómoda sensación de que estamos destruyendo a esta gente y que no hay salida. Parecería que aprovechamos cada desgracia que les sobreviene.

Nos marchamos con prontitud a las ocho para que Nelson pudiera ver a Courts en la estación y le diera un resumen de la conversación que debe repetirle al almirante Fletcher. Huerta dijo que estaría dispuesto a hacer los honores si pudiera *confiar* en que vamos a cumplir nuestra palabra de devolverlos a su bandera. Como ciertamente no tiene ninguna razón para tener fe alguna en nuestra benevolencia, al final estipuló que los dos lados dispararan los veintiún cañonazos en forma simultánea. Nelson dijo que en la primera parte de la conversación se veía muy grave y decidido, pero que hacia el final ya parecía más dócil. Sólo Dios sabe cómo acabará todo esto. Una cosa es segura: está en manos de Dios y de Huerta, y el desenlace es desconocido para los demás.

Al volver a casa desde la estación encontré a la señora Burnside en la sala, dispuesta a pasar la velada. El capitán estaba abajo, acompañado de quienes después describió como "*blankety blanks*",* civiles dispuestos pero sin práctica, que estaban ayudándolo a instalar las ametralladoras de tiro rápido, conocidas también como "palomas de la paz". La señora Burnside trató de persuadirme de ir con ella a Veracruz mañana, pero no puedo, en verdad, pues al saberlo la gente saldría en estampida de sus cómodos hogares. Si hubiera aprovechado las oportunidades que se me han presentado de huir habría pasado, junto con muchos otros, un invierno incómodo *à cheval* entre la ciudad de México y la "Villa Rica de la Vera Cruz".

* Expresión que se usa para no decir procacidades. *(N. de la T.)*

No sé qué respuesta recibió Washington de la propuesta de La Haya si es que la tuvo, pero debe haber asombrado al señor Bryan, haciéndolo parpadear. La Haya es uno de los hijos más amados de su corazón, y la paz universal siempre ha sido para él una querida y fructífera fuente de elocuencia. Ahora que se ve confrontado en este momento especial ¿puede hacer otra cosa más que estrecharla contra su pecho?

16 de abril

Esta mañana las cosas se veían muy mal. Llegó un curioso telegrama del señor Bryan, para ser entregado a la prensa como información secreta y todavía no podrá publicarse. En éste se dice que el incidente de Tampico quedó atrás, pero se relatan dos recientes y odiosos crímenes de México. Primero, que un cable para la embajada fue retenido en la oficina de telégrafos por un partidario de la censura demasiado celoso. Nelson arregló el asunto en dos minutos, por teléfono, con sólo llamar la atención de las autoridades correspondientes. Por suerte para México, Hohler estaba con Nelson en ese momento. El incidente era insignificante, hasta que se le menciónó en el cable abierto de Washington. El otro incidente, también bastante conocido, ocurrió hace poco tiempo en Veracruz, donde otro funcionario demasiado celoso arrestó a un ordenanza uniformado que transportaba el correo entre los barcos y la oficina de correo de Veracruz. Ese asunto se resolvió con una disculpa, un castigo nominal al funcionario culpable y la liberación inmediata del ordenanza. El almirante Fletcher no le dio ninguna importancia.

No he citado los incidentes en orden. El telegrama para la prensa, al referirse al incidente del cable, empieza diciendo "mucho más serio es el hecho de que el censor retuvo un cable dirigido al *chargé d'affaires* de Estados Unidos". Además, señala que nada parecido ha ocurrido a los representantes de otras naciones en México y que nosotros debemos proteger nuestra dignidad nacional, con lo cual yo concuerdo con todo mi corazón. Pero cuando intervengamos aquí —cosa que sé que debemos hacer— que sea por algún caso vital de sangre y destrucción. El día que a Huerta le dé un ataque de apoplejía, le claven un cuchillo en la espalda, o lo mate un pelotón de fusilamiento, debemos intervenir porque de no hacerlo reinará la anarquía. Quizá no sea el mejor hombre del mundo, y sus pensamientos inteligentes e incluso profundos de un día quedan contrarrestados por las ineptitudes del siguiente, pero parece ser el único hombre en México capaz de mantener orden en las provincias que controla, especialmente ahora que los mejores y más conservadores elementos se han asociado para la tarea: Rincón Gallardo, Iturbide, García Pimentel y muchos otros.

Ni una palabra de todo lo ocurrido en los últimos días ha aparecido en los periódico de México. Las fuerzas descomunales están ocultas, como un fuego latente e insospechado. *Hay* una palpitación, una inquietud, pero el gran público todavía no sabe de dónde viene. Creo que si Nelson tiene alguna suerte en su empresa de pacificación deberían darle el premio Nobel, aunque entiendo que su *chef directe** tiene el ojo puesto en lo mismo.

17 de abril

Anoche Nelson estuvo varias horas con el secretario de Relaciones Exteriores. Finalmente encontraron a Huerta en su casa. El ordenanza les dijo que se había ido a acostar, pero el secretario mandó su tarjeta. Después de esperar media hora mandó otra. Huerta había olvidado que lo estaba esperando. Recibió al ministro en la cama, y en mitad de una conversación le preguntó, según él le dijo después a Nelson, qué le parecía su pijama, agregando, con una gran sonrisa, que era de origen *japonés*. Nelson no entró. Había pasado varias horas con el presidente en diferentes momentos durante el día y no quería verlo para tratar asuntos dolorosos e irritantes a hora tan tardía, cuando tanto él como el presidente estaban agotados.

Pensando en la observación que Huerta hizo hace unos días, sobre que el despliegue de nuestra flota no es una calamidad, creo que lo que quiere decir es que ésta es, después de todo, la mejor manera de consolidar las tropas federales. Es posible que los endurezcamos en el servicio de su patria contra un enemigo común, pero ¡oh, la corrupción! ¡Oh, la deshonestidad y el interés personal que animan a muchos de los corazones que laten bajo esos uniformes! Venden cualquier cosa al mejor postor, desde llantas de automóviles y municiones de guerra hasta sus propias vidas. En cuanto a castigar a los oficiales responsables, parece muy difícil; crear cortes marciales haría que muchos oficiales, de alto y bajo rango se pasaran a los rebeldes. Por lo tanto cuando *nosotros* exigimos que se castigue a tal o cual oficial el Viejo queda entre la espada y la pared. Sin embargo, es una posición a la que ya debe estar

* jefe directo *(N. de la T.)*

acostumbrado. Contra los espías y los que conspiran contra el gobierno es implacable. Eso lo reconocen todos los colores políticos, y no lo culpan. A propósito de las deserciones y de unirse a los rebeldes, el incidente de Mazatlán en la navidad pasada (o el primero de enero) es un buen ejemplo. Los oficiales de la cañonera *Tampico*, que estaba en el puerto, tuvieron una fiesta escandalosa, con puñaladas, y cosas así. Los iban a someter a una corte marcial, pero ellos resolvieron esa dificultad pasándose a los constitucionalistas en Topolobampo, con todo y barco.

XXI

El señor Bryan declina los buenos oficios de La Haya. Más estadunidenses se van de la ciudad de México. Llega el teniente Rowan. La custodia de la embajada. Elim se mantiene cerca.

17 de abril

Washington no considerará la mediación de La Haya y tampoco disparará saludos simultáneos, lo que, por supuesto, sería infantil que hiciéramos, de manera que la cuestión se reduce a un punto: los mexicanos deben saludar nuestra bandera y nosotros nos comprometemos a responder el saludo. Los extranjeros aquí citan muchos precedentes de esto. Por ejemplo, el famoso caso del cónsul francés en San Francisco, que fue encarcelado unas horas debido a un error. Nosotros dimos las satisfacciones del caso y nos comprometimos a disparar veintiún cañonazos de saludo al primer barco francés que entrara en el puerto. Kanya me cuenta un incidente que se filtró cuando era *chargé d'affaires* en Cettinje y que se resolvió con un intercambio de saludos entre las partes en conflicto, en el puerto de Antivari.

Toda la tarde he tenido visitas: colegas alemanes, belgas, austriacos e italianos, Marie Simon, De Soto (que parece más que nunca un guapo contemporáneo de Velázquez), y por supuesto todos hablando de la situación. Ahora estoy esperando que llegue Nelson para cenar. Ha estado fuera desde las cuatro, tratando de comunicar la muy cortés pero firme respuesta de Washington que te mencioné antes.

Más tarde

Nelson llegó a cenar cuando los Burnside, D'Antin y McKenna estaban sentados a la mesa conmigo. Una de las numerosas llamadas telefónicas resultó ser del secretario de Relaciones Exteriores; nos avisaba que estaba saliendo del ministerio y venía para la embajada. Hice colocar cognac y cigarrillos en la sala y después todos les dejamos el campo libre. Ahora —9:45— están allí los dos y el destino de México pende de la balanza, en ese elegante salón mío de techo alto, con los grandes jarrones llenos de geranios rosa de tallo largo, libros, fotografías y bibelots, mullidos y cómodos sofás y sillones de piel verde. Estoy escribiendo esto en una de las salas pequeñas, mientras entran y salen periodistas y suena el teléfono. Ante las demandas periodísticas, Nelson ha ordenado a los empleados que digan que "no hay cambios", lo que a pesar de mi nerviosismo, o quizá debido a él, me recuerda la historia que se cuenta de un embajador ruso en Londres. Su esposa tuvo el mal gusto de morir en el momento en que el gran zar visitaba a la reina Victoria. El embajador, que por encima de todo era un diplomático, hizo poner el cuerpo en hielo en el sótano de la embajada y a todos los que le preguntaban por la salud de su esposa respondía suavemente: "Gracias, madame está en las mismas condiciones".

11:30

De vuelta en la sala con el histórico cognac, la ceniza de cigarrillos igualmente histórica y las sillas desplazadas como testigos mudos de que algo ha ocurrido. ¿Qué saldrá de todo esto? Mecer el barco de los asuntos de Estado es emocionante. No entiendo la actitud de Huerta, a menos que los rebeldes lo estén venciendo y *él lo sepa*, y prefiera ser derrotado por un enemigo más noble.

López Portillo y Rojas dice que el presidente siente que ha hecho todo lo que le correspondía hacer como jefe de la nación para expiar el incidente de Tampico; que los marineros fueron puestos en libertad de inmediato, con excusas ofrecidas por el jefe de la plaza —el general Morelos Zaragoza— al almirante Mayo; que desde entonces el propio presidente había manifestado su pesar y había ordenado una investigación para castigar al culpable; que cualquier nación del mundo habría quedado satisfecha con esos procedimientos, y que, además, él estaba de acuerdo en que el cañón mexicano podía saludar al mismo tiempo que el estadunidense y permitir que los pueblos vecinos atestiguaran el final feliz de una dificultad que nunca fue seria. Hay un proverbio español que dice algo sobre tener más aletas que un pez, que ciertamente se aplica a este suave e inteligente indio viejo. Además envió con el secretario expresiones de gran amistad hacia Nelson, pero agregando que *no puede* hacer esto ni siquiera por él, por mucho que lo desee.

Hace un momento apareció en escena un pequeño ángel adormilado de cabello rubio y bata azul para preguntarme cuándo iba yo a subir. Es posible que Elim, igual que el resto de nosotros, perciba las perturbadoras corrientes eléctricas en el aire. Ahora está echado en el sofá, luchando con el sueño. Lo habían acostado varias horas antes, más bien contra su voluntad. Constantemente se arrimaba a mi tocador mientras yo me arreglaba para la cena, tocaba todo lo que había sobre éste y me hacía incontables preguntas, que iban desde "¿Qué come Dios?" hasta "¿Por qué las mujeres no usan tirantes?", hasta que me puse frenética e hice que se lo llevaran, llorando.

Hay temores de que los zapatistas lleguen a la ciudad, pero eso no es nada comparado con otros terrores que esta noche recorren las calles. Durante la Intervención francesa mucha gente se quedó en la ciudad de México, llegó a edad avanzada y murió en su cama, cosa que todos parecen deseosos de hacer aunque nunca he creído que morir en la propia cama sea lo mejor. "Entiérrenme donde caiga. La llamada al juicio se oirá en todas partes." No me importa mucho cuándo o dónde o cómo llegará.

18 de abril, 4:30 p.m.

Todavía no hay noticias de Washington. Acabo de regresar después de comer en casa del ministro ruso. Todo estaba muy *soigné*,* como siempre, con *blinis*** y caviar delicioso y toda clase de cosas buenas. Me siento como si hubiera comido la legación, en lugar de comer en la legación. A ocho mil pies sobre el nivel del mar uno tiene muy poco apetito. Estábamos Von Hintze, Marie Simon en uno de sus elegantes vestidos de Drecoll, y yo. Todos piensan que la situación en el sur está muy mal, pero ya no me asusto ante el grito zapatista, porque lo vengo oyendo desde la primera vez que puse un pie en México.

Esta mañana el *Mexican Herald* (hablando de la situación en brillantes generalidades) observa que "cuando cada una de las partes involucradas en un acuerdo piensa que la otra parte va a ceder, es agotador incluso para la paciencia de un pacificador *irlandés*".

* cuidado *(N. de la T.)*
** panecillos dorados *(N. de la T.)*

Hoy tenemos encima una de las grandes tolvaneras del final de la temporada de sequía; todo el color desapareció del aire, que se ha vuelto opaco y polvoriento y sin brillo.

6:30

Llegaron visitas toda la tarde. Ahora McKenna viene a decir que se ha recibido la última palabra de Washington, *en clair*.* Fue emitida por la Casa Blanca al mediodía.

> El general Huerta todavía insiste en hacer menos de lo que se le exige, y menos de lo que podría constituir un reconocimiento de que sus representantes se equivocaron al cometer tales indignidades contra Estados Unidos. El presidente ha determinado que si el general Huerta no cede para las seis de la tarde del domingo, el lunes llevará al asunto al congreso.

Me enferma de terror pensar en el destino que les espera a los estadunidenses en los espacios desiertos y las asperezas montañosas de México. Alguien ha decidido mal, de alguna manera, en alguna parte, que *nosotros* tengamos que intervenir para dar el *coup de grâce*** a esta nación perturbada, que todavía se aferra, y con razón, a los jirones desgarrados de soberanía que le hemos dejado. Las potencias extranjeras piensan que estamos jugando el más despiadado y cruel juego de codicia de toda la historia.

18 de abril, 10 p.m.

Las cosas *sí* se mueven. Bajé de la habitación de la tía Laura para encontrar al teniente Rowan, que acababa de llegar de Veracruz en tren, después de un viaje prolongado y polvoriento. Puedes imaginarte que tuvo una calurosa bienvenida. En ese momento llegó Nelson, y pocos minutos después, cuando todos estábamos de pie en el vestíbulo del frente, apareció a la puerta López Portillo y Rojas, quien de inmediato nos pareció mucho más alegre. Llevaba su faja verde bordada en oro, insignia de rango militar que Huerta ha impuesto más que concedido a

* en claro *(N. de la T.)*

** golpe de gracia *(N. de la T.)*

todos los funcionarios del gabinete, quienes así están bajo disciplina militar y le deben obediencia al *generalissimo*. Ellos no querían usar el uniforme militar completo y transigieron con la faja. Rojas lucía también una sonrisa, no sé si era para mí o por la situación. Vino a decir que lo saludos con cañonazos se cumplirían si Nelson le daba su palabra, por escrito, de que serían respondidos. Estuvo una hora y media en la salita privada de Nelson redactando un documento —un protocolo (*il y va de sa propre tête*)—* y lo hace con la atención meticulosa de un hombre que se está jugando todo. El propio Nelson es bastante zorruno y tiene que cuidar *su propia* piel. Bueno, "todo está bien si acaba bien". Si superamos éste, el próximo incidente *significará* la guerra. Espero que en Washington aprecien algunas de las dificultades que Nelson ha tenido que enfrentar y actúen en consecuencia. No obstante, "no se puede llamar feliz a ningún hombre hasta que muere". Oigo el chasquido del gran portón de hierro que se cierra después de la salida de Portillo y Rojas.

Estoy bastante cansada y ahora procederé a envolverme en mi colcha y acostarme, y espero tener sueños más agradables que los de anoche. Cuánto me alegro de no haber confiado mi hijo o mis joyas a diversos conocidos que aterrorizados se han marchado doscientas cincuenta millas al *este* y ocho mil pies más abajo. La situación todavía no llega a su punto; a fin de cuentas, todo depende de la vida de ese astuto, paciente y viejo indio cora, cuyos años de nuestro Señor suman 59 y que, cualesquiera que sean sus pecados y aun siendo más negros que el infierno, es legalmente el presidente de México. Si se elimina la legalidad de América Latina ¿dónde quedamos? Después de él, la anarquía, el caos, y finalmente la intervención; el mayor trabajo policial jamás emprendido en el hemisferio occidental, por mucho que uno quiera disminuirlo desde un punto de vista militar. Todos estos días he pensado en los probables titulares de los periódicos y tengo la esperanza de que mi adorada madre no se esté preocupando por sus lejanos seres queridos. Buenas noches, y buenas noches de nuevo. "Dios está en el cielo, y todo está bien con *nosotros*."

19 de abril, 11:30 p.m.

Se ha ido el último de una fila continua de plenipotenciarios, *chargés d'affaires*, encargados de los ferrocarriles y legos de todo tipo. Wa-

* se juega la cabeza *(N. de la T.)*

shington rechazó que Nelson firmara el protocolo redactado por López Portillo y Rojas, que se había enviado para su aprobación. Entonces Huerta se negó categóricamente a lanzar los cañonazos. De modo que esto es la intervención. A las 4:30 bajé para el té, como siempre, y encontré allí a Adatchi y Eyguesseparsse. Este último, como sabes, está casado con la hermana de Rincón Gallardo. Él dice que Huerta resistirá hasta el fin: su *esprit militaire** es lo contrario del *esprit universitaire*** de Wilson: *"Ils ne pourront jamais se comprendre"*.*** Huerta le dijo a Rincón Gallardo que una intervención sería un trabajo de cinco años, y produciría los mayores problemas para Estados Unidos. La posición de Huerta es *incroyable, unglaublich, unbelievable, incredibile,***** lo que quieras. Cada uno de los representantes que vinieron exclamó lo mismo en su respectivo idioma al saludarme. Hohler estuvo muy callado y en realidad está muy triste por lo que sucede. Ha sido un amigo leal en cualquier circunstancia. Sir Lionel llegará aquí mañana o pasado mañana. Kanya, Letellier y Clarence Hay se quedaron a cenar. Hohler regresó por la noche, y también Von Hintze, quien no cree que el congreso vote a favor de la guerra a partir de mañana y cita el caso de Polk. Dice que le llevó tres meses persuadir al congreso de que concediera el dinero y hombres para la guerra de 1846. No puedo verificar eso. Él y Von Papen se fueron a las once. Nelson, Rowan y yo subimos, todos un poco fatigados. Mañana será un día pleno de actividad. Hace mucho prometí a las mujeres estadunidenses de aquí que les avisaría cuando creyera que la ruptura era inminente. Creo que el hecho de que yo no haya "perdido el ánimo" contribuye a estabilizar su situación. ¿Pero qué será de los centenares —no, millares— en toda esta hermosa tierra cuyo destino apenas se puede adivinar en sus rostros? El Viejo tiene alguna idea y no cae en la desesperación, la fatiga o la impaciencia. Está trabajando en un plan, quizá esperando una oportunidad de jugar su carta triunfal —la unificación de todos los mexicanos para poder rechazar a los invasores—, cosa que funcionaría en cualquier lugar menos en México. Vamos a recibir algunos gendarmes más para cuidar la embajada. Me siento muy tranquila y profundamente interesada. Es un gran momento, y Nelson no ha cejado en sus esfuerzos.

* espíritu militar *(N. de la T.)*

** espíritu universitario *(N. de la T.)*

*** jamás podrán entenderse *(N. de la T.)*

**** increíble, en varios idiomas *(N. de la T.)*

Esta noche la Secretaría de Relaciones Exteriores dio a la prensa un comunicado de dos mil palabras, que por la mañana provocará horror y desaliento. No puedo sentir el peligro personal de la situación. Lamento que el querido doctor Ryan esté ausente. Ayer le mandé, por medio del cónsul en Saltillo, la palabra acordada, "101", que significa que al recibirla, cuando sea y donde sea, debe regresar inmediatamente. La última noticia es que el más prudente, Von Papen, quien decidió volver a la ciudad de México, lo vio partir de Saltillo con su equipo médico y cuatro mulas, tratando de llegar a Torreón a través del desierto.

Von Papen hizo un viaje de lo más incierto, y dice que la única manera de impedir la continua destrucción de las vías férreas es el establecimiento del sistema de fortificaciones que ahora planea el gobierno federal.

2:30 a.m.

No puedo dormir. Problemas nacionales y personales se agitan en mi cerebro. Esta tarde vinieron a la embajada tres hombres fornidos de los ferrocarriles. Trajeron informes sobre un plan para masacrar estadunidenses en las calles esta noche, pero, cosa extraña y maravillosa, está cayendo una fuerte lluvia. Es mi única experiencia de una lluvia a medianoche en la ciudad de México, salvo la que cayó sobre las turbas que gritaban "¡Muera Díaz!" hace casi tres años. Como todos los mexicanos detestan mojarse, la lluvia es tan eficaz como la artillería para despejar las calles, y no creo que haya disturbios. La providencia parece tener siempre a mano un ocasional chaparrón para evitar las inesperadas crisis mexicanas.

El hombre del servicio secreto de Nelson reapareció en escena ayer, probablemente por orden del presidente. Esto funciona en dos sentidos: protege a Nelson y de paso vigila que no esté intrigando contra Huerta.

Si esta guerra la hubiese provocado un gran incidente o la defensa de un gran principio, yo podría apoyarla. Pero que se desate porque no se pudieron resolver los detalles de un saludo, nos lleva a imponernos y a infligir a otros los horrores de la guerra. El señor Bryan, observa en tono de broma el *Herald* de hoy, debe estar sorprendido y decepcionado. Los "saludos siempre fueron respondidos con mucha alegría en Chautauqua". Ésta no es una situación para aficionados. Entre más viva más respeto tendré por la preparación técnica. Todas las cancillerías de Europa o cualquier otro continente tienen expertos justamente para estos casos. Es posible que yo llegue a convertirme en una intervencionista, pero *después* de Huerta. Él ha probado ser enormemente superior, en capacidad ejecutiva, a cualquiera de los hombres que México ha producido desde Díaz, pese a su falta de equilibrio, a su sorprendente infantilismo, y a sus extrañas sutilezas; habría vendido su alma por agradar a Estados Unidos con tal de que se le reconociera. En esa mano pequeña y suave (y sin duda también ensangrentada) estaba la posibilidad de una renovación de la prosperidad, después de los sueños de Madero, que jamás podrían haberse revestido de realidad. La reorganización del gobierno con el elemento conservador podría haber dado alguna garantía de paz, por lo menos mientras Huerta estuviera vivo, y la vida de cualquier hombre es siempre larga en una república indígena o latina.

20 de abril, 10 a.m.

Despertamos en medio de una mañana atareada. A las siete empecé a llamar por teléfono a todas las compatriotas. Si ocurre algo, las mujeres estadunidenses agradecerán poder alejarse del peligro, y si las nubes se disipan no habrán hecho más que lo que ya han hecho otras veces; un viaje innecesario a Veracruz. Todos los estadunidenses de la ciudad aparecen por la embajada o llaman por teléfono. Rowan se quedará con nosotros, eso espero. Nelson telegrafió al almirante Fletcher que, ante el hecho de que está solo conmigo en la embajada, le ruega que no se lleve a Rowan. Es un tipo muy querido y un gran consuelo y apoyo. Todo lo que su valor y buen sentido puedan impedir, no nos sucederá. Acaba de llegar un cable diciendo que el asunto será presentado al congreso por la tarde, en lugar de hacerlo por la mañana. Eso nos da un respiro. ¡Pero el teléfono! ¡Y los periodistas! ¡Y los estadunidenses aterrorizados! Si nos vemos obligados a partir, la tía Laura se quedará con la señora Melick, esa amiga de ella que tiene una linda casa al otro lado de la calle. Eso nos alivia la ansiedad tanto a ella como a mí. Los estadunidenses se están yendo en bandadas; hoy se van alrededor de quinientas personas, de todas las nacionalidades.

Acabo de encontrar sobre mi mesa un sobre: "De Elim para Mamá". Adentro hay un dibujo que representa una tumba, y sobre ella brilla una estrella. Tiene un ramito de heliotropos frescos sujeto con un clip, y el revés está decorado con tres cruces ¡algo inquietante en estos días de tanta dificultad! Llevo la muerte en el alma. El miércoles llega esa gran flota y ¿con quién va a pelear? No puede bombardear Veracruz. Las calles están llenas y las casas desbordantes de civiles que huyen. No puede subir los cerros y proteger a los incontables estadunidenses que tratan de salvar la vida en las alturas o en los valles. El ejército de Huerta está comprometido en una lucha a muerte, en el norte, contra los enemigos del gobierno que están armados con nuestras municiones. ¡Oh, qué lamentable!

¡Y esta ciudad, esta hermosa ciudad, ubicada tan maravillosamente, tan simétricamente, en el globo, en el centro mismo del hemisferio occidental, con un gran continente al norte y otro al sur, a medio camino entre oceanos inmensos y elevada casi ocho mil pies hacia el cielo! Extrañas correspondencias simbólicas entre lo visible y lo invisible quedan impresas en los sentidos constantemente, en una forma inexplicable y mágica, mientras los ojos captan las múltiples abundancias de la madre tierra, esta raza extraña, oscura, imperturbable e inmutable, cuya fórmula psicológica es desconocida para nosotros, habita y ocupa toda esa extensión.

20 de abril, 7:30

Esta tarde hubo un torbellino de rumores. Primero, que el congreso estadunidense votó por conceder al señor Wilson plenos poderes y cincuenta millones de dólares; que están bombardeando Veracruz; que se planea un ataque a la embajada para esta noche. No cabe duda de que esto último es infundado, pero Nelson telefoneó a Eduardo Iturbide, con quien siempre se puede contar, y nos mandó cien gendarmes a caballo. El capitán Burnside vendrá a dormir aquí y Rowan está con nosotros, además de los hombres del servicio secreto y de nuestros propios gendarmes. Tenemos ametralladoras, rifles y gran cantidad de municiones. Mucha gente vino para el té, donde siempre pueden encontrarme. Madame Simon piensa irse esta noche a Veracruz, con su hijito y dos doncellas. Clarence Hay y los Tozzer también se van, y unos cien alemanes. Von Hintze ha despachado a todos los hombres, mujeres y niños a los que pudo convencer de que se fueran.

Tuve una curiosa experiencia con Adatchi. De pronto, mientras bebía su té sentado en el sofá, en compañía de Von Papen y Eyguesseparsse, tuve la rara sensación de que se guardaba sus pensamientos. No me volví a acordar hasta que se arrimó a una silla cercana y me dijo, con una curiosa sonrisa oriental: "Tuve una conversación con Portillo y Rojas, esta tarde. Todavía no está todo perdido. He dejado a mis secretarios redactando un largo telegrama a Tokio".

Le pregunté: "¿Cree usted que puede haber un arreglo posible?".

Y él dijo: "Sí", sin agregar nada más. Nelson salió a visitar a Iturbide para agradecerle la guardia, y Adatchi regresará a las nueve y media. Cuando se marchó les dije a Eyguesseparsse y Von Papen lo que me había comentado Adatchi.

Eyguesseparsse dijo: "Su gobierno naturalmente favorecería a los mexicanos". Y todos nos preguntamos si los japoneses *podrían* haber elaborado un arreglo. La *mentalité* japonesa, por supuesto, es del todo ajena e irreconciliable con la nuestra, pero *no* se puede pasar por alto. Eyguesseparsse ha sido muy, muy amable todos estos días, y me doy cuenta de que tras esa silueta elegante hay un hombre sensato y bueno. Apenas se habían ido él y Von Papen, vino Hohler, todavía con la esperanza de llegar a algún arreglo. En estas horas sombrías todos los colegas se han mostrado sinceros y deseosos de que se pueda encontrar alguna salida. Y así te he puesto un poco al tanto de mi día, entre otras miles de cosas. Muchas personas me han instado a que me vaya con ellos, pero no estoy nerviosa ni atemorizada. No represento ningún problema para Nelson, quizá incluso, le sea útil. Es cierto que tal vez la dignidad y la propiedad me obliguen a permanecer aquí, a su lado hasta que le den sus papeles, *si es que* se los dan, y parta con toda tranquilidad en el momento que nuestro país decida o la nación ante la cual estemos acreditados haga lo propio. Si me fuera en este momento, todos los estadunidenses pensarían que todo está perdido, aun el honor, debo agregar. Elim no se ha alejado de mi vista en todo el día. Le advertimos a él y también a todas las personas de la casa y a los gendarmes, que no deben ni siquiera mirar para fuera del portón; ha percibido la posibilidad del peligro, y no se ha aventurado muy lejos. Se trepa a mi silla, trota detrás de mí, mira desde la puerta, no tiene la menor intención de estar fuera de nuestro alcance por si lo llamamos de repente. Sus pequeños sentidos están alerta, y él sabe que no todo es tranquilidad en el altiplano.

21 de abril

Lejos de haber un ataque, anoche todo estuvo muy tranquilo. La escuadra de automóviles, formada por capaces voluntarios estadunidenses, continuamente dio vueltas alrededor de la embajada, al igual que la guardia de cien gendarmes armados que nos mandó Eduardo Iturbide. Llegó un mensaje muy escueto de Washington, ya tarde, diciendo que el congreso había votado conceder plenos poderes al presidente. Sin duda, recibiremos los detalles por la mañana. El *Ypiranga*, de la línea Hamburg-American, llegará hoy a Veracruz con diecisiete millones de rondas de municiones para Huerta, lo que complicará mucho las cosas. No sé si las vamos a confiscar o no. Si lo hacemos es un *acte de guerre*,* y tendremos que salir de aquí muy rápido. Si uno estuviera convencido de la buena fe de Washington, este incidente se podría arreglar en cinco minutos. La cancillería mexicana publicó esta mañana los textos completos referentes al incidente de Tampico. Los funcionarios sienten que no hay nada que ocultar, y a esta hora los diplomáticos y los estadunidenses de la ciudad estarán sorbiendo todos los secretos de la situación junto con su café.

* acto de guerra *(N. de la T.)*

XXII

Toma de Veracruz. Manifestaciones antiestadunidenses. Refugiados en la embajada. Una larga fila de visitantes. Incidente dramático en la oficina de telégrafos. Huerta hace su primera y última visita a la embajada.

21 de abril, 12:30

Nelson fue informado por fuentes mexicanas —manera por demás embarazosa de recibir la noticia— de que el puerto de Veracruz fue tomado por nuestros barcos a las ocho de esta mañana. (Cortés desembarcó el 21 de abril, si no estoy equivocada, aunque por supuesto eso no nos ayuda mucho ahora.) Volaron la línea férrea de la ciudad de México a Veracruz. Estoy tan cansada que no me importaría ver a los zapatistas entrando por las ventanas. La tía Laura ha estado sentada en mi cama, con la chaqueta de lana azul pálido que me mandaste. Después de tantas décadas de vivir en Tehuantepec, siente frío, incluso en estos días tan hermosos. Me aterra pensar la situación en que se encontrará después de que nosotros nos vayamos, pero está decidida a quedarse. Todos estos años ha estado observando el crecimiento de las glorias y de la seguridad del México de don Porfirio. Antes se podía ir desde el río Grande hasta Guatemala sin armas. Ahora, cuando los años empiezan a pesarle, está atrapada y arruinada por las incertidumbres, o más bien certidumbres, del México de hoy. La gente *sabe* que uno perderá aquí todo lo que tenga.

Nelson acaba de asomarse por la puerta para decirme que es posible que tengamos que irnos por el Pacífico (Manzanillo y San Francisco). Bueno, todo está en las manos del Señor. En cualquier momento, de alguna manera, estamos destinados a que nos llamen de regreso teniendo que dejar la ciudad de México. Me pregunto qué estará pensando hacer Huerta esta mañana. ¿Será posible que la situación llegue a unir a este pueblo dividido? Doy gracias por no encontrarme entre los centenares —no, miles— que por no tener cuentas de banco en Nueva York, Chicago, Boston u otros lugares, son empacados como sardinas y enviados de regreso "a casa". Ésas son para nosotros las verdaderas tragedias de la situación, aunque no puedo dejar de pensar en el lado mexicano. Varios cientos de miles de hombres, mujeres y niños han muerto de distintas maneras a manos de artilleros estadunidenses desde que Madero partió rumbo a la ciudad de México.

21 de abril, 5 de la tarde

Hoy no hay noticias de Washington. Todos podríamos ser masacrados. Si no ha sucedido se debe a la mansedumbre esencial, a la falta de espíritu nacional o a la falta de lo que sea en los mexicanos, y no porque nuestro paternal gobierno vele por sus servidores públicos en el extranjero. He enviado a buscar una buena cantidad de velas; es posible que alguna banda zapatista corte la luz esta noche. Todos nos preguntamos por qué Huerta no ha cortado el ferrocarril a Veracruz. ¿Por qué no hace las cosas un poquito desagradables para nosotros?

8 p.m.

Te escribo una palabra desde mi sofá, donde estoy descansando envuelta en mi frazada parisina color púrpura. Hemos tenido una larga fila de visitantes. El primero fue Eyguesseparsse, tan agradable y simpático. Casado con una mexicana, no se encuentra en una posición fácil. Su familia política ha hecho verdaderos y frecuentes sacrificios por *La Patria* y por el gobierno de Huerta. Tres armeros expertos, están cenando abajo, después de instalar las ametralladoras Gatling bajo las órdenes de Burnside. He proporcionado pulque, tortillas, frijoles y cigarrillos al innumerable grupo de gendarmes. Seremos diez para la cena, y para el té quizá fuimos veinte. Hubo una manifestación antiestadunidense en el hotel Porter's, donde está alojada la inteligente periodista que te mencioné. Esta noche dormirá aquí, en la habitación de Ryan. También viene la propietaria del Porter's, y tendrán que competir amigablemente por la cama individual. Hay unas de veinte personas extra durmiendo aquí. No hemos recibido nada definitivo de Washington. Algara, el *chargé* mexicano, fue llamado de vuelta. Nelson vio esta tarde a Huerta, quien le pidió que no se fuera. Ya no podemos telegrafiar, aunque las otras legaciones pueden enviar lo que quieran a

Washington a través de sus respectivas cancillerías en Europa. Desde esta mañana no ha salido ningún tren. Tres de los muchos pullmans que partieron ayer hacia Veracruz, cargados de hombres, mujeres y niños todavía no han llegado. Parece ser que ha habido combates a lo largo del camino.

Rowan está muy amable, pero creo que más bien lamenta perderse el bautismo de fuego que *podría* ser el suyo si estuviese en Veracruz.

Después de la cena McKenna vino a decirnos que había tres carros cargados de mujeres y niños frente a la embajada. Por supuesto hubo que dejarlos pasar y atenderlos.

Nelson vio a Huerta en su casa hoy. El presidente le dijo, en forma muy brusca: "Ustedes han tomado nuestro puerto. Tienen derecho a hacerlo si pueden, y nosotros tenemos derecho a tratar de impedirlo. Su Excelencia el Señor Presidente Wilson ha declarado la guerra, innecesariamente, a un pueblo que sólo pide que lo dejen en paz para seguir su propia evolución a su manera, aunque ésta no les parezca a ustedes correcta". Agregó que él habría estado dispuesto a dar los saludos, pero que el incidente no era más que un pretexto. En tres semanas o tres meses, dijo, habría sido alguna otra cosa; que nosotros andábamos "tras él", o como se diga en español.

Creo que su verdadera idea es unir a todos los mexicanos en un campo contra el enemigo común. No quiere que Nelson se vaya, a pesar de que han llamado de vuelta a Algara. Hasta ahora no tenemos ningún aviso de partir. El señor Bryan declaró que dio instrucciones al señor O'Shaughnessy de ver a Huerta y pedirle que mantenga abiertos los caminos para facilitar la salida de refugiados. Estamos pidiendo favores hasta el final. Nelson no había visto al presidente en varios días y no sabía en qué disposición lo encontraría, pero Huerta le tomó la mano y lo saludó diciendo: "¿Cómo está, amigo?". Podría haber estado preparando alguna treta india contra él. Le pedí a Rowan que fuera con Nelson, y él esperó en el automóvil mientras Nelson se entrevistaba.

Más tarde

Estamos en guerra. Sangre estadunidense y mexicana corrió hoy por las calles de Veracruz. Nos llega el relato de que el capitán del *Ypiranga* trató de desembarcar los diecisiete millones de municiones. El almirante Fletcher se negó. El capitán del *Ypiranga* insistió en hacerlo y, como no estábamos en guerra, tenía el respaldo del derecho internacional. El almirante se lo impidió por la fuerza, y dicen que para justificar tal acción, ordenada por Washington, tomó la ciudad, poniéndonos así en situación de guerra. No sé si ésta sea una versión exacta de lo ocurrido. No suena como muy propio del almirante Fletcher, pero es posible que tuviera órdenes definitivas de Washington. Von Hintze vino esta tarde. Minimizó el incidente, o más bien me pareció que lo minimizó, pero pude ver que estaba muy preocupado. Esto podría ser fuente de otro tipo de complicaciones más graves que las de México. Han pasado muchos años desde que la sangre estadunidense bañó las calles de Veracruz. El general Scott la tomó en 1847. ¡Las interminables repeticiones de la historia!

11 p.m.

Mientras te escribo, afuera aúlla una turba, bastante inofensiva, agitando banderas mexicanas y exhortando a la gente a gritos. Desde la ventana casi no oigo nada, sólo algo parecido a "Vivan los japoneses" y algunas observaciones poco halagadoras contra *los gringos*. Hay muchos estadunidenses buenos y capaces dispuestos a apoyarnos en el uso de las armas. Nelson y Rowan han ido a la oficina de telégrafos a tratar de enviar algunos mensajes a Washington. El silencio de nuestro gobierno es total. Esta mañana regresó sir Lionel. Se marchará pronto a Río. ¡Qué bien trata Inglaterra a *sus* diplomáticos! En lugar de sacarlo de aquí el otoño pasado, cuando se inició el conflicto, nuestra campaña de prensa contra él hizo que sus superiores esperaran. Debe ser una dura prueba para sir Lionel que lo saquen en un momento tan crítico para mandarlo a otro puesto que, aunque superior y mejor pagado, no tiene la inminente importancia de éste.

22 de abril

¡Nuestro aniversario de bodas esta mañana, hace trece años! ¡Y ahora estamos en México, en plena intervención! Las tropas no pueden llegar por tren desde Veracruz, porque los mexicanos se llevaron todas las locomotoras cuando tomaron la ciudad. Aquel hermoso plan de Butler... Entiendo que está en Tampico con sus marines, y otros tantos deberán llegar hoy a Veracruz. Aun sin resistencia les tomará tres semanas acercarse hasta aquí con sus pesados equipos.

Anoche a las 12:30, Nelson ya se había acostado a dormir después de un día más que agotador, cuando recibió una llamada telefónica del cónsul general, parecía muy agitado, pues una turba había arrancado el escudo del consulado, entre otras ofensas cometidas contra el sacro edificio, incluyendo algunas ventanas rotas. Nelson se pregunta si Huerta querrá retenerlo aquí como rehén. Huerta le dijo a Nelson que se propone quitarnos las armas y, por supuesto, si decide hacerlo no tenemos manera de conservarlas. Ciertamente hemos pisoteado el tratado de Guadalupe Hidalgo firmado después de 1848, que estipula que todas las disputas deben ser sometidas a arbitraje primero. ¡Así que no me vengan con derechos y tratados!

Anoche oímos que los zapatistas se van a unir a Huerta. Sería interesante ver un "México unido" en torno a alguna situación. Si esos bandidos salen de sus barrancas y montañas y hacen a los estadunidenses la mitad del daño que se hacen entre ellos, seguramente habrá muchas madres, esposas, hermanas y novias desoladas al norte del río Grande. Nelson dice que podríamos partir mañana por la mañana. Nada de viajes nocturnos. Ayer Carden y Von Hintze trataron de conseguir que Huerta ordenara el despacho de un tren de refugiados que partiría a no más tardar a las siete de la mañana de hoy. No veo por qué debería hacer eso, o cualquier otra cosa por nadie, a menos que coincida con sus propios planes. Es curioso que los estadunidenses no se hayan apoderado de unas cuantas locomotoras. Indudablemente sin ellos los ferrocarriles no son sino metal que resuena y retintín de címbalo.

Cada sillón, cada sofá y cada cama de la casa estuvieron ocupados anoche, y muchos de los refugiados durmieron en el suelo. Constantemente suenan, en la lejanía, las hermosas trompetas mexicanas. Su llamado de bronce es claro y noble, y los tambores redoblan al ritmo del pulso de la nación, poca cosa desde nuestro punto de vista, pero muy importante para México. ¿Dónde terminará todo esto? Con la toma de Veracruz, por cuya aduana pasa un cuarto del total de las importaciones, Huerta pierde un millón de pesos por mes, más o menos. Sin duda, estamos aislándolo y debilitándolo a gran velocidad. "La fuerza es la ley." Podríamos empezar a enseñarlo en las escuelas.

No hemos sabido nada de Washington, y nada de Veracruz. ¡Estamos solos en nuestro altiplano! Hasta ahora no hay grandes manifestaciones antiestadunidenses. Pongo mi fe en Huerta, a pesar del sentimiento que expresó Burnside, de que pudiera actuar como indio traicionero con Nelson. La tía Laura en estos momentos está jugando. Es una gran suerte que tenga una casa cómoda al otro lado de la calle.

Algo se prepara en la ciudad. Es posible que nos vayamos mañana. Nelson empieza a sentir que debería estar fuera de aquí, ya que el *chargé* mexicano en Washington partió ayer, con todo el personal de la embajada. Esto lo supimos por la cancillería de México, *no* por Washington.

Los periódicos están feroces esta mañana. Un titular del *Independiente* dice que "las balas federales ya no derramarán sangre hermana, sino que perforarán cabezas rubias y pechos blancos hinchados de vanidad y cobardía". "Como una horda de bandidos los invasores atacaron la tres veces heroica Veracruz. Los bravos costeños hicieron a los ladrones extranjeros morder el polvo que habían manchado con su sangre impura", y cosas así. Los periódicos agregan que los estadunidenses desembarcaron "sin una declaración de guerra, con felonía y ventaja". "¡Anatema a los proyectos cobardemente mercantiles del presidente de Estados Unidos!", claman. Se muestra una imagen del señor Wilson sentado sobre una pila de bolsas de dinero, y Huerta de pie frente a él con un canasto lleno de huevos en cada brazo. "Las verdaderas fuerzas de los oponentes", reza la leyenda. Es imposible esperar que los mexicanos capten la idea de que el desembarco de nuestras tropas fue sólo una medida policial. Frente a los hechos, estoy segura de que esas distinciones tan sutiles se pasarán por alto. "El suelo de la patria está conculcado por el invasor extranjero", es el hecho que ellos ven. Incluyo aquí lo que los periódicos llaman "el manifiesto lacónico y elocuente del Señor Presidente de la República":

A LA REPÚBLICA

En el Puerto de Veracruz estamos sosteniendo con las armas el honor nacional.

El atentado que el gobierno yanqui comete contra un pueblo libre, como es, ha sido y será el de la República, pasará a la Historia, que pondrá a México y al Gobierno de los Estados Unidos, en el lugar que a cada cual corresponda.

Victoriano Huerta

12:30

Nelson acaba de entrar para decirme que tal vez partamos mañana para Guadalajara y Manzanillo. No me entusiasma la idea de ver la costa del Pacífico en estas condiciones. Cuántas horas inciertas, montañas salvajes y barrancas profundas hay entre nosotros y los barcos de guerra estadunidenses.

El señor Cummings, jefe de la oficina de telégrafos, y todos sus hombres fueron despedidos esta mañana, para ser sustituidos por federales. Cuando entró en la oficina para recoger su dinero y sus papeles privados ocurrió un incidente dramático. Al encontrarse solo, rápidamente se acercó a la clavija del telégrafo y llamó a Veracruz. El operador de allá respondió: "Están luchando en el taller de reparaciones". Hubo un chasquido y no oyó nada más. Alguien estaba escuchando y cortó la comunicación. Ésas son las únicas noticias auténticas que hemos recibido de Veracruz, o de cualquier parte, en dos días. En cambio los rumores que corren por la ciudad son innumerables e inquietantes. Abajo no se ha tocado nada. No quiero alarmar de manera innecesaria a la gente si me ven vaciando mis habitaciones. Además, quién sabe si cuando nos vayamos, si es que nos vamos, podremos llevar algo más que lo estrictamente necesario. Siempre habrá una buena cantidad de diversos códigos, papeles de la embajada, que debemos llevarnos aunque tengamos que dejar todo lo demás.

10:30 p.m.

A las cinco bajé a la sala —el incomparable sol de México entraba a raudales por las ventanas— y serví el té. Era la última vez, aunque yo no lo sabía. Vinieron muchas personas: Kanya, Stalewski, Von Papen, Marie Simon, Cambiaggio, Rowan, De Soto y otros; De Bertier se había ido a Tampico. Nadie sabía qué podía sucedernos. ¿Habíamos recibido nuestros pasaportes? ¿Nos íbamos a quedar? ¿Podían reabrirse las negociaciones? Cada uno llegaba con diferente noticia, diferente pregunta. Los Carden llegaron tarde, sir Lionel muy agitado por el rumor de que los zapatistas vendrán a la ciudad esta noche. Se supone que se han unido a los federales. Fue la primera vez que vi a sir Lionel desde su regreso. Me pareció más blanco, más pálido y más viejo que cuando se fue. Después llegó Von Hintze. Hablamos del nebuloso incidente de Veracruz y su importancia internacional, *si* hubiesen detenido al capitán del *Ypiranga* en alta mar, antes del bloqueo del puerto, etcétera.

Mientras hablábamos hubo un destello en los ojos de Von Hintze similar al de los míos. Ambos estábamos pensando en cómo la historia se vuelve a repetir. Él era el teniente portaestandarte de Von Dietrich en Manila, el mismo cargo de Rowan con Fletcher en Veracruz. Él fue quien le llevó el famoso mensaje a Dewey y recibió la igualmente famosa y enfática respuesta: tan enfática, según la historia, que de la sorpresa retrocedió y casi se cae por una escotilla. Trece años más tarde se encuentra en una embajada de Estados Unidos hablando de otro incidente naval que tiene relación con Alemania y Estados Unidos, con otro teniente abanderado sentado al lado.[1]

Durante todo este tiempo la embajada ha estado rodeada por tropas. Como se oía más ruido que de costumbre, pedí a Rowan que viera qué pasaba. Resultó ser un gran escuadrón de soldados que venían a llevarse nuestras armas y municiones, nuestras sagradas palomas de la paz. Todo se hizo con la mayor amabilidad, pero se hizo. Doscientos cincuenta rifles, dos ametralladoras, setenta y seis mil municiones de un tipo y nueve mil de otro. Sin duda, la reunión de té fue todo un acontecimiento. A las siete y media apareció en la sala un oficial, cuando Von Hintze y yo nos encontrábamos sentados allí, solos, y dijo que afuera estaba el presidente. Von Hintze se fue por el comedor, después de ayudarnos a mí y a McKenna a quitar con rapidez la mesa del té. No había tiempo de llamar a los sirvientes. Fui hasta la puerta y esperé en la terraza perfumada de madreselva y geranio mientras el viejo indio inconmovible, no de sombrero alto ("que da más dignidad") sino de suéter gris y sombrero normal, subía rápidamente los peldaños. Fue su primera y última visita a la embajada durante nuestra permanencia.

Lo guié a la sala, donde tuvimos una conversación extraña y

[1] Herr Von Hintze inició su carrera en la marina y antes de venir a México fue por varios años el *attaché* naval especial del emperador de Alemania ante el zar de Rusia, después de lo cual fue nombrado ministro en México, con el rango de contralmirante. Al estallar las hostilidades en Europa se fue de México y ahora es ministro en Pekín. Cruzó el Atlántico en septiembre de 1914 como camarero en un barco pequeño. Cuando el emperador lo recibió para tratar acerca de su nombramiento en Pekín, se dice que él respondió: "Pero, majestad ¿cómo voy a llegar allá?". Y el emperador replicó: "Si usted fue capaz de llegar de México a Berlín, sin duda podrá llegar de Berlín a Pekín. ¡Adiós y buena suerte!". Hay relatos fantásticos y espectaculares de su viaje a China, en los que figuran zeppelines, submarinos y asaltantes.

conmovedora mientras se oía el piafar de los caballos, los cambios de armas y los pasos que iban y venían de afuera. No pude expresar, lo juro por mi país, la interminable tristeza que había en mi corazón por la parte oficial que nos habíamos visto forzados a desempeñar en el odioso drama que nosotros representábamos para mal de su nación. Él me saludó con calma.

"Señora ¿cómo está? Me temo que habrá tenido muchas molestias."

Después se sentó, tranquilo, en un gran sillón, con actitud impersonal e inescrutable. Le respondí como pude que los tiempos eran difíciles para todos, pero que apreciábamos mucho todo lo que él había hecho por nuestra seguridad personal y la de nuestros compatriotas, y le pregunté si no podíamos hacer nada por él. Él me echó una mirada larga, introvertida y a la vez penetrante, y después de una pausa respondió:

"Nada, señora. Todo lo que se haga debo hacerlo yo mismo. Aquí me quedo. No ha llegado el momento de que me vaya. Ahora sólo la muerte me sacará de aquí."

Sentí que los ojos se me llenaban de lágrimas ardientes y respondí, buscando refugio en generalidades: "La muerte no es algo tan terrible".

Él respondió, de nuevo en voz muy baja: "Es la ley natural a la que todos debemos someternos. Nacimos en el mundo según la ley natural, y debemos irnos de acuerdo con ella, eso es todo".

Cuando habla hace ademanes ondulantes pero que no incomodan. Después dijo que había venido en su propio nombre y en el de su señora, a solicitar a Nelson y a mí que asistiéramos a la boda de su hijo Víctor, al día siguiente. Y a pesar de muchos consejos en sentido contrario de parte de personas tímidas, creemos conveniente ir. La seguridad de todos depende de su buena voluntad, y será prudente, además de decente, ofrecerle esta última atención pública. En ese momento entró Nelson. Después de saludar al presidente, dijo con cierto apresuramiento: "Se han llevado las armas".

Huerta respondió con un gesto de indiferencia: "Era necesario —y agregó—: no le hace".

Le dije con una sonrisa, que él comprendió muy bien, que como intercambio no era mucho. (¡Como nosotros le habíamos quitado diecisiete millones de cargas de municiones y quién sabe cuántos rifles y cañones en Veracruz, lo que se llevaron de la embajada parece bastante poco!) No quiere que nos vayamos por Guadalajara y Manzanillo, y a menos que se vea obligado a cortar la línea, nos ofrece su tren a Veracruz mañana por la noche, con una escolta completa, incluyendo tres oficiales de alta graduación.

"Iría yo mismo —dijo— pero no puedo salir de aquí. Espero mandar a mi hijo en mi lugar, si vuelve del norte como espero."

Yo estaba terriblemente emocionada, como te puedes imaginar; sentía que las lágrimas brotaban de mis ojos. Él al parecer pensó que era de miedo, porque me dijo que no me angustiara.

Le dije: "No lloro por mí, sino por la tragedia de la vida".

Y en realidad, desde que lo vi he estado en un mar de tristezas, personales y ajenas; ajenas por el destino abrumador que es capaz de superar a un hombre fuerte y a un país, y personales porque esta multicolor y vibrante experiencia mexicana se acerca a su fin. Nada podrá nunca parecérsele.

Cuando estábamos los tres allí de pie pronunció, en voz baja, sus últimas palabras:

"No le guardo rencor al pueblo de Estados Unidos ni a su Excelencia el Señor Presidente Wilson." Y después de una breve pausa añadió: "Él no ha comprendido".

Fue la primera y última vez que lo oí pronunciar el nombre del presidente. Le di la mano mientras estaba de pie, con la otra mano en el hombro de Nelson, y supe que éste era realmente el fin. Creo que él se dio cuenta de que mi corazón desbordaba simpatía por México, hermoso y agonizante, porque cuando ya estaba en la puerta, de pronto se volvió y me hizo una profunda reverencia. Después, tomando el brazo de Nelson, salió a la noche estrellada y perfumada, y me volví al interior de la morada que tan pronto había de abandonar, con la tristeza de la vida como un clavo ardiente en lo más profundo de mi corazón. Así se escribe la historia. Así las circunstancias y la voluntad de un hombre parecen elevarlo a grandes fines, y así el destino lo aplasta... Y nosotros, que nos arrogamos el derecho a la venganza por hechos no comprobados en tierra extranjera ¿era nuestra esa venganza?

A la hora de la cena dejé al personal de la embajada solo y subí con la tía Laura. De nuevo me sentía mal ante la idea de dejarla, anciana, enferma y con problemas de todas clases. Haré lo que pueda por ella antes de irme, pero, oh, estoy triste, muy triste esta noche. Cualquier cosa que me reserve la vida, esta última conversación con un hombre fuerte, de psicología diferente a la mía quedará grabada en mi corazón; su calma, su filosofía en la víspera de una guerra que él sabe que sólo puede terminar en desastre para él y su pueblo. Sus muchas faltas, sus crímenes incluso, sus expedientes desesperados para sostenerse, sus incumplimientos, todo se desvanece. Sé que su espíritu tiene algo que lo hará sentirse a salvo por encima de las horas y los espacios oscuros que están por llegar.[2]

[2] Si he idealizado a este gobernante indígena, a quien conocí sólo en el momento culminante de su destino, quizá también he dado un testimonio más claro de los hechos. Que la historia deduzca la verdad.

XXIII

La boda del hijo del presidente Huerta. Salida de la embajada. Los aposentos reales de Huerta. El viaje hasta Veracruz. La bandera blanca de tregua. Llegamos a las líneas estadunidenses.

24 de abril, 9 a.m.
(En el tren, después de nuestra súbita partida por la anoche.)

Acabamos de pasar el famoso puente de Metlac. Más abajo de estas encantadoras curvas puedo ver el tren militar que nos precede, lleva soldados que revisan la vía y un vagón plataforma con nuestros tres automóviles, para poder pasar las líneas federales en Tejería. Pasamos lentamente sobre el puente de Metlac. ¡Allí, en medio, ondeaba la gran bandera blanca de la paz! Podíamos avanzar. Nuestros corazones latieron más rápido. Los esplendores de esta tierra bajo este cielo sin nubes son indescriptibles; por las ventanas entran aromas maravillosos y grandes estrellas ardientes de rojo y bermellón decoran cada matorral. Las anchas hojas de los plátanos captan cada reflejo y las palmas como bayonetas son espadas de luz. Todo es hermosísimo, todo es una espléndida llamarada.

En Orizaba, multitudes ordenadas gritaban "¡Viva México!" "¡Mueran los gringos!" y se descubrían cuando pasaban los vagones de tropa enganchados a nuestro tren. No puedo apartar los ojos de las bellezas de este mundo natural a través del cual viajamos, tan regiamente conducidos por disposición del Gran Indio Viejo. La naturaleza es tan generosa aquí que no necesita ni pide la cooperación del hombre para sus dádivas. ¡Ay de él!

A las seis de esta mañana nos despertaron en Esperanza, el punto más alto, para que saliéramos a tomar un buen desayuno que nos ofrecía Corona. Los soldados que nos acompañaban también fueron alimentados, cosa que no siempre sucede. Rowan asombró al general ofreciéndole darles de desayunar de parte de *nosotros*, pero él dijo: "Oh no, nosotros nos encargaremos de ellos". Evidentemente tenía órdenes de "arriba" de no escatimar esfuerzos ni gastos.

10:45

Acabamos de pasar Córdoba, donde encontramos a las muchedumbres visiblemente más disgustadas. Compramos pilas de plátanos y naranjas que Rowan ha llevado al vagón de los soldados. Acaba de volver diciendo que los soldados están muy sonrientes. El problema con el ejército es que los oficiales jamás se ocupan en forma alguna de sus hombres, y un soldado con el estómago vacío y los pies doloridos es algo triste. Está haciendo mucho calor. Estamos en el corazón de la zona cafetalera y sólo nos falta recorrer unos mil ochocientos pies para llegar al nivel del mar. Engarzados entre los árboles o adheridos a colinas verdeazules hay campanarios y cúpulas color de rosa que mi corazón conoce ya tan bien y mis ojos aman; son la herencia española de esta tierra. Di gracias al ver, en lo alto, que habían sembrado cebada y maíz para los días de hambre que vendrán. Hay enredaderas floridas enroscadas en cada tronco y rama y los hibiscos tienen un color más rico. ¡Hermoso, hermoso México! [...]

Me pregunto si anoche habrán saqueado y quemado la embajada. ¡Qué *desperdicio*! No hubo tiempo de escoger; mi ropa todavía está colgada en los armarios, mis objetos de arte dispersos por ahí, y me atrevo a decir que empacamos un montón de cosas inservibles que no me interesan. La querida señora Melick me besó cuando salí del brazo del general Corona. Me parecía un sueño, con Elim aferrado a mi mano, dispuesto a tomar el auto rumbo a la estación. Había dejado a la tía Laura en el salón, con varios amigos cuyos rostros se confunden en mi memoria, y la señora Melick iba a recogerla para llevársela a su casa. Desde ayer por la tarde los estadunidenses ya no pueden salir de la ciudad de México. Huerta dio esa orden al enterarse de que los mexicanos no pueden salir de Veracruz. Mi corazón está triste por dejar a nuestra gente. Sólo el cielo sabe qué será de ellos. Los mexicanos han confiscado todas las armas salvo las de las legaciones extranjeras (y también ésas probablemente tendrán que irse), todos los caballos, todos los automóviles, grandes reservas de gasolina, etcétera. La embajada estaba bien provista.

Anoche se suponía que nuestro tren debía partir a las nueve, pero no salimos sino hasta las once y media. Los *chers collègues* y unos pocos más que sabían que nos íbamos estaban allí para despedirnos, en la estación mal alumbrada y gris. A las diez pedí a nuestros amigos que se fueran, y me despedí de Von Hintze, Hohler, Von Papen, los Eyguesseparsse, Stalewski, Letellier, Kanya y los Simon. (Simon tiene cuarenta y cinco millones en *oro* en el Banco Nacional; algún día tendrá que desistir de ellos cuando tenga una pistola apuntándole.) Llevamos montones de cartas y telegramas para entregar. El pago para el "Fondo Piadoso" (cuarenta y tres mil dólares) y mis joyas, más dinero nuestro y de otras personas los llevaba yo en la bolsa negra con broches dorados que me regalaste en París. McKenna cuida los códigos como si fueran bebés. Ningún soberano europeo podría haber planeado y ejecutado esta partida nuestra en forma más regia que la de Huerta. ¿Recuerdas el relato de Polo de Bernabé de su "fuga" de la tierra de las Barras y las Estrellas?

En Guadalupe, primera parada justo fuera de la ciudad, hubo un incidente doloroso. Unas veinticinco personas, *amigos*, estaban esperando allí para abordar el tren y continuar el viaje con nosotros. Pero Nelson había dado su palabra de honor, al recibir el salvoconducto, de que ninguna persona fuera del personal de la embajada y el consulado aprovecharía ese privilegio. Tan raras veces se le ha cumplido una palabra a Huerta que parecía difícil hacerlo en esta hora crucial y a expensas de nuestra propia gente. Sin embargo, nos proponíamos salvar también el honor, pero cuando nuestro tren salió de la estación me sentí, hasta el límite, "atrapada por las circunstancias".

Mi idea es hacerme vacunar e inyectar contra todos los males de inmediato, y regresar desde Nueva York con la primera brigada de la Cruz Roja. Miro al fondo de las hondas barrancas y a lo alto de los altos cerros y sé que antes que pase mucho tiempo *mi* gente estará yaciendo allí, necesitada de ayuda. Se supone que Zapata ha ofrecido sus servicios a Huerta, para colocarse en las sierras entre Puebla y la Tierra Caliente. Él es capaz de hacer cosas que parten el corazón. Sé que ahora debo irme, pero después puedo regresar a trabajar. ¿Volveremos alguna vez a tener una embajada en México? Esto parece ser la muerte de la soberanía mexicana, *la fin d'une nation*.*

Anoche vi a sir Lionel por un momento, a solas. Le agradecí todo el trabajo y la gran responsabilidad que está a punto de asumir por nuestra gente. Estaba muy preocupado y ansioso y repetía: "¡Oh, se-

* el fin de una nación *(N. de la T.)*

rá una responsabilidad tremenda!". Le dije que no dejaríamos de hacer saber a Washington todo lo que está haciendo por nosotros. Temo que tenga un colapso nervioso. Tenía lágrimas en los ojos y los labios le temblaban. Nuestra prensa no lo ha tratado nada bien en los últimos meses. Me siento a la vez agradecida y avergonzada.

Acabamos de pasar sobre una barranca muy honda y festoneada de plantas trepadoras, la de Atoyac, por la que corre un caudaloso río. Había mujeres y niños bañándose y lavando ropa debajo de los árboles. Ocasionalmente se ve a un niño rubio en los morenos brazos de su madre: así se perpetúa la vida. Acabamos de pasar el pueblo de Atoyac, con sus pequeñas chozas de techo de palma y cabañas de adobe, donde la gente gritaba "¡Viva México!" y estamos por emprender nuestro último descenso hacia la llanura ardiente. Allí, poco después, estarán nuestras avanzadas esperándonos, *nuestra* gente esperando recibir a los suyos. Ésta es la marcha del imperio, a la que literalmente nos unimos. Marcha *hacia el sur*. El general Corona tiene muchos regalos, frutas y flores, personas a quienes nunca vio lo llaman "Ramoncito" y "mi general" y arrojan al tren piñas y naranjas, ofrenda de corazones sencillos.

Pero debo retroceder el relato hasta el miércoles por la noche, nuestra última noche en la ciudad de México, cuando yo estaba demasiado cansada para sentir o pensar. Por la mañana Nelson decidió que, dadas las circunstancias, él no quería, no *podía*, ir a la boda de Huerta. Entonces resolví ir sola. Rowan fue conmigo en el automóvil. Me puse mis mejores ropas negras, guantes largos blancos y perlas, atravesé la multitud reunida frente a la embajada y fui a la casa del presidente en la calle Alfonso Herrera, envuelta y llena de alegría por el aire deslumbrante. Al llegar supe que era la única extranjera, por supuesto, y que sólo había otras tres o cuatro mujeres, esposas de ministros del gabinete y generales. La mayoría de los hombres estaba de uniforme de gala. Entró la señora Huerta, muy guapa y digna, con un vestido de un delicado color granada velado en parte con encaje negro; un *buen* vestido, que le sentaba muy bien. Nos dimos mutuamente el abrazo y ella me hizo sentar a su lado en el sofá. El hijo menor, Roberto, un muchacho de catorce años gordo pero simpático, también en uniforme de gala, entró, besó la mano de su *mamacita* y preguntó si se ofrecía algo. La novia morena y de ojos brillantes, en un vestido con mucho encaje de imitación, llegó casi tres cuartos de hora tarde. Inmediatamente después de su llegada entró el presidente, con su sombrero de ala caída y el célebre suéter gris.

Saludó rápidamente a los invitados, llamó a su esposa, "Emilia", y después se volvió hacia mí. "Señora O'Shaughnessy", dijo, y me indicó un lugar cerca de la mesa donde se firmaría el contrato de matrimonio. Así que me levanté y estuve de pie con la familia durante la ceremonia, que se desarrolló con vivaz diligencia. Al referirse a los padres del novio, el contrato decía: "Victoriano Huerta, cincuenta y nueve años" y "Emilia Huerta, cincuenta y dos". Es posible que en ese documento se quite uno o dos años, pero lo dudo. La señora Huerta no puede tener mucho más de cincuenta y dos. La menor de las niñas, Valencita, tiene apenas siete años.

Después de la ceremonia, cuando todos salimos para subir a los automóviles, la señora Blanquet estaba con nosotros. Es de escasa estatura, robusta y anciana. Yo quería darle su lugar como esposa del secretario de Guerra, pero el presidente, que me ayudó a subir, insistió primero en darme el lugar junto a su esposa. Yo dije con firmeza: "No", pero me vi obligada a sentarme al lado de ella, mientras la señora Blanquet tuvo que ocupar el estrecho *strapontin*.* Imagínate mis sentimientos cuando partimos por esas calles hacia la distante iglesia del Buen Tono, construida por Pugibet, famoso por los cigarrillos Buen Tono. Ahora él la puso a disposición del presidente para la boda, maravillosamente decorada. Cuando llegamos apareció el presidente, que se había adelantado, para ayudarnos a bajar del auto. Después me dijo "Tengo que hacer" y desapareció. Nunca volví a verlo.

Recorrí el pasillo detrás de madame Huerta, del brazo de Rincón Gallardo. En cuanto ocupamos nuestros asientos salió el arzobispo y empezó la ceremonia, digna y hermosa. Después hubo una misa con excelente música. Los ojos se me llenaban una y otra vez de lágrimas mientras estaba arrodillada ante el Dios de todos nosotros. Después que la ceremonia terminó pasamos a la sacristía. Felicité a la novia y al novio, hablé con algunos colegas que estaban cerca y después, sintiendo que mi día y hora habían terminado, fui hacia madame Huerta.

Nos abrazamos varias veces, con lágrimas en los ojos, ambas sabiendo que era el final y pensando en los horrores que se avecinaban. Después dejé la sacristía del brazo de algún oficial que no sé quién era y subí a mi automóvil, donde Rowan me esperaba pacientemente. Frente a la iglesia había una muchedumbre impresionante, pero ni un murmullo contra nosotros. Las lágrimas me corrían por las mejillas, pero

* asiento extra sostenido por correas *(N. de la T.)*

Rowan me dijo: "No se preocupe. Los mexicanos entenderán el tributo, así como su pena y su tristeza".

Pasamos por la glorieta donde vi develar con gran solemnidad la estatua de George Washington dos años antes, el 22 de febrero de 1912. Durante la noche la habían derribado. Sobre el pedestal mutilado habían colocado un pequeño busto de Hidalgo. Había algunas flores desperdigadas y una bandera mexicana cubría la inscripción en la base de mármol. Después supe que durante la noche la estatua fue arrastrada por potentes automóviles y colocada a los pies de la estatua de Benito Juárez, en la avenida Juárez, de donde las autoridades tuvieron la cortesía y se tomaron el tiempo necesario para retirarla, cruzando calles cuyas ventanas estaban adornadas con banderas de todas las nacionalidades salvo la nuestra: alemanas, francesas, inglesas, españolas.

A las 12:50 volví a casa para encontrar todavía enormes multitudes de estadunidenses en la embajada: ordenados y corteses, pero con una profunda angustia en sus caras. Todos se dan cuenta del problema que tienen delante. A las tres oí que nos iríamos como a las siete. Llegaba tanta gente que no tuve tiempo de separar mis cosas de las cosas de la embajada, ni para hacer alguna selección. Berthe estaba ocupada arrojando diversos artículos en baúles y valijas abiertos, algunos de valor, otros no. Creo que *ella* no perdió ni un alfiler. Ni siquiera pude llegar a mi gran escritorio, al que me he sentado durante siete meses. Puedes imaginarte todas las cosas que dejé allí, acumuladas en estos históricos meses. Todos mis bibelots se quedaron por el salón, las mantas y los sarapes, las fotografías autografiadas que me han acompañado durante años, mis hermosos marcos antiguos. Pero frente a la catástrofe nacional, y el dejar abandonada a nuestra gente a la buena de Dios, creo que perdí todo sentido de posesión personal y dejé de pensar que los objetos pudieran tener algún valor.

Acabamos de atravesar Paso del Macho. Muchas personas, en grupos heterogéneos, estaban parados cerca de las vías gritando "¡Viva la independencia de México!". Rowan dice que él quiere oir más "¡Mueran los gringos!". Estamos aproximadamente a cuarenta y cinco kilómetros de Veracruz, y el calor, después del altiplano, parece intenso; aunque no es desagradable sentir cómo la piel crispada y los nervios parecen disolverse después de la seca tensión de muchos meses a ocho mil pies.

Soledad, 1:15

Una llamarada de calor, despiadada, blanca. Encontramos rifles mexicanos apilados a intervalos a lo largo de los andenes de la estación, y hay grupos de jóvenes voluntarios mirando con orgullo sus armas o sacando del cinto largos y terribles cuchillos. Algunos comen pequeñas limas verdes, que en el mejor de los casos no son nutritivas, partiéndolas con sus machetes. La falta de un comisariado es lo que impide que el ejército mexicano sea eficaz en algún sentido. (Pienso en los estómagos llenos y los pies cómodamente calzados de nuestros hombres.) En vías laterales hay carros plataformas con cañones y automóviles. El general Gustavo Maass, a quien no había visto desde nuestro viaje a Veracruz en enero, está al mando aquí. No resultará eficiente; un mexicano de ojos azules, que lleva su cabello rubio arena con un corte tipo cepillo alemán, *no puede* serlo.

4 de la tarde

Hemos pasado Tejería, la última estación mexicana; pronto se verán las torres y los médanos de Veracruz. Acabo de mirar por la ventanilla, con los ojos empañados por las lágrimas. Allá adelante, por la vía interrumpida, puedo ver acercarse la bendita bandera blanca de tregua: nuestra gente, nuestros hombres, que vienen por los suyos. Evidentemente el almirante Fletcher recibió el telegrama. Estoy escribiendo estas palabras en la parte inferior de una pequeña caja de bombones, que después meteré en mi bolsa. ¡Oh, la quemante sequedad de esta tierra! ¡Tan ardiente e inhóspita! Los oficiales mexicanos de nuestra escolta pasan y vuelven a pasar por mi puerta con caras turbadas, ansiosas y acaloradas. Es un trago amargo, pero me parece inútil tratar de endulzarlo con una conversación. Ellos saben que yo también estoy triste.

Más tarde, al margen de una página del *Mexican Herald*

Nelson se ha adelantado por el carril con algunos oficiales mexicanos para reunirse con nuestros hombres, y todos están bajando del tren y parándose en fila sobre el pasto duro y seco junto a las vías. Dios, creador del cielo y de la tierra [...]

Veracruz, 25 de abril. Por la mañana

A bordo del *Minnesota*, en las muy cómodas habitaciones del almirante. Nos despertó la banda tocando el himno nacional de Estados Unidos, Star-spangled Banner; God save the King; el hermoso himno español; y la Marseillaise, de acuerdo con el orden de llegada de las naves en el puerto. Sopla una brisa deliciosa y los ventiladores eléctricos funcionan.

La última palabra que garrapateé ayer en la tarde fue en la cabina esperando que Nelson regresara a nuestro tren mexicano, con nuestros oficiales, bajo la protección de la bandera blanca. Sentí alegría y una gran emoción cuando de pronto el capitán Huse, grandote, agradable y competente, apareció en la puerta y dijo: "Señora O'Shaughnessy, me alegro de ver que ha llegado con seguridad y le doy la bienvenida a nuestras líneas".

El pobre general Corona estaba de pie a un lado de este encuentro, y yo me volví hacia él y le di un apretón de manos más que sentido. Él me besó la mano y los ojos se le llenaron de lágrimas. ¡Pobre, pobre gente! El capitán Huse me ayudó a bajar del tren y entonces, para mi sorpresa y alegría, vi a Hohler de pie junto a la vía. Dos días antes había traído un tren lleno de alemanes, ingleses y estadunidenses angustiados, y debía volver a la ciudad de México con nuestro tren y escolta. Intercambié unas palabras con él, entre los cactus y el campo reseco, y encomendé a su valor y a su buen juicio a nuestros pobres compatriotas que quedaron enloquecidos en la ciudad volcánica. Es posible que no haya una masacre concertada de estadunidenses, pero llegará el día en que haya otros horrores. Hohler dijo que llevaba tres noches sin dormir, y no pedía más que un par de horas de olvido antes de enfrentar cualquier otra cosa. Le deseé buen viaje y le di un apretón de manos tan caluroso como la temperatura.

Entonces se me acercó el capitán Huse diciendo: "Debemos irnos. El tiempo pasa y estamos desarmados".

Al volverme para caminar con él por la vía vi el dramático espectáculo de madame Maass, de la que me separé después de la cena de Fletcher, aquella noche estrellada hace cuatro meses o más. Había recorrido, sin sombrero, el polvoriento tramo de vías de un tren a otro para reunirse con su marido en Soledad. El peldaño del tren quedaba tan alto sobre el empinado terraplén que yo no podía subir, y ella no podía bajar, de modo que se inclinó hacia mí y yo me estiré hacia ella. Las lágrimas le corrían por el rostro empolvado, su falda negra estaba sucia y desgarrada y el resto de sus ropas en mal estado. Por decir lo menos, era la patética imagen de una mujer robusta y mayor atrapada en los disturbios de la guerra, o de la paz, ya que me dicen que así le llaman en Washington.

Después el capitán Huse y dos de sus oficiales, el teniente Fletcher, sobrino del almirante Fletcher, y el abanderado Dodd, caminaron conmigo por la vía como dos kilómetros. Habían arrancado los rieles pero la base estaba intacta, y mientras caminábamos bajo el sol ardiente, con palmas y cactus pobres y polvorientos a ambos lados en los campos grisáceos, de espaldas al tren mexicano, me sentí dividida entre la alegría y la tristeza; alegría de ver a los míos y estar con ellos de nuevo, mientras me perseguía el pensamiento del pobre México enloquecido y de nuestra propia gente a la que nos vimos obligados a dejar a sabe Dios qué destino. Es fácil ser el último en salir de la zona de peligro, pero es muy, muy difícil ser el primero; espero que si otra vez la fortuna nos coloca en lugares tan extraños seremos los últimos en irnos.

Finalmente llegamos a nuestro propio tren, enganchado por una pobre máquina vieja, maltrecha y mal arreglada que era todo lo que quedaba. Los mexicanos fueron muy rápidos en apoderarse de las máquinas; tomaron y mandaron lejos todas las locomotoras, después de lo cual destruyeron esos kilómetros de vías. Todos subimos al tren auxiliar y entonces se presentó el problema de trasladar nuestro equipaje de un tren a otro. El capitán Huse se vio obligado a ir sin escolta, acompañado sólo por Fletcher y Dodd, desarmados. No podían imponer condiciones hasta que nos tuvieran a nosotros. Por lo tanto, para acortar la historia, varios peones de aspecto cruel, echando miradas de odio a los gringos, trasladaron gran parte del equipaje de mano, con ayuda de los hombres de la partida. Todo lo que poseo de valor, salvo lo que se quedó en la embajada, está en un solo baúl grande que ahora reposa entre los cactus en las líneas enemigas, vigilado por los mismos mexicanos descuidados, morenos y bárbaros que ayudaron a transportar el equipaje menor.

El capitán Huse, que se encontraba con una máquina estropeada y un montón de civiles desarmados y veía acercarse la puesta del sol, estaba muy ansioso por regresar a sus propias líneas como para pensar en tales bagatelas. Después me dijo: "Usted no se da cuenta en qué peligro estábamos". Recuerdo que vi su rostro iluminarse súbitamente mientras avanzábamos con lentitud; había divisado las avanzadas que el almirante Fletcher, con vigilante previsión, había colocado cinco millas fuera de la ciudad, con armas y telescopios, listos para correr a ayudarnos si era necesario. Entonces supo que todo estaba bien y, a pesar de que no me daba cuenta del peligro, mis ojos volvieron a llenarse de lágrimas al ver a nuestros valientes hombres, unos mirando por los telescopios y otros con los fusiles listos.

Le pregunté al capitán Huse: "¿Estamos en guerra con México?".

Y él me respondió: "No lo sé". Y agregó: "Dicen que no, pero cuando una fuerza armada se opone a otra fuerza armada, y mueren muchos, más bien pensamos que es una guerra".

Venía llegando de lo más duro del combate. *Nosotros* teníamos sesenta y tres heridos y diecisiete muertos, y había varios cientos de mexicanos muertos y heridos. Los cadetes de la Academia presentaron una excelente defensa. Habríamos tenido más muertos, pero en el momento crítico el *San Francisco*, el *Chester* y el *Prairie* abrieron fuego contra la Academia, apenas unos pocos pies por encima de las cabezas de sus propios hombres, atravesando limpiamente las ventanas de la fachada ancha y baja, dando en el blanco. Todos los oficiales concuerdan en que ese momento compensó con amplitud las sumas enormes gastadas por la marina en prácticas de tiro en los últimos cinco años.

Al acercarnos a Veracruz vimos a nuestros hombres de caqui (o ropas blancas teñidas con café, de acuerdo con una orden precipitada) en grandes destacamentos en poses clásicas; de pie, apoyados en sus fusiles o sentados en el suelo en grupos, tomando café y fumando. Debo decir que todo se veía muy seguro y hogareño. El almirante Fletcher nos recibió en la estación y de veras me alegré de estrechar de nuevo esa mano valerosa y amiga. Ha hecho un trabajo espléndido en todas las líneas, pasivas y activas, desde que llegó a aguas mexicanas. Poco después me despedí de él y del capitán Huse, quien encabeza su estado mayor, y nos fuimos en la barcaza del almirante sobre las brillantes aguas del puerto, todavía iluminadas por mil luces como la última vez que las vi, pero todo lo demás ha cambiado. El capitán Simpson, del *Minnesota*, está de servicio en tierra pero su segundo, el comandante Moody, nos recibió al llegar y nos trajo a estas muy cómodas habitaciones. Había oído tanto sobre la incomodidad y el calor de los barcos de guerra que ha sido una sorpresa muy agradable. El ventilador eléctrico trabaja a diez mil *revoluciones* por minuto; alguien ha bautizado al nuevo ventilador *la mexicana*, por razones obvias. El almirante Badger vino anoche a darnos la bienvenida, un hombre grande y fuerte como máquina de vapor, un "dictador" (si me perdonas tan horrible palabra). Es mucha cosa tener a su cargo una combinación tan potente como la flota del Atlántico norte. También dijo que no sabía si estamos en guerra o no, pero que el choque de fuerzas armadas con muchas pérdidas de ambos lados en general se considera guerra; y que ahora "disfrutamos de todas las *des*ventajas tanto de la paz como de la guerra". Le habían dicho que llegábamos con ochocientos refugiados y había contratado el *Mexico* de la Ward Line para que los llevara.

"¿Dónde están los demás?" preguntó.

Y nosotros respondimos: "Sólo nos permitieron venir a nosotros". A propósito de eso, si no es guerra es, como dijo alguien "un sinónimo suficientemente shermánico"* para los que quedaron en la capital.

11 a.m.

Hace un rato vino a mi cabina el capitán O'Keefe, del *Mexico*. No lo había visto desde que se inauguró el régimen de "paz a cualquier precio". Está esperando un cargamento completo de refugiados; esta tarde debe llegar un barco proveniente de Coatzacoalcos. Estoy sentada en la sala del almirante, mientras se escuchan a través de las ventanas los cañones. Esta mañana temprano entró el *Condé*. Acostada en mi camarote pude ver cómo maniobraba. Hay un calor intenso en el puerto. Hace dos horas Nelson se fue al consulado con sus empleados. Tienen un montón de trabajo que hacer, aparte de las negociaciones para sacar a todos los estadunidenses de la ciudad de México. Me pregunto si aquella embajada tan grande y agradable será ahora una masa de ruinas carbonizadas. Mientras escribo sopla por la habitación una brisa celestial. Yo estaría muy interesada en todo lo que ocurre si no fuera por la aflicción por los que dejamos atrás. Elim tiene una pistola de juguete que ha estado mostrándole a los de casaca azul. Dice que es extraño ver lo asustados que están todos, y me dijo con los ojos brillantes que ya tiene cuatro amigos a bordo y pronto tendrá seis. Es una edad bendita cuando uno puede contar sus amigos con tanta seguridad.

4 p.m.

He estado sentada en cubierta observando este atareado puerto. Innumerables botes pequeños con nuestra bandera pasan rápida-

* Alusión a las campañas bélicas del general William Tecumseh Sherman (1820-1891), durante la guerra civil estadunidense. *(N. del E.)*

mente para un lado y para el otro sobre las ardientes aguas. Detrás del *Condé*, que ha bloqueado por completo la vista del puerto exterior, está el *Solace*. En él están los heridos, los muertos y tal vez los moribundos. El *Minnesota* está tan cerca del muelle de Sanidad que casi se puede reconocer a las personas. Constantemente se ven escuadrones de hombres nuestros marchando con prisioneros entre dobles filas, hombres a quienes atraparon disparando, portando armas o cometiendo algún acto violento. Anoche mientras cenábamos llegaba de la costa el eco de disparos, y durante la noche de vez en cuando se oían sonidos fantasmales de los francotiradores.

Acabo de mirar por el catalejo y distinguí una docena de nuestros hombres de pie a la entrada de una calle con las bayonetas caladas frente a una casa color de rosa, aparentemente preparados para proteger a alguien que sale de ella, o para hacer justicia. El único lanza torpedos de San Juan de Ulúa apunta hacia el *Minnesota*, pero se cree que es inofensivo. Por cierto espero que lo sea, ya que está bajo nuestra proa, por así decirlo. Ayer salieron de esa histórica fortaleza dos oficiales mexicanos que pidieron que se les permitiera ir en busca de comida. Dijeron que todos los presos están pasando hambre. Yo vi las condiciones en días de relativa abundancia: ¿cómo estarán *ahora* en esos agujeros profundos, húmedos e infestados de alimañas? Pálidos espectros de hombres, demasiado débiles para moverse, o enloquecidos por el hambre y todos los horrores consiguientes... y todo eso está tan cerca que casi podría pegarle con una piedra.

Entran y salen barcos de refugiados. Acaba de salir un navío holandés, el *Andrijk*, y uno francés, el *Texas*, pasaron junto a nosotros dirigiéndose a Tampico a recoger refugiados. Pienso en todos esos cómodos hogares, que contienen el precioso patrimonio de toda una vida de trabajo y de ahorro, que quedarán abandonados en el desorden de la fuga y que serán totalmente devastados por los saqueadores. Y esto está ocurriendo por todo el país. Un oficial que vio a un grupo de treinta o cuarenta refugiados en Tampico me dijo que, al principio, pensó que se trataba de una banda de gitanos; no obstante, resultó que eran mujeres y niños hambrientos y a medio vestir que hasta hace pocos días eran prósperos ciudadanos estadunidenses.

El sol está cubierto por una nube, pero el puerto está envuelto por una atmósfera calurosa y húmeda, y sobre la ciudad juega una luz opalina. Desde donde estoy sentada puedo ver la antigua fortaleza blanca de Santiago que nosotros bombardeamos y la amarilla Academia Naval que los jóvenes mexicanos defendieron con valor. Los barcos fletados de la Ward Line, *Mexico, Monterey* y *Esperanza,* y también el ahora histórico *Ypiranga,* están atracados junto a los muelles, listos para recibir refugiados y llevarlos a Nueva Orleans o a Galveston. En muchos casos, allá serán objeto de interés por tres días, y después ya podrán morirse de hambre.

Helen, la venada mascota de los marineros, conseguida en Tampico, trata de mascar mi largo velo blanco; los puentes inmaculados no le ofrecen mucha oportunidad de pastar, y por momentos se ve desconsolada. También tienen un papagayo vivaz al que le están enseñando a decir: "Cuidado con los francotiradores".

25 de abril, 10:30

Pasé el día de ayer muy tranquila a bordo, tratando de recobrar el aliento. Nelson estuvo todo el día en el consulado, enviando su correo. Alrededor de las cinco, cuando fue a devolver la visita al almirante Badger, yo fui a la ciudad, primero al cuartel general del almirante Fletcher en el hotel Terminal, infestado de moscas. Desde tiempo atrás el propietario ha estimulado en varias formas la propagación de la mosca. Es dueño del otro hotel, el Diligencias, donde tiene su cocina. Para evitarse el gasto y la molestia de mantener en funcionamiento dos cocinas ha permitido que el Terminal se llene de moscas a tal punto que los "huéspedes" se ven obligados a recorrer las calurosas calles hasta el Diligencias cada vez que el hambre o la sed los asaltan. Sin embargo, nosotros hemos limpiado cosas peores que las moscas en los trópicos.

En el cuartel general vi por un momento al capitán Huse, a sir Christopher y *le capitaine de vaisseau** Graux, que comanda el *Condé,* y a muchos otros. Después, el almirante Fletcher mandó conmigo a Rowan a ver la ciudad.

Todo está cuidadosamente vigilado y controlado por nuestros cinco mil o más casacas azules y marines. Por todas partes se ven marcas de balas a lo largo de las calles antes pacíficas: las limpias perforaciones de las balas recubiertas de acero de los rifles estadunidenses; cornisas anticuadas desportilladas; los faroles eléctricos de las calles, destruidos; las fachadas rosas parecen tener un dibujo en blanco donde los disparos escarapelaron el color. Caminamos hasta la plaza, encontrando

* el capitán de navío *(N. de la T.)*

conocidos a cada paso, refugiados nerviosos e inseguros. Varios centenares acababan de llegar desde la ciudad de México a la ciudad de la "Verdadera" Cruz en el último tren, después de pasar casi veinte horas *en route* y de dejar la mayoría de sus posesiones a merced de las turbas de la ciudad de México. Es difícil obtener de ellos alguna información exacta. Según sus historias, muchos de los banqueros están en la cárcel; las tiendas estadunidenses han sido saqueadas; algunos estadunidenses fueron asesinados y los sirvientes mexicanos quedaron advertidos de que deben abandonar las casas de estadunidenses. Como ellos partieron apenas siete horas después que nosotros, no creo que su información tenga mucho valor. Las líneas del telégrafo están cortadas. Lo que sí sabemos es que en aquella hermosa ciudad pueden ocurrir en cualquier momento cosas terribles. Desde el punto de vista de los estadunidenses, todo se vino abajo cuando se cerró la embajada.

Cuando Rowan y yo llegamos a la plaza encontramos a la banda del *Florida* tocando en el quiosco —nunca tan bien como toca la banda de la policía mexicana, dicho sea de paso— y centenares de personas, incluyendo a extranjeros, estadunidenses y mexicanos, sentados por allí tomando sus bebidas tibias bajo los portales del hotel Diligencias, cuya planta de hielo fue destruida por un cañonazo del *Chester*. El lugar está lleno de nuestros hombres, y todos los edificios que dan a la plaza son utilizados como cuarteles por nuestros oficiales. Desde el balaceado campanario de la catedral recién pintada nos vigilan casacas azules, y en cada techo y cada ventana se ven los rostros de nuestros soldados y oficiales. Cruzamos hacia el palacio municipal, que también se ha destinado como cuartel. En respuesta al llamado del clarín los hombres del *Utah* acudían a realizar sus tareas nocturnas. Pertenecen al batallón que desembarcó en botes pequeños bajo fuego nutrido aquel primer día, y que lograron salvarse gracias a los cañonazos de los barcos. Entre sus filas hubo muchas bajas. Los hombres se ven alegres, orgullosos y contentos, con el nuevo estímulo y el orgullo de la conquista. Entré a la iglesia, donde también encontré estacionados a algunos de los nuestros. Hace dos días uno fue muerto de un tiro desde atrás del altar mayor. Yo caí de rodillas en la penumbra y recé al Dios de los ejércitos.

Caminamos por la parte más antigua de la ciudad, *en route* hacia la Academia Naval, y en las calles había pilas de balcones verdes antes apacibles y favorables al amor; ahora nuestros hombres los usarán para sus fogatas. Se veían las puertas rotas, las casas vacías. En los primeros días había muchos francotiradores en las azoteas y en incontables casos fue necesario derribar las puertas y subir para arrestar a las personas atrapadas *in flagranti*, en ese último refugio de los latinoamericanos.

Las pulquerías* y cantinas de todo tipo estaban rodeadas de barricadas, y mirando por las ventanas se ven pilas de vidrios rotos y mesas y sillas derribadas. En el aire inmóvil y pesado flotan los acres, ácidos aromas de varios "estimulantes" tropicales, como testigos mudos de lo que fue. Pasamos por varias calles de aspecto siniestro y pensé en la expresión del señor Dooley: "El problema que tendríamos si tratáramos de cumplir la doctrina Monroe por todos los callejones oscuros de América Latina". El edificio grande y otrora hermoso de la Academia Naval estaba patrullado por nuestros hombres, y su fachada contaba de manera elocuente la historia de la toma de la ciudad; ventanas destruidas por los cañones del *Chester*, balcones colgando flojamente de sus agarraderas. Miramos por la gran puerta que da al mar, pero la patrulla nos dijo que no podíamos entrar sin un permiso. Se veía un desorden indescriptible: uniformes de cadetes revueltos con sábanas, almohadas, libros, muebles rotos, pilas de escombros y yeso. Los muchachos se defendieron heroicamente y muchos de ellos dieron la vida, ¿pero qué podían hacer cuando cada ventana era un blanco para la infalible puntería de los cañones del *Chester*? Muchos que eran la esperanza y el orgullo de sus madres murieron ese día por su país, antes de tener oportunidad de vivir por él. Esto es la historia vista de cerca.

Finalmente tuve que apresurarme a regresar y nos detuvimos unos minutos, cansados y acalorados, en el Diligencias, donde tomamos ginger-ale tibia; mi vaso pegajoso tenía de recuerdo un par de semillas de limón. Estaba oscureciendo y Rowan temía que pronto empezaran los francotiradores. Sintiendo una tristeza indecible abordé el bote del *Minnesota* que esperaba en un puerto enjoyado ¡pero qué clase de joyas! Cada una podía causar cien muertes.

Nelson tuvo una larga plática con el almirante Fletcher... Al recibir la orden de impedir la entrega al gobierno mexicano de las armas y municiones del *Ypiranga* y apoderarse de la aduana, su deber era únicamente cumplir las órdenes del presidente del modo más efectivo, y con el menor daño posible para nosotros. Y eso hizo.

* Una de las cosas más divertidas que se han dicho sobre Carranza es que se propone sustituir el demasiado popular pulque por vinos franceses ligeros. ¡Sólo cabe esperar que ya que está en eso arregle que el maíz sea sustituido por maná permanente! *(Nota de la edición original.)*

Creo que hemos agraviado mucho a esta gente; en lugar de cortar la llaga con un cuchillo limpio y fuerte de guerra y ocupación, sólo hemos metido el dedo en cada herida infectada y la hemos inflamado más. En Washington hay una palabra que no les gusta, y a pesar de eso la han escrito por doquiera en todo el puerto con cada movimiento de cada barco de guerra y la han tronado con cada disparo de los cañones: GUERRA. Lo que estamos haciendo es una guerra acompañada por todos los inicuos resultados de las medidas tomadas a medias, y en Washington llaman a eso "ocupación pacífica".

Ahora debo dormir. Los horrores de San Juan de Ulúa (sobre el cual nuestros reflectores juegan constantemente) me perseguirán, lo sé. El hedor de esas mazmorras se alza hacia un cielo estrellado que no responde. ¡Ojalá que pronto lo liberemos de sí mismo!

Sábado por la mañana

El capitán Simpson regresó de su servicio en tierra anoche muy tarde. Es tan amable y tan solícito respecto a nuestra comodidad que sólo espero que no estemos interfiriendo demasiado con la de él. Ha alojado a sus hombres en un teatro, requisado para ese fin. Primero fue a cierto cuartel, pero afortunadamente se enteró a tiempo de que allí había habido meningitis, y se fue más rápido de lo que había llegado. El capitán Niblack ha tomado su lugar.

El *Minnesota*, en el que venía el almirante Fletcher cuando entró en Veracruz, es un barco que no pertenece a ninguna de las divisiones que están aquí y sólo está transitoriamente en el puerto. Por eso lo usan para toda clase de trabajos inconexos pero importantes, como distribución de provisiones, comunicaciones de todo tipo. Está más que atareado, siendo una especie de despacho durante lo que llaman "la guerra de la vacilación, un paso para adelante, un paso para atrás, vacila y después... un pasito al costado".

El tren de rescate recorre nuestras líneas todos los días al mando del teniente Fletcher, para encontrarse con cualquier tren que pudiera llegar del interior. ¡Oh, los restos exasperados y arruinados de gente estadunidense que traerá!

XXIV

Cena en el Essex. *El último combate de los cadetes navales de México. Héroes estadunidenses. Final del incidente de Tampico. Alivio para los hambrientos de San Juan de Ulúa. La mayor obra del almirante Fletcher.*

En el *Minnesota*, 26 de abril

Cuando Nelson se fue, como sabes, entregó sus asuntos a los británicos, una gran potencia amiga y de lengua inglesa, que podía ayudar y ayudaría a nuestros compatriotas en su desesperada situación. ¡Ve los resultados! Anoche cenamos en el *Essex*, con nuestras ropas de refugiados. Sir Christopher, muy elegante en un fresco e impecable traje de lino, nos recibió en la escalerilla con auténtica cordialidad e interés.

Sus primeras palabras, después de darnos la bienvenida, fueron: "Tengo buenas noticias para ustedes".

"¿De qué se trata? —preguntamos ansiosos—; no hemos oído nada."

"Carden está haciendo los arreglos para sacar un tren de refugiados con varios cientos de estadunidenses el lunes o el martes, y esta tarde envié a Tweedy [comandante del *Essex*] con dos marines de siete pies de estatura y un guía nativo para que acompañen el convoy hasta aquí. Tiene que llegar de un modo u otro. Irá por tren si hay tren, a caballo si no lo hay, y a pie si no puede conseguir caballos."

Puedes imaginar la alegría que siguió mientras bajábamos a cenar. Estábamos entretenidos con un suculento trozo de carnero (el almirante Badger le envió una hermosa y jugosa pieza a sir Christopher esa mañana) cuando llegó un telegrama, creo que de Spring-Rice. Como quiera que fuese, los cuatro ingleses lo leyeron y se pusieron más bien serios. Después de una pausa sir Christopher dijo: "Da lo mismo que lo sepan por nosotros". ¿Qué crees que había en el telegrama. ¡La noticia de que los intereses estadunidenses los habían trasladado de las manos de sir Lionel a las de Cardoza, el ministro brasileño! Por supuesto le dije a sir Christopher: "Nuestro gobierno naturalmente desea respetar y mantener buenas relaciones con Sudamérica, y ésta es una oportunidad de subrayar ese hecho", pero esto, sin duda, apagó nuestra alegría.

Bien, hemos retirado nuestros asuntos y las vidas de muchos ciudadanos de las manos de una nación dispuesta, poderosa y con muchos recursos, para ponerlos en las de un hombre que, cualquiera que sea la potencia que representa, no tiene los medios prácticos de hacer realidad sus buenos deseos o intenciones amistosas. Dudo que Huerta lo conozca más que de vista. Washington ha tomado su decisión sobre Carden y el papel que los ingleses representan en México, y ninguna hazaña de valentía por parte de Carden hará ninguna diferencia. Washington no lo quiere. Sir Christopher Cradock, en un gran barco de guerra aquí en el puerto, está dispuesto y en condiciones de cooperar con sir Lionel, jefe de una legación poderosa en la ciudad de México, pero aparentemente eso no tiene nada que ver. Washington es implacable.

El *Essex* muestra entre ochenta y noventa "heridas", producidas el miércoles por el fuego de la Academia Naval. El tesorero Kimber, a quien me llevaron a ver después de la cena, estaba en cama, herido en los dos pies e inválido de por vida. El barco era sólo un "espectador inocente" pero le cayó la venganza. En el salón de sir Christopher, o más bien del capitán Watson, colgaban dos zapatillas de satén (una rosa y otra blanca) encontradas en la Academia Naval después del combate: testigos mudos de actividades distintas a la guerra. Los oficiales dicen que la Academia presentaba una visión horrenda. Los muchachos habían sacado los colchones de sus camas para colocarlos frente a las ventanas y disparar por arriba de ellos, pero cuando empezó el fuego de los barcos esas frágiles defensas no sirvieron de nada. Ese día hubo muertes heroicas. Que sus valerosas almas jóvenes descansen en paz. No quiero hacer distinciones envidiosas, pero en México los más jóvenes suelen ser los más nobles y brillantes. Más tarde suele haber una desalentadora cantidad de escoria mezcladas con el oro.

No dejo de pensar en el capitán Tweedie, *en route* hacia la ciudad de México para ayudar a traer mujeres y niños estadunidenses. ¡Y cuando llegue allá encontrará que ese rescate ya no es asunto suyo!

Ayer por la tarde entró el *North Dakota*. Vimos su estela de humo desde lejos, mar afuera, y se veía magnífico cuando echó el ancla más allá del rompeolas. Lo miraba por el potente larga vista, parada en el puente del capitán Simpson. Sus casacas azules y sus marines estaban todos en ordenadas filas, sin duda con los corazones palpitantes ante la idea de entrar en servicio activo. El teniente Stevens, quien el miércoles recibió una herida leve en el pecho, volvió a bordo ayer. Este joven se casó el otoño pasado y ha estado aquí desde enero. La bala "alegre y amistosa" está en su pecho en un lugar donde podrá llevarla siempre. Entiendo que cuando lo hirieron estaba en las afueras de la ciudad, y que él y otro hombre herido, ambos a punto de desplomarse, cargaron a un compañero desmayado varios kilómetros hasta el hospital. ¿Pero quién registrará *todos* los hechos de valentía del 21 y 22 de abril?[1]

En el *Minnesota*, 26 de abril, 3 p.m.

Desde el puente de nuestro barco observé, hace una hora, el dramático final del incidente de Tampico y, sin duda, el inicio de otro mucho mayor: nuestra bandera fue izada sobre la ciudad de Veracruz, que desde hoy fue puesta bajo ley marcial. A la 1:30 subí a cubierta. La bahía era como un espejo ardiente que reflejaba todo. Por un catalejo observé los preparativos para izar la bandera sobre un edificio junto a la estación de ferrocarril, por ciento, ferrocarril inglés. "¿Qué es de quién ahora?", pensé.

Tanto la bahía como tierra firme presentaban escenas atareadas. El almirante Badger pasó entre las brillantes aguas en su bote, un hermoso Herreschoff pequeño, poco antes de las dos, llevando armas de mano. Su estado mayor iba con él. Había batallones desembarcando de varios buques y, junto a la estación de ferrocarril, se veía una muchedumbre enorme. Había algo eléctrico en el aire. El capitán Simpson y sus oficiales, por supuesto, estaban todos en cubierta, mirando por sus largavistas, y todos respirábamos con nerviosismo preguntándonos qué harían los barcos extranjeros. ¿Reconocerían nuestro saludo? Exactamente

[1] Pienso en algunos, apenas unos pocos de los que me han contado: McDonnell comandando las ametralladoras que apuntaban desde el hotel Terminal, mientras los casacas azules desembarcaban bajo fuego. En esa posición expuesta, sus hombres (apenas muchachos) caían a su alrededor; no obstante, Wainright, Castle y Wilkinson tomaron la aduana. Badger y Townsend subieron las escaleras de acero del campanario de la catedral a la caza de francotiradores; Courts llevó mensajes al *Chester* a través de la zona de fuego. Los hombres alistados estuvieron magníficos. El contramaestre McCloy, con unos pocos hombres en lanchas pequeñas, cruzó la bahía para atraer el fuego de los mejores tiradores a fin de que el *Prairie* pudiera llegar a distancia adecuada. Los días de peligro fueron demasiado cortos para estos valientes corazones.

a las dos la bandera se elevó, y, de inmediato, el *Minnesota* dio los veintiún cañonazos en honor a nuestra bandera; los mismos que nos negaron en Tampico. Después de los atronadores disparos de nuestros cañones la bahía quedó ominosamente silenciosa. Supongo que los navíos extranjeros estaban ocupados telegrafiando a sus gobiernos para pedir instrucciones. Nadie se atrevería a resolver esa cuestión por iniciativa propia. Fue un anticlímax vengativo.

¿Será éste el final de todo el trabajo triangular de Nelson entre Huerta, la cancillería mexicana y Washington durante las dos semanas transcurridas desde que el coronel Hinojosa sacó a nuestros casacas azules de su bote en Tampico y nosotros dejamos la embajada en la ciudad de México?

Esta mañana fui a tierra acompañada por un joven oficial, McNeir. Estuvimos cerca de una hora paseando por la ciudad, que al parecer ya se ha reorganizado. Las tiendas que hace dos días estaban llenas de muebles volteados, vidrios rotos, papeles tirados y ruinas de toda índole fueron barridas y muestran signos de la actividad normal. Se fabrican puertas nuevas y se están reparando los balconcitos verdes de la paz. De repente el guardiamarina McNeir descubrió que alguien lo había ensuciado: su amplio pecho estaba profusamente adornado con un dibujo de color jugo de tabaco, sin duda proveniente de uno de los balconcitos verdes de aspecto inocente. Se le inyectaron los ojos de sangre y miraba alrededor con esperanza de descubrir al hombre que lo hizo.

Cuando nos asomamos por la puerta que da al mar, la Academia Naval era una visión horrenda. En los salones de clase, los libros, mapas, globos terrestres y pupitres estaban revueltos con restos de escombros. En uno de los pizarrones estaban escritas con tiza las palabras familiares: *Mueran los gringos*. Había grandes agujeros en los pisos, muros y techos. Cuando subimos, la devastación era aún mayor. Nuestros hombres pelearon en la calle, mientras el *Chester* y el *Prairie* disparaban por encima de sus cabezas directo a las ventanas del segundo piso, donde estaban las habitaciones del comandante y los grandes y ventilados dormitorios. Éstos fueron saqueados antes que los nuestros pusieran una guardia en el edificio, y los armarios quedaron vacíos de sus tesoros juveniles: cuchillos, libros, fotografías. De vez en cuando una rosa artificial amarilla o roja, una cinta o un trocito de encaje atestiguaba el culto a otros dioses, diferentes a Marte.

Los pisos estaban cubiertos hasta la altura del tobillo por una mezcla de uniformes, camisas, cuellos, guantes, cartas, cepillos, peines y demás cosas por el estilo. Habían sido salas cómodas y aireadas, y supongo que ahora serán buenas viviendas u oficinas para *nuestros* oficiales. Los fotógrafos estaban trabajando cuando pasamos. Según parece habían trasladado a los heridos y moribundos a los dormitorios del fondo que dan a la plaza, apartados del fuego de los barcos. Almohadas, colchones y sábanas empapados de sangre daban testimonio de su agonía. Nuestros hombres trabajaban en todo el edificio, clasificando, empacando y poniendo las cosas en orden. Esta mañana, bajo la ley marcial la ciudad parecía realmente un asunto ordenado.

Incluyo la "Proclama al pueblo de Veracruz" del almirante Fletcher y también su orden de ley marcial. Esta proclama facilitará las funciones de gobierno. Había muchas dificultades para reanudar las actividades civiles y comerciales de manera normal en la ciudad. La Constitución de México establece un artículo según el cual se considera como delito de alta traición que un mexicano esté empleado bajo una bandera extranjera durante ocupación enemiga, y, por primera vez, los mexicanos parecen estar cumpliendo con su Constitución.

Es maravilloso ver cómo nuestros casacas azules y marines han logrado entrar en Veracruz y realizar todas las tareas complicadas y calificadas de necesarias para el bienestar de una ciudad. Todo, desde las fábricas de hielo y los tranvías hasta el faro de la bahía y la oficina de correos, está en orden y funcionando. Da la impresión de que son capaces de desempeñar, con la misma facilidad, todos los trabajos que requieren mano de obra calificada. Son un conjunto de hombres con muchos recursos, estos jóvenes de facciones afiladas y cabellos rubios cuyo tipo resalta tanto en este ambiente tropical. Quedé muy impresionada. Hay seis mil de ellos en tierra. En el viaje aquí el clutch de nuestro automóvil se estropeó. Dos casacas azules lo examinaron y, a pesar de que ninguno de ellos había subido nunca a un auto, varias horas más tarde lo llevaron a la estación terminal en perfecto orden, y en condiciones de pasear por la ciudad.

Ayer al mediodía se entregaron a las autoridades militares miles de armas, una colección híbrida de rifles Máuser y viejas pistolas de duelo y escopetas. También había numerosas reliquias de 1847. Por varios días los francotiradores se han hecho notar poco o casi nada. Un hombre observó: "Créanme, ésta es una vieja ciudad tranquila. Ayer a la medianoche anduve diez cuadras sin ver un solo ser humano". *Yo* podría añadir, además, que conozco dos métodos de limpiar las calles por la noche, que rivalizan con el toque de queda: los francotiradores y la cuadrilla de la leva.

PROCLAMA AL PUEBLO DE VERACRUZ

En vista de que las agresiones contra los soldados bajo mi mando han continuado, con disparos aislados desde diversos edificios, y deseoso de restablecer en forma absoluta el orden y la tranquilidad, exijo que todos los que tengan en su poder armas y municiones las entreguen a la inspección de policía en el palacio municipal. Quienes no lo hayan hecho antes de las doce horas del 26 de este mes serán castigados con la mayor severidad, igual que quienes continúen las hostilidades contra las fuerzas a mi mando. A la entrega de las armas se dará el correspondiente recibo.

Contralmirante F.F. Fletcher
Veracruz, 25 de abril de 1914.

Ayer a las cinco enviamos mil raciones al hambreado fuerte de San Juan de Ulúa, y hoy nuestra bandera ondea en su parte más alta. Todos los prisioneros políticos fueron liberados. Desde la cubierta del *Minnesota* pudimos ver dos botes cargados con ellos cruzando las brillantes aguas para desembarcarlos en el muelle de Sanidad. Supongo que después de eso pasarán a engrosar las filas de los indeseables que no tienen dinero, ocupación, hogar ni esperanza.

Ayer vi al señor Hudson, que parecía más bien decaído. Entre refunfuños y enormes dificultades el *Mexican Herald* se está publicando en Veracruz. Dice que tiene a los más novatos en la tipografía, y cuanto más se corrige peor queda la ortografía, de modo que las noches se vuelven un largo infierno. Pero como la mayoría de sus lectores tiene al menos rudimentos de español y de inglés, y más que nada cierto conocimiento personal de la situación, el *Herald* sigue siendo más que aceptable como "alimento para el desayuno".

La Interoceánica, la ruta a la ciudad de México vía Puebla, está siendo destruida rápidamente. Podemos ver a Mustin en su hidroplano volando sobre la bahía, para hacer reconocimientos en esa dirección. Puebla es la clave para tomar la ciudad de México yendo de Veracruz. Pues siempre está capitulando ante alguien y, sin duda, lo hará con nosotros. En 1821 la tomó Iturbide. En 1847 fue tomada por Scott, y en 1863 por los soldados franceses de Napoleón. En la batalla de Puebla, en 1867, hubo un violento combate entre don Porfirio y los franceses.* Es una hermosa ciudad antigua, llamada a veces la "Roma" de México, fundada por el padre Motolinía y situada aproximadamente a medio camino entre la costa y la capital azteca. Está repleta de iglesias y conventos, aunque muchos de estos últimos han sido dedicados a otros usos; sin embargo, lo importante ahora es cuándo y cómo llegarán a ella nuestros hombres. Los cielos azules y las hondas barrancas no adivinan lo que va a suceder.

28 de abril. Martes

Ayer por la tarde vino a vernos el mayor Butler. Él es quien comanda el taller de reparaciones donde se desarrolló el episodio telegráfico del señor Cummings, y está decididamente deprimido ante la idea de que se llegará a algún acuerdo pacífico más o menos provisorio. Es como un hombre hambriento a quien le han dado una rebanada fina de pan con mantequilla, cuando lo que quiere es un buen bife con papas. Además parecía un poco avergonzado de hacernos una visita pacífica en la cubierta del *Minnesota*, en lugar de rescatarnos después de un ataque triunfante a Chapultepec, o un asedio de la embajada.

Ayer se envió a cientos de periódicos de nuestro país (sin mi conocimiento, por supuesto) la noticia de que yo estoy organizando un cuerpo de enfermeras de la Cruz Roja, cuando no sería necesario hacerlo, ya que el *Solace* no está lleno ni siquiera a medias, los hospitales de tierra tienen mucho espacio y los médicos de a bordo no están demasiado atareados. Yo había dicho que si la lucha continuaba regresaría de Nueva York con el primer cuerpo de enfermeras que saliera. Tengo la impresión de que en lugar de seguir avanzando hacia Panamá a través de México y Guatemala vamos a hacer un edredón de parches con la combinación ABC.** En el mejor de los casos no será sino una salida provisoria, que le dará un respiro a Huerta, aunque eso es lo último que nuestro gobierno se propone. Ya ha puesto su corazón en otra parte.

Anoche vinieron a cenar el almirante Cradock y el capitán Watson. Nadie mencionó el hecho de que la bandera se izó sobre Veracruz,

* Se refiere a la toma de Puebla ocurrida el 2 de abril. *(N. del E.)*

** Argentina, Brasil y Chile se ofrecieron como mediadores para resolver los conflictos entre México y Estados Unidos. *(N. del E.)*

ni los veintiún cañonazos que a *nosotros* nos emocionaron tanto. Me imagino que durante la tarde todos los almirantes y capitanes que hay en el puerto limitaron sus actividades a mandar telegramas a sus respectivos gobiernos. Lo único que sir Christopher dijo sobre la situación fue cuando preguntó suavemente: "¿Y ustedes ya saben si están en guerra o no?". El capitán Simpson ofreció una cena excelente, y después jugamos bridge, mientras la noche estrellada disimulaba la irremediable presencia de nuestra bandera ondeando sobre la terminal ferroviaria inglesa.

Predicen un norte tardío, pero mis ojos inexpertos no ven señal de él. El general Funston, famoso desde el terremoto de Aguinaldo y el de San Francisco, llegará esta mañana. Entiendo que el ejército tiene equipo y materiales más adecuados para el trabajo de ocupación, o como se llame. La majestuosidad y poderío de nuestra gran armada me dejan una emoción inolvidable.

29 de abril. Por la mañana

El norte todavía amenaza, pero hasta ahora, aunque el barómetro baja, sólo ha habido un ligero movimiento de aire pesado y sin fuerza.

Ayer por la mañana bajamos a tierra a las diez, y encontramos el auto ante las puertas de la estación terminal (que es también el cuartel general del almirante Fletcher). En el auto había un chofer francés, sacado de quién sabe dónde. En estos días es inútil tratar de investigar la génesis de las cosas. Llevamos al capitán Simpson hasta su antiguo cuartel general sobre el Paseo de los Cocos. Él deseaba ver al capitán Niblack, quien lo sustituyó en el mando. Cruzamos la ciudad hacia el "taller de reparaciones", saludando amigos y conocidos a ambos lados y sintiéndonos desusadamente cómodos y frescos.

El taller de reparaciones es ideal para cuartel general: enorme y fresco, con mucho espacio para todas las actividades de la vida de campamento. Después de vadear un trecho de arena bajo un cielo resplandeciente, encontramos al mayor Butler en su "oficina": un vagón de carga, pero con las dos puertas en los extremos totalmente abiertas, de modo que estaba fresco y ventilado. Con él estaban dos de sus oficiales. Él mismo es un hombre de una energía inagotable nerviosa, y la combinación ABC amenaza sobre su cabeza como una espada. Podrían seguir adelante y limpiar toda la costa hasta Panamá si tuvieran oportunidad, él y su grupo de indomables. Varios caballos y mulas de aspecto desconsolado pastaban en la hierba seca de las inmediaciones: los habían recibido después de algún pago.

"En los viejos tiempos, en Nicaragua, era otra cosa, uno *tomaba* lo que *necesitaba*. Este gobierno maneja las cosas en forma demasiado piadosa y honesta para mi gusto", fue su disgustada observación cuando le pregunté si eran suyos los animales.

El orden y la calma de esta ciudad son absolutos y se mantienen por la fuerza de las armas. Desde los disparos aislados que se oyeron el viernes por la noche, cuando los francotiradores estaban en su apogeo, ha habido silencio sobre las aguas oscuras, silencio en todos los *cul-de-sac** y silencio en todas las azoteas.

A las doce regresamos por el capitán Simpson. El capitán Niblack y el capitán Gibbons nos deslumbraron, pues con sus ropas caqui lucían grandiosos e imponentes. Dejamos a Nelson en el Diligencias, bajo los portales, donde la gente sigue tomando bebidas tibias, aunque el capitán Simpson les había dicho dónde podían conseguir cargas de amoniaco para reparar su planta de hielo. A la una tuve un almuerzo muy agradable, *tête à tête*** con el capitán Simpson. Fue *attaché* naval en Londres antes de comandar el *Minnesota*, y, por primera vez, nos encontramos hablando de personas y cosas ajenas a de Veracruz. Llegó una nota para Nelson del capitán Huse, diciendo que el almirante quería hablar con él, y el capitán Simpson envió a un hombre a buscar a Nelson para entregársela. Después el capitán Moffett del *Chester* vino a bordo. Ha sido amigo nuestro desde el principio. Es un hombre muy agradable, siempre *au courant**** de los acontecimientos tal como son en realidad. Esperamos que la cuestión de retirar los asuntos estadunidenses de manos de sir Lionel, para entregarlos a los brasileños, no llegue a la prensa. Podría conducir a resentimientos entre las naciones y los individuos involucrados. A continuación apareció a bordo el capitán Watson del *Essex*, con el barón y la baronesa Von Hiller. Todos fuimos en su lancha a las afueras del puerto, que yo aún no conocía, ya que su vista está totalmente bloqueada por el *Condé*, que también oculta al hermoso *Essex* que, en realidad, estaba muy cerca de nosotros. ¡Oh, la gloria, la majestad y la potencia de Estados Unidos estaban allí desplegadas! Grandes acorazados, destructores, torpederos, todas las em-

* callejones sin salida *(N. de la T.)*

** entrevista a solas *(N. de la T.)*

*** al corriente *(N. de la T.)*

barcaciones imaginables. Casi ochenta en total. ¿Y para qué? Para arrancar a un viejo indio fuerte y sagaz de un lugar y un cargo en los que ha probado ser eminentemente el adecuado para ocuparlos. El hidroplano del capitán Ballinger, operado por Mustin, volaba en círculos por encima de la rada y de vez en cuando se posaba sobre el agua, como una criatura familiarizada tanto con el cielo como con el mar.

Por la noche fuimos a cenar con los Von Hiller, a bordo del *Ypiranga*. También estuvieron el almirante Cradock y el capitán Watson. El capitán Watson me dijo que había regresado el comandante Tweedie, quien trajo de Soledad, en su vagón privado, a doscientos seis hombres, mujeres y niños estadunidenses que encontró tirados en las dunas, y que no habían tenido alimento ni bebida en veinticuatro horas. Ignoro los detalles, pero invitaré a Tweedie a almorzar mañana. Una cosa sé: que los ingleses, cuya ayuda hemos rechazado, siguen mostrando la fuerza de sus brazos y la bondad de sus corazones y han sido ángeles de misericordia para nuestros compatriotas arruinados y enloquecidos.

Después de cenar subimos a cubierta, donde se unió al grupo el capitán Bonath del *Ypiranga*. Fue más que cortés con Nelson y conmigo, aunque de una manera helada, por lo que el ambiente estaba cargado y tenso, y la expresión de sorpresa, indignación y resentimiento aún no desaparecía de su rostro. En el curso de la conversación salió a colación que el cónsul de Brasil en Veracruz es mexicano. El capitán se encogió de hombros de manera imperceptible. Sólo el capitán Watson lo descubrió y mejor evadió su mirada. A todas las preguntas e insinuaciones hemos respondido solamente que, como Washington parecía depositar alguna esperanza en el asunto de la mediación ABC, allá pensaron que lo mejor sería hacer a Brasil el cumplido de poner nuestros asuntos en sus manos. Sin embargo, todo lo que se ha hecho en este preciso momento por nuestros compatriotas necesitados y afligidos se debe a la extensa y vigorosa ayuda de Inglaterra. Rowan, quien también estaba en la cena, volvió con nosotros y caminamos a lo largo del muelle a través de nuestras líneas de centinelas, cuyos pasos se oían por todas partes en la oscuridad. Lejos, tierra adentro, en las borrosas dunas distantes, también están haciendo sus recorridos, alertas y preparados para cualquier sorpresa.

Cuando salimos del *Minnesota* ni un soplo de viento agitaba las cristalinas aguas. El capitán Simpson vino a nuestro encuentro al subir la escalerilla. Le dije que en tierra el aire estaba un poco tenso y agregué que deseaba que Tweedie viniera a vernos mañana. De modo que se arregló un almuerzo para hoy. El capitán Simpson puntualizó con su amplio criterio habitual: "Las naciones tendrán que solucionar las cosas a su modo, pero nosotros, los individuos, siempre podemos mostrar aprecio y cortesía".

En el *Minnesota,* 30 de abril, 8 a.m.

Ayer a las 9:30 el capitán Watson vino a buscarme para ir a San Juan de Ulúa. Llegó hasta el barco con gran estilo en su lancha de motor. El capitán Simpson envió con nosotros al teniente Smyth, quien se moría por verla. Bajamos por la escalerilla bajo el ardiente sol y subimos a la lancha, pero ésta se negó a ir más allá. Finalmente, después de un caluroso rato flotando en las transparentes aguas, nos trasladamos a una lancha del *Minnesota,* y a los pocos minutos me encontraba desembarcando en la pintoresca y temible fortaleza, bajo su nueva bandera. Esperemos que la antigua no vuelva a ondear por encima del hambre, la demencia, la desesperación y la enfermedad.*

Encontramos al capitán Chamberlain en su oficina. Es un joven fuerte de excelente aspecto. En realidad nuestros marines y casacas azules son un conjunto de magnífica presencia, duros como clavos e inacabable disposición. El capitán Chamberlain estaba rodeado por todos los signos de la "ocupación" en varios sentidos. Había archivos, armas, municiones, uniformes del "antiguo régimen" apilados por todas partes, esperando a que se resuelvan las cuestiones más vitales de carne y hueso, vida y muerte. Hace sólo una semana el capitán Chamberlain estaba en Nueva York, y ahora se encuentra dedicado a limpiar, en varias formas, este basurero humano de siglos. Destacó a un ordenanza para que nos acompañara, y salimos por una puerta sobre la que todavía podía verse la orden del día escrita con tiza en español.

Empezamos por la gran casa de máquinas, que según dijeron los oficiales estaba en excelentes condiciones de mantenimiento, llena de materiales valiosos de todas clases, especialmente eléctricos. Eso nos llevó a salir al gran patio central, donde tres grupos de cincuenta y un prisioneros, cada uno, estaban sentados parpadeando ante una luz no acostumbrada, esperando que les repartieran sombreros de paja y protegiendo sus cabezas del sol con trapos, platos, ollas, canastos y otros

* Las mazmorras de San Juan de Ulúa están de nuevo llenas. *(Nota de la edición original.)*

por el estilo, en medio del acompañamiento de una extraordinaria cantidad de toses, estornudos, escupitajos y carraspeos. Aun al sol ardiente esos hombres eran perseguidos por los espectros de la bronquitis, la neumonía, el asma y otros males afines. Entramos en una oscura mazmorra que acababan de desocupar esos ciento cincuenta y tres hombres. Parecía que para entrar teníamos que cortar el aire, tan espeso estaba de miasmas humanos, y después durante horas quedó en mis pulmones algo acre y asfixiante, por más que aspiraba el aire bañado por el sol. A medida que mis ojos fueron habituándose a la oscuridad miré a mi alrededor: las paredes, que rezumaban humedad, estaban terriblemente sucias; los pisos mojados, y no había muebles ni aparatos sanitarios de ningún tipo. Tirados por ahí se veían unos cuantos platos poco profundos, como los que en mi visita anterior vi que usaban para las raciones. El resto era un horror vacío, oscuro y hediondo. Sin embargo, Dios sabe que el lugar estaba de sobra tapizado y alfombrado de sufrimiento humano, desde el dolor físico ciego del obtuso peón hasta la exquisita tortura del hombre de pensamiento acostumbrado a la limpieza y a la comodidad. No me atrevo a pensar los horrendos dramas que se habrán desarrollado allí.

Me contaron uno: un hombre, que no llevaba mucho tiempo preso, encontró por accidente, en la oscuridad, un palo y una gruesa botella vacía, y con ésta clavó profundamente el palo en el cerebro de otro hombre al que no conocía, que estaba durmiendo cerca de él. Cuando lo sacaron para fusilarlo descubrieron que era de la clase educada. En una defensa inútil, dijo que la oscuridad y el hedor sofocante lo habían enloquecido.

Al salir de vuelta al bendito aire, examinamos muy de cerca esas filas de hombres que abrazan de nuevo la compañía del sol y del cielo. Presentaban un estudio variado y desalentador para el etnólogo, o el conquistador. Había de todos los tipos, del mestizo al indio puro; la mayoría de las caras tenían marcas de viruela. Unos pocos tenían pequeños bultos preciosos a los que se aferraban como tesoros, mientras que otros, aparte de los harapos que los cubrían, estaban tan libres de posesiones como el día que nacieron. Espesos y revueltos cabellos negros y matas irregulares de la dura barba de los indios daban a sus rostros un aspecto salvaje. Al final de una de las filas había dos muchachos muy jóvenes, de no más de trece o catorce años, con caras aún frescas y ojos brillantes. Yo quería preguntar por qué estaban allí, pero su fila ya había recibido sus sombreros y estaban marchando por el pasadizo hacia la playa.

Muchos de los internos de San Juan de Ulúa eran conscriptos que esperaban el llamado para "luchar" por su país; otros eran delincuentes civiles, asesinos, ladrones. La mayoría de los pobres embrutecidos tenía una mirada vacía. Los presos políticos ya habían sido liberados. Dos de las grandes mazmorras todavía estaban llenas. Había quinientos o seiscientos en un espacio mientras limpiaban las que ya estaban vacías, donde debían ser redistribuidos. Cuando salimos del primer calabozo el capitán Chamberlain estaba en el patio tratando de agilizar las cosas. Creo que tenía unos sesenta hombres para ayudarlo, y luchaba con libreta y lápiz tratando de hacer una especie de clasificación y registro. Caminamos hacia otra esquina para inspeccionar otra de las mazmorras, que según nos dijeron todavía tenía cadenas en las paredes y otros horrores. Entre los gruesos barrotes de una donde guardaban a los condenados a muerte por delitos civiles espiaba un rostro siniestro, picado de viruelas, la boca floja y los ojos opacos. Pregunté a su dueño qué había hecho. "Maté", fue la breve y desesperanzada respuesta. Sabía que tenía que pagar su crimen.

Nuestros hombres todavía no han tenido tiempo de examinar por completo los escasos e inexactos archivos de la prisión. Cruzamos el patio, bajo las grandes rejas, por el camino que lleva junto a los canales o fosos hasta el cementerio en la playa, que estaba inexplicablemente vacío. Sólo había unas pocas tumbas que parecían ser de oficiales o comandantes del castillo y miembros de sus familias fallecidos mucho antes. Con la mortalidad trabajando en forma tan constante y con tan pocas tumbas, el testimonio de este hecho lo podían dar los tiburones que nadaban en las aguas. En la práctica se usaba un proceso más simple que el entierro: una caza en la oscuridad, un arrastrar de cuerpos hacia afuera y un lanzamiento al mar, siempre listo.

Al pasar a lo largo de una de las cornisas pudimos oir sonidos de vida, casi de animación, que salían por las troneras inclinadas que atraviesan los muros: yarda y media de profundidad por cuatro pulgadas de ancho. Esos espacios de cuatro pulgadas estaban cubiertos por una gruesa barra de hierro. La última vez que pasé por aquí reinaba un silencio de muerte y desesperación. Ahora todos sabían que ha ocurrido *algo*, que *debe* ocurrir algo más y que la orden del día es: buena comida. Al regresar encontramos al segundo grupo de cincuenta y uno que salía hacia la faja de arena, al extremo de la fortaleza que da al oceano. Muchos de ellos serán puestos en libertad hoy para unirse a los otros centenares que vi. Conocerán de nuevo tanto las responsabilidades como las alegrías de la libertad, pero desdichadamente serán de muy poca utilidad tanto para el Estado como para sí mismos. Subimos las anchas escaleras que llevan a los techos planos que cubren los calabozos. Un escuadrón de hombres de los nuestros se había instalado en el amplio rellano, con sus catres plegables, sus rifles y todo el equipo de su oficio. Cuando llegamos a la azotea el capitán Watson dijo: "Esos agujeros en el suelo fueron hechos por orden de Madero cuando llegó al poder". Le dije que no lo creía, que me parecían muy antiguos, y cuando los examinamos, los bordes levantados resultaron ser de ladrillos de forma obsoleta, y las barras de hierro tenían siglos de herrumbre. Nada había cambiado. Nada había cambiado *nunca*. Hacía falta una mano extranjera que abriera las puertas.

La casa de torpedos, que estaba cerca de nuestro embarcadero, parecía muy profesional, limpia y muy costosa, incluso para mis ojos inexpertos. Uno de los botes del *Minnesota* descargaba provisiones: grandes trozos de carne, pan, café, verduras, azúcar. Me sentía muy agradecida al verlos sabiendo que el hambre ya no acechaba debajo de nuestra proa.

Llegué de regreso con tiempo de darme *dos* baños y cambiar toda mi ropa antes de la una, cuando llegó el comandante Tweedie para almorzar. Tenía una historia muy interesante que contar de su viaje desde la ciudad de México, y la relató restándole importancia, en la forma característica de los ingleses que no quieren crédito, pues no sienten que hayan hecho algo que lo merezca. Regresó hasta Soledad en un tren especial, con una guardia de veinticinco hombres del célebre 29º Regimiento. En Soledad vio un grupo mísero, hambriento, sediento y agotado de estadunidenses, hombres, mujeres y niños, de Córdoba. La mayoría de ellos habían estado en la cárcel ocho días y después se encontraron abandonados en Soledad por veinticuatro horas, sin alimento ni bebida, acurrucados en la estación del tren. Tweedie es un hombre de recursos. En lugar de volver a Veracruz e informar sobre la situación decidió llevarse con él al grupo o quedarse con ellos. Después de un intercambio de telegramas con Maass, con quien afortunadamente había bebido una *copita* (¡oh, el poder de la malvada *copita*!) al pasar por su guarnición, al final obtuvo permiso para partir hacia Veracruz con los abandonados, bajo el embuste de que eran ingleses.

Tuvieron que caminar los veinte kilómetros calcinantes desde Tejería, en una especie de ordalía de calor, cargando en cobijas a una señora anciana y a varios niños. Les dio hasta la última gota de líquido que tenía en su vagón, y dijo que los niños lamían el ginger-ale y la limonada del modo más divertido. Todavía bajo los auspicios de Carden, anoche o esta mañana partió un tren con quinientas o seiscientas personas hacia Coatzacoalcos. Sir Lionel, temiendo el pánico, decidió no decir que nuestros asuntos ya no están en sus manos hasta que parta este último cargamento. Creo que su magnanimidad es más de lo que uno puede pedir. Mi corazón está lleno de gratitud por los inestimables servicios que los ingleses han prestado a mis compatriotas.

A las cuatro fui a tierra a ver al almirante Fletcher. El guardiamarina Crisp (sólo con armas blancas) me acompañó. El capitán Simpson cree que es apropiado mandar a alguien conmigo, pero jamás en sus cuatrocientos años de existencia ha estado Veracruz más segura, más alegre, más próspera, más higiénica. Los zopilotes que planean sobre la ciudad deben recordar con tristeza los días en que todo se arrojaba a la calle, para que toda alimaña que vuela o se arrastra pudiera engordar y multiplicarse.

Encontré al almirante Fletcher en su cuartel general de la terminal sereno y poderoso. "Mañana me voy al *Florida* —me dijo. He terminado mi trabajo aquí. Todo está listo para entregárselo al general Funston." Le expresé no sólo mi admiración por el trabajo que ha hecho en los últimos días, y lo que eso significa. Pero lo que más admiro es su obra de mantener la paz en aguas mexicanas durante catorce meses. Una docena de incidentes pudieron haber generado disturbios, a no ser por su juicio tranquilo, su ingenio y el corazón grande, y muy humano, que late en su pecho. Le dije lo que he repetido en muchas ocasiones, que es gracias a Huerta, al almirante Fletcher y a Nelson que se mantuvo la paz durante estos largos y difíciles meses. Estaba escrito que un incidente, ajeno al radio de acción de ellos tres, fuera el causante de la ocupación militar.

Cambiamos algunas palabras sobre el viejo indio, que sigue luchando en las alturas. El almirante Fletcher terminó diciendo en forma tranquila y convincente: "Sin duda, cuando llegue a Washington entenderé aquel punto de vista. Hasta ahora sólo lo conozco desde aquí".

Le dije cuánto detesto las medidas a medias; cómo son desastrosas en todas las relaciones de la vida —familiar, civil, pública e internacional— y que nunca se ha demostrado con más claridad que aquí. Incluso él parece no saber si hemos traído toda esta tremenda maquinaria hasta las costas de México, simplemente para volver a retirarnos, o si hemos de seguir adelante. Al marcharme no pude dejar de manifestarle nuevamente mi respeto y afecto por él y mi admiración por sus logros. Salí de la habitación con lágrimas en los ojos. Había visto a un gran y buen hombre al final de una tarea larga y exitosa. Más tarde le llegarán otros honores. Tal vez le tocará la flota. Pero nunca volverá a mantener la paz por catorce meses, con sus barcos de guerra llenando un puerto rico y codiciado. Cuando todo haya concluido, ésta será su mayor obra.

XXV

Nuestra retirada de suelo mexicano. Una cena histórica con el general Funston. La armada entrega Veracruz al ejército. La marcha de los seis mil casacas azules. Velada en el Minnesota.

Primero de mayo

Ayer, 30 de abril, el almirante Fletcher entregó "la Villa Rica de la Vera Cruz" al ejército. Estaba perfectamente tranquila y seguía disfrutando una prosperidad desconocida. Pero de eso hablaré más adelante. A las once, cuando estábamos a punto de bajar a tierra, trajeron un sobre para Nelson. Al abrirlo encontró que lo retiraban de México, y, de inmediato, nos fuimos a tierra a ver al almirante Fletcher. Estaba recibiendo visitas, por última vez, en su cuartel general, y Nelson fue recibido casi enseguida. El almirante Badger, con su paso fuerte y dinámico, atravesó la antesala mientras yo esperaba con el capitán Huse, cuya cara y personalidad están grabadas en mi memoria tal como apareció en mi compartimiento aquella tarde en Tejería.

Pronto entré a la sala del almirante Fletcher, una gran habitación cuadrada de techo alto donde él y el capitán Huse han dormido y trabajado durante todos estos extraños días; tiene al lado una especie de baño al estilo Nerón, más o menos del mismo tamaño. Casi siempre sopla la brisa del mar. Nelson entregó el automóvil a la marina, donde será muy útil. Fue una hazaña traerlo hasta aquí sin que se dañara nada más que el clutch, que esos mismos hábiles marineros arreglaron. Había mucho trajín en el cuartel, por lo que pronto nos despedimos y fuimos a visitar al general Funston, en las antiguas oficinas del general Maass. Terminamos quedándonos a cenar con el general Funston, en su primera cena ofrecida en la casa del general Maass.

Supongo que no sólo soy la única mujer, sino la única persona que ha comido allí bajo dos banderas. Subí las amplias escaleras con el coronel Alvord, las mismas que la última vez descendí del brazo del general Maass. Cuando llegué, el general Funston estaba en la amplia sala del frente, donde había vivido, respirado y existido la familia Maass. Después de saludarlo mis ojos vagaron por la sala. Sobre la mesa, con su mantel blanco deshilado, se hallaba el mismo centro de mesa de coral blanco (del que cuelgan pedacitos de musgo artificial verde brillante) y la gran copa de plata; estaba el piano silencioso, con un rimero de partituras gastadas; el barco de porcelana (triste augurio) lleno de rosas artificiales desvaídas; la cortina de cuentas que divide en medio la habitación; el sillón de hamaca del que tan orgullosa estaba la familia; hasta la carpetita que se quedó pegada a mi espalda. Casi de inmediato pasamos a la gran mesa abundantemente provista, donde la comida se sirvió en la porcelana de los Maass. Yo, por supuesto, me senté a la derecha del general Funston, y Nelson a su izquierda. Completaban el grupo los integrantes de su excelente estado mayor. Alertas, listos y ansiosos de tomar la ciudad, el país, el hemisferio o cualquier otra cosa. Todos fueron muy amables al hacerme sentir que mi presencia allí "agraciaba su primera comida".

El general Funston es pequeño, rápido y vigoroso. Hay a su alrededor una atmósfera de gran competencia, y me dicen que es un magnífico oficial de campo. Estuvo en México hace diecinueve años, tratando de invertir dinero en el negocio del café; ahora en la ruleta de la vida está invirtiendo su prestigio en una situación para la que está hecho a la medida. Todos temen que alguna casta híbrida de la "paloma de la paz", "paz a cualquier precio" (o "estar alertas para recibir más patadas", como dijo sombríamente alguien) extienda sus alas sobre esta tierra. El ejército está preparado, dispuesto y capaz de concluir con éxito cualquier tarea que se le fije, frente a cualquier dificultad. Estoy segura de que los oficiales sienten la crueldad de las medidas a medias, crueldad tanto para nuestro propio pueblo como para México; saben que la guerra no puede ser más desastrosa de lo que ya estamos haciendo. La cena de jamón, con salsa de crema, papas, macarrones, frijoles y encurtidos, terminó demasiado pronto. Sirvieron café y cigarros cuando todavía estábamos sentados en la amplia mesa. Mis ojos miraban con admiración a esa media docena de hombres fuertes y capaces luciendo sus uniformes caqui. Es el más favorecedor de los trajes masculinos: camisa de franela con cuello bajo en punta, pantalones como los de montar, polainas de cuero, cartucheras y armas de mano, todo del mismo tono. Van a empacar las reliquias de los Maass para entregarlas a sus dueños. El almirante Fletcher mandó un mensaje al general Maass prometiendo enviarle todos sus efectos. Debo decir que ahora entiendo realmente lo que es la "suerte de guerra" al ver que buscaban platos para mantequilla y tazas de café en el armario para porcelana de los Maass. Apenas habían entrado en la casa por la mañana y no habían tenido tiempo de nada, salvo hacer los arreglos para recibir la ciudad.

El general Funston dijo que él tiene una hijita, Elizabeth, nacida el mismo día que él llegó a Veracruz. También nos dijo que una noche saltó de la cama por los gritos de los vendedores de periódico: "¡Asesinaron a O'Shaughnessy! ¡Hundieron el *Prairie*!", y sintió que el momento de la partida podía estar cerca. Dio a Nelson un salvoconducto histórico para atravesar las líneas en cualquier momento. Poco después nos fuimos porque se acercaba la hora en que los oficiales debían asistir a la función en el muelle de Sanidad "un pequeño Funston", como dijo el capitán Huse. Estreché la mano de todos ellos y deseé al general "buen viaje a las alturas". Él y sus recios y leales soldados harán lo que sea necesario. Caminamos por las calles blancas y ardientes hasta la plaza y pronto nos alcanzaron el general Funston y su comandante en jefe, que iban en un coche maltrecho tirado por dos flacas yeguas grises. Creo que la marina llegó al sitio en nuestro elegante automóvil. Pocos minutos después vi al general, en su uniforme caqui, de pie junto al almirante Fletcher, quien estaba vestido de blanco inmaculado en el muelle de Sanidad.

Entonces empezó la maravillosa marcha de seis mil casacas azules y marines de regreso a sus barcos. Los combatientes habían tenido su costoso bautismo de fuego. A medida que pasaba un batallón tras otro se oían vivas, se alzaban sombreros ante las banderas y muchos ojos se humedecían. Los hombres marcharon magníficamente, con paso marcial y resonante, y dieron un espectáculo espléndido. Si el indio viejo cerrero hubiera podido verlos habría reconocido el poder y la majestad de nuestra tierra y la inutilidad de cualquier resistencia. El paso de nuestras tropas y su embarque llevaron treinta y siete minutos. Parecieron desvanecerse, disolverse en el mar, su elemento natural. Por un momento el puerto se vio como un antiguo grabado de alguno de los embarques de Nelson: Trafalgar, el Nilo, Copenhague o no sé qué. La marina desapareció y en su lugar apareció el ejército. Había innumerables fotógrafos y camarógrafos, y el mundo verá el gallardo espectáculo. Nelson estuvo de pie junto al almirante Fletcher y el general Funston.

A veces, en la ciudad de México, solo con toda la responsabilidad de la embajada sobre sus hombros, Nelson se sentía desanimado y yo también, temerosos del resultado final. Si yo hubiera comprendido el poder y la magnificencia que representaba la marina anclada en el puerto más cercano, lista y capaz de respaldar nuestras empresas internacionales y nuestra dignidad nacional, creo que nunca habría tenido un minuto de desaliento. Le dije algo de esto al capitán Simpson y él respondió: "Sí, pero recuerde que usted estaba en peligro".

El almirante Busch nos llevó de regreso al *Minnesota*, adonde llegamos a tiempo de ver a los hombres que acababan de volver; estaban alineados en cubierta para ser inspeccionados por el capitán Simpson, quien pronunció algunas palabras de elogio, cálidas y fraternas. Faltaban algunos. ¡La paz sea con ellos!

Más tarde

Volvimos a bajar a tierra, dejando a Nelson en el *Carlos V*, para devolver la visita que le hizo el capitán español en la ciudad de México. Estaba tan cansada a causa del sol y del día tan largo que me quedé en el pequeño bote. Simplemente no tenía la energía necesaria para subir la escalerilla e ir a bordo, aunque me habría gustado ver el barco. Después de la visita fuimos a sentarnos bajo los portales del Diligencias alrededor de una hora, viendo la animada escena. La planta de hielo del Diligencias todavía no funciona, de modo que estaban sirviendo las mismas bebidas sucias y tibias a sus disgustados clientes. En el palacio municipal está acuartelado el 2º Regimiento de Infantería, y bajo sus portales instalaron sus cocinillas y preparaban su merienda, antes de marcharse a sus puestos nocturnos. A punta de tres o cuatro bayonetas alejaron a varias docenas de mexicanos gordos y bien vestidos. Le pregunté al portaestandarte McNeir qué era eso y me dijo:

"Oh, es la fila del pan. No pueden ocuparse de eso ahora." La "fila del pan", que probablemente incluye, a veces, a un tercio de la población de Veracruz, al parecer había tenido gran éxito en otros puntos ya que sus miembros, disfrutando de un día bien alimentado y sin trabajar, se instalaron cómodamente en los bancos y aceras de la plaza para escuchar las notas de "Star-spangled Banner", "Dixie" y "The Dollar Princess", ofrecidas para su entretenimiento por los generosos y atentos invasores. Hasta las pequeñas vendedoras de flores parecían tener enaguas recién almidonadas, los niños de ojos brillantes que venden periódicos tenían camisas limpias y los innumerables lustrabotas se veían tan aseados como lo permite su oficio. Una especie de nueva era ha llegado a la ciudad; y el dinero también correrá como agua cuando llegue el día de pago de los soldados.

Richard Harding Davis vino hasta nuestra mesa. Su rápida mirada no pierde ningún detalle. *Si* es que hay algo insulso que referir en Veracruz, ya no será insulso cuando el mundo lo conozca a través de esa vívida y hermosa prosa suya. Le hicimos bromas sobre su sombrero, diciéndole que ese día había habido en la ciudad muchas bandas escandalosas, la banda de la infantería, la banda de la marina y la banda del ejército, pero ninguna tan llamativa como la de su sombrero, una banda azul con puntos blancos. Le dijimos que se podía reconocer desde lejos.

Y él respondió sin inmutarse: "¿Pero no es reconocimiento lo que falta en México?".

Jack London también vino a hablar con nosotros. Burnside, con su cabello muy corto y el corazón tan cálido como siempre, estuvo sentado con nosotros durante los ires y venires de los demás. Al capitán Lansing, un oficial muy bien parecido, lo habían transferido recientemente de la pompa y circunstancia de Madrid, donde era *attaché* militar, al otro lado del mundo, a Texas City. Dijo que después de un año de polvo o de lodo, y lo desabrido y estancado del lugar, Veracruz le parecía un alegre paraíso. También nos presentaron al teniente Newbold, de Washington, y a muchos otros. Todos se veían tan recios, tan osados, tan dispuestos. Creo que esa impetuosidad es la cualidad que mejor recordaré de los hombres en Veracruz. Burnside caminó con nosotros de vuelta al barco, y a los cinco minutos de caminata cayó la noche tropical. Las primeras órdenes oficiales del general Funston ya estaban allí, con la notificación formal de su autoridad.

CUARTEL GENERAL DE LAS FUERZAS EXPEDICIONARIAS
DE ESTADOS UNIDOS

Veracruz, 30 de abril de 1914

Orden general núm. 1

El abajo firmante, siguiendo instrucciones del presidente de Estados Unidos, asume con esto el mando de todas las fuerzas estadunidenses en esta ciudad.

Frederick Funston,
Gen. Brig. del Ejército de Estados Unidos

Ya en las breves horas transcurridas desde que el ejército "fluyó" hacia la ciudad, los soldados se han instalado como si hubieran estado aquí siempre. En la penumbra veíamos sus tiendas armadas, sus hornos instalados, y el olor del pan se mezclaba con los cálidos olores del mar. Sin duda eso era "eficiencia".

3 de mayo

Esta mañana la noticia de que el señor Bryan no permitirá ninguna lucha durante el periodo de armisticio y de negociación aplacará un poco esa impetuosidad que mencioné antes.

Con todo el contingente de casacas azules de nuevo a bordo se oye tal algarabía que prueba que se está haciendo la limpieza del barco. Ya antes todo se veía inmaculado. Hemos estado tan cómodos, tan frescos y tan bien atendidos, en todas formas, por estos hombres de guerra. ¡Pero no olvidaré muy pronto la cara del joven oficial, que al regresar de cubrir su turno de guardia descubrió que su cabina está ocupada por mi doncella francesa!

Anoche, mientras estábamos sentados platicando en cubierta, mirando el puerto, de repente sonó desde San Juan de Ulúa el alegre y pacífico toque de corneta llamando a "apagar las luces". Una gran luz pendía sobre la entrada de las habitaciones del capitán Chamberlain. Es un bálsamo para mi alma saber que ese foso infecto de siglos está abierto al sol y a la luz, los cerrojos abiertos y por todas partes hay relativa paz y abundancia. Digo paz relativa porque todavía hay que resolver los casos de los encarcelados por asesinatos y crímenes horrendos. La primera vez que visité la prisión, aún bajo la bandera mexicana, el capitán McDougall y yo preguntamos al centinela que nos mostraba el lugar si había habido muchas ejecuciones últimamente. "Desde el *jueves*", respondió (era domingo), "*sólo* por orden del coronel." No sé si era verdad o no, pero el guardia lo dijo con el aire de quien dice algo muy normal. El capitán McDougall hizo la pregunta porque desde el *Mayflower*, que estaba anclado más o menos donde ahora estamos nosotros, había oído muchos disparos por la noche y por la mañana temprano.

Inmediatamente después de la cena subimos a cubierta. Una brisa deliciosa giraba y revoloteaba en la suave y densa noche tropical. Cada noche colocan una gran pantalla en la parte posterior del barco y oficiales y tripulación se reúnen para ver películas, sentándose sin distinción de rango. Las torretas se llenan de hombres; incluso la punta del mástil tiene su decoración humana. Después del cálido e histórico día fue muy agradable estar tranquilamente sentada en la fresca cubierta en penumbra y ver el desarrollo de las viejas historias de amor, robos, secuestros y otras cosas por el estilo. Pero fue más hermoso después, cuando nos quedamos sentados en la cubierta en la oscuridad, observando la maravillosa escena a nuestro alrededor. Mil luces brillaban sobre el agua, destacando cada onda oscura. La "ciudad de los barcos", como llamo yo al puerto de Veracruz, está constantemente lanzando sus destellos de luz, sus semáforos, sus señales de todo tipo, y el agua y el cielo las reflejan multiplicadas cien veces.

Inmediatamente después del toque de "apagar las luces", desde la fortaleza, el almirante Fletcher y el capitán Huse vinieron a bordo para su visita de despedida. La cortesía del almirante Fletcher siempre es de lo más delicada, pues proviene de las profundidades de su bondadoso corazón y de su amplia comprensión de los seres humanos y de la vida. Él y Nelson pasearon juntos un rato a lo largo de la cubierta, planeando nuestra partida. Él se propone que el *chargé* salga de las aguas mexicanas con toda la debida dignidad. Después de un cálido apretón de manos, el almirante y el capitán Huse partieron sobre el veraniego mar. De pie, junto a la barandilla, observamos cómo la lancha desaparecía en medio de un asombroso diseño, especie de marquetería de luz y sombra, y supe que algunas cosas nunca volverán a ser.

Más tarde recibimos del *Arkansas*, el buque insignia del almirante Badger, el radiograma adjunto, diciendo que el *Yankton* estará a nuestra disposición mañana para llevarnos a nuestras playas natales, y así terminará la historia. Siento nostalgia de mi hermoso altiplano y de la vida vibrante y multicolor que llevaba allá. ¡Adelante! Pero no me gustan mucho las cenas, los tés y el *train-train** habitual, aunque unas cuantas visitas a modistos y sombrereros resultarán tan provechosas para mí como para ellos. Como sabes, no tuve tiempo de hacer empacar mis efectos personales en la embajada, y lo que traje conmigo descansó veinticuatro horas en los médanos de Tejería, entre las líneas mexicanas y las nuestras. Me informan que mi baúl grande amarillo está en la estación terminal. Ya se sabrá después qué es lo que queda en él. Quizá en Washington no lo llamen guerra, pero cuando una mujer pierde su guardarropa le resulta difícil llamarlo paz. La famosa colección de botas de Nelson, cuarenta o cincuenta pares, aparentemente se quedan en esos

* rutina, movimiento regular *(N. de la T.)*

médanos en pies aztecas o mestizos. No me preocupan mis zorros grises ni otras pieles; bajo ese cielo abrasador y sobre esa arena ardiente y cortante no pueden tentar a nadie.

Joe Patterson acaba de estar a bordo. Vino con el ejército en el transporte *Hancock, sui generis,* como de costumbre, su gran cuerpo cubierto por ropas flojas de color castaño claro. Siempre es fogoso e interesante, y aborda muchos temas con toque experimentado. Dijo que no quería una entrevista con Nelson para su periódico (cosa que acabaría con Nelson "muerto de agotamiento"), sino hacer un relato que interese al público y no le cause problemas a él (Nelson). Me interesa ver qué hace. La aburrida noticia del armisticio le ha hecho sentir que quiere regresar, y me atrevo a decir que serán muchas personas las que se vayan. Nelson no permitirá que nadie lo entreviste. Es imposible agradar a todos, pero ¡oh, qué fácil es *des*agradar a todos!

XXVI

De vuelta a casa. Muerta para el mundo en la lujosa cabina de Sarah Bernhardt. Despedida del almirante Badger. El Padre de las Aguas. Sincero mensaje del señor Bryan. Llegada a Washington. ¡Adelante!

Domingo 3 de mayo

Estoy escribiendo en la privacidad de mi cabina en el yate *Yankton*, que nos lleva en línea recta a Nueva Orleans, en un viaje especial. Alguna vez el *Yankton* se llamó *La Cléopatre* y perteneció a Sarah Bernhardt. Ahora yo, bastante maltrecha por los recientes acontecimientos, ocupo su cabina. El *Yankton* nunca antes había sacado a un representante de Estados Unidos del escenario de una guerra; es la nave especial del almirante Badger, transporta correo, viajeros especiales, etcétera, y ha dado la vuelta al mundo con la flota. La flota se encontró con un tifón y todos se alarmaron por la seguridad del *Yankton* que, sin embargo, salió de esa experiencia menos dañado que cualquier otro barco. Puedo dar fe de cómo cabalga las olas e incluso las salta. El almirante Badger dice que en puerto lo utiliza sobre todo para realizar cortes marciales. Ahora estoy aquí yo. La vida es un lío, ¿no?

El viernes primero de mayo, a las cinco nos despedimos del querido capitán Simpson y de la lujosa hospitalidad del *Minnesota*; el comandante Moody y los oficiales de turno nos desearon buen viaje. Cuando nos íbamos, el capitán Simpson nos dijo que por señales le habían ordenado enviar quinientas raciones a San Juan de Ulúa. Cuando nos alejábamos cruzando las aguas, acompañados por el guardiamarina Crisp, oficial de turno del bote, la orilla de la ciudad se veía coloreada por grandes manchones caqui. Eran escuadrones de nuestros hombres, con sus tiendas y equipos, cuyo color destacaba fuertemente contra el de Veracruz, que esa tarde tenía un desusado tono grisáceo. El *Yankton* estaba anclado fuera del puerto exterior, rodeado por barcos de guerra, acorazados y torpederos; una visión imponente, un círculo de hierro alrededor de esa entrada al bello y suspirado México. Faltaba un cuarto para las seis cuando llegamos al *Yankton*. Al mirar en torno mío parecía encontrarme en una extraña ciudad gris de barcos de guerra. Poco después, el almirante Badger vino desde su buque insignia, el *Arkansas*, a despedirse de nosotros. Subió a bordo y nos saludó en su estilo rápido y señorial. Rara vez se ha visto tanto poder concentrado en una sola persona como el de la enorme flota presente en el puerto de Veracruz; y el hombre que la comanda está plenamente a la altura de la tarea. Es un individuo vivaz, de penetrantes ojos azules, cabello muy claro ya encanecido y piel fresca y limpia: el típico marino de alto rango. Creo que se siente capaz de recorrer la costa de cabo a rabo apoderándose de todo, incluso del temible Tampico, con sus manifiestos peligros de petróleo, fuego, enfermedades y todas las catástrofes que el mar puede provocar. Habló de los treinta mil estadunidenses que ya han aparecido en nuestros puertos, expulsados de sus placenteros hogares, ahora empobrecidos, y que no podrán regresar a México hasta que nosotros les demos la posibilidad... Me imagino que se esfuerza para lograrlo. Él también ama todo esto, y suspirando dijo: "Por desgracia, en poco más de un mes terminaré mi trabajo". Pero todos los finales son tristes. De pronto, grandes celajes del rojo del ocaso aparecieron en el cielo mientras él se alejaba, al agitar su brazo nos enviaba, una vez más, buenos deseos.

El capitán Joyce, quien fue a la ciudad a conseguirnos un tipo especial de certificado de salud para evitar cualquier dificultad con la cuarentena, vino a bordo poco después, y casi de inmediato emprendimos el viaje. La noche tropical empezó a caer de prisa. Lo que durante el día había sido un círculo de hierro ahora era una enorme faja de luz ciñendo a México, tan potente bajo las estrellas como bajo el sol. Mi corazón estaba muy triste... Había presenciado la agonía de un pueblo y daba un adiós irrevocable a una fase fascinante de mi propia vida, a un país cuyo encanto he sentido profundamente. Desde entonces he estado muerta para el mundo, garabateando estas palabras sobre un pedazo de papel húmedo con dedos torpes. Este elegante yate es como una cáscara de nuez sobre las aguas brillantes. El almirante Fletcher y el almirante Cradock nos enviaron telegramas, que ahora están tirados en un rincón, arrugados como todo lo demás.

Le dije a Elim, que está acostado aquí al lado en su propio sufrimiento: "Basta de yates", y él respondió: "Nada de yates para mí".

Más tarde, cuando se recobró lo suficiente para hacer una pequeña broma, dijo que me iba a dar uno como regalo de navidad.

"Lo venderé", le dije.

Y él respondió: "No, mejor húndelo. Si lo vendes nos invitarán, siempre lo hacen". Y al rato levantó la vista, con un gemido, y dijo débilmente: "Preferiría tener un calambre fuerte a esta sensación que es la más horrible del mundo".

¡Esto sí que es *noblesse oblige*! He sufrido algo, quizá gloriosamente, por la patria, y supongo que debería estar dispuesta a representar esta última escena sin quejarme, pero he estado enterrada para el mundo y la cabina de la divina Sarah es mi ataúd. Si este malestar puede existir en un lugar donde existen todas las comodidades modernas, hielo ilimitado, ventiladores eléctricos, la mejor y más fresca comida, ¿cómo habrán sido los sufrimientos de la gente en los barcos de vela, detenidos por nortes o calmas, sin tener jamás una bebida fría? Los abrazo a todos con una simpatía sin límites, desde Cortés a madame Calderón de la Barca.

En el *U.S.S. Yankston*, 4 de mayo, 3:30

Hace un rato subí, tambaleándome, como una criatura pálida vestida de lino blanco húmedo, para contemplar una vez más el cielo después de permanecer tres días acostada en la cabina. El bote de un piloto se acercaba rápidamente a nosotros sobre el mar más desagradable, amarillo y desolado que puedas imaginar. Sentí que no podía soportar las diversas sensaciones que animaban mi cuerpo, ni por un instante más. Después, de repente, me pareció que estábamos en el pasaje sureste del gran delta, fuera de ese movimiento indecible, atravesando el Padre de las Aguas, lo más abominable de la desolación. Hasta las gaviotas se veían tristes, y una boya de campana tocaba una especie de tañido fúnebre. Había grupos de casas, todas iguales, dispersos a intervalos por una costa monótonamente plana, donde lo único que crece son altos pastizales, imposible decir si en tierra o en el agua. Son las viviendas de esos seres solitarios que trabajan en los diques, las estaciones de carbón y de radio, purificando y "redimiendo" esta tierra aparentemente ingrata que se extiende por millas interminables, desoladas y llanas.

El agua es más amarilla que la del Tíber, y ningún manto de alta civilización antigua le ha prestado algún encanto. El piloto trajo a bordo un montón de periódicos húmedos, pero no soporto leer nada sobre temas mexicanos. Que Carranza rechaza rotundamente nuestro pedido de suspender la lucha durante los procedimientos de negociación, o que un editor de Nueva York llama a Villa "el Stonewall Jackson de México", es sólo más de lo mismo. Mi corazón y mi mente lo conocen demasiado bien.

Siento una profunda nostalgia por México, incluso de su color rojo ensangrentado. Todo lo demás que el mundo puede ofrecer parece pobre en comparación con el recuerdo de su extraña magia.

A las seis de la mañana llegó un radiograma del señor Bryan para Nelson pidiéndole que guarde silencio hasta que haya conferenciado en Washington. Pero Nelson ya había decidido que el *silentium* sería su signo y su símbolo. A menos que lleguemos a la misericordiosa hora del alba, los reporteros lo asediarán. En estos momentos una palabra de más podría complicar enormemente las cosas para Washington.

Nos deslizamos sobre amplias extensiones melancólicas de agua que semejan lagos. De tanto en tanto surge una gran hendidura y parece que hemos encontrado otro río, buscando otra salida. Más casas blancas y grises se muestran contra los altos y persistentes pastizales verde pálido y el amarillo del río. Son casas solitarias, aisladas, donde cada familia se gana su pan con el sudor de su frente en algún tipo de servicio al exigente Padre de las Aguas, generalmente tratando de controlarlo.

6:45 p.m.

Acabamos de deslizarnos por entre la cuarentena como un pez. Nuestras órdenes extraordinarias y dos o tres telegramas de Washington, con disposiciones de no demorarnos, lo hicieron fácil. Vimos al *Monterey*, que había llegado en la mañana con seiscientos veintitrés pasajeros a bordo, atracado en el muelle. Las mujeres y los niños iban a dormir en tierra, en tiendas con mosquiteros. Muchos de ellos eran refugiados de la propia ciudad de México, y cuando pasamos daban vivas y saludaban gritando: "¡O'Shaughnessy! ¡O'Shaughnessy!".

Según un ejemplar del *Picayune* que nos dejaron los funcionarios de sanidad, los refugiados no se cansan de elogiar a Carden, diciendo que su escape se debe a él y no al Departamento de Estado, y de paso incluyen algún ocasional elogio a Roosevelt. El doctor Corput es demasiado riguroso. Aunque se veía acalorado y claramente marchito a causa del cuello de la camisa, cuando su persona de más de seis pies dos pulgadas entró en el salón donde estábamos cenando, parecía muy competente. Si un microbio llegara a escapársele tendría que ser muy brillante. Él, con su bandera amarilla, es amo y señor de todas las embarcaciones y todo lo que recorre este río.

Toda la cuestión de la protección de la salud de Estados Unidos en esta estación es de lo más interesante. Es una de las más grandes del mundo, pero ahora está trabajando al máximo con los miles de refugiados de México, la mayoría de los cuales estuvo maldiciendo al gobierno; hasta donde sé, durante las ciento cuarenta y cinco horas de viaje desde que salieron de México. La propia estación de cuarentena, bajo el rojo sol del atardecer, se veía como una aldea limpia y atractiva, abastecida por hileras de tiendas. Hay unos esterilizadores enormes en los que se puede meter todo el equipo de un barco, enormes salas de inspección, grandes casas de baños y un pequeño hato de ganado. Se basta a sí misma. Nada puede llegar hasta sus moradores, y éstos a su vez tampoco pueden obtener nada de fuera. Debo decir que el desgaste normal de la propia existencia se vería reducida materialmente durante las ciento cuarenta y cinco horas de trayecto. Los grandes barcos que pasan ahora están cargados de personas que han estado expuestas a todas las enfermedades imaginables en la *débacle* mexicana. Tú recuerdas el brote de viruela en Roma, y cómo se estimuló a *aquel* microbio. Bueno, *autre pays, autres moeurs*.* Para el indio, sin embargo, tener viruela es poco más que para nosotros tener un resfrío fuerte.

10 p.m.

Hemos ido subiendo por el río silenciosamente en esta noche suave y oscura, zigzagueando para evitar las corrientes. A veces estamos tan cerca de la costa que casi podemos tocar los fantasmales sauces, mientras llegan a nuestros oídos sonidos nocturnos sombríos y reprimidos. Los mosquitos son casi del tamaño de las moscas, y no son de los que cantan sino de los que pican en silencio. Necesito todas mis energías para mantenerlos alejados, de manera que buenas noches; todo está en silencio a lo largo del Mississippi. Hay noventa millas de la cuarentena a Nueva Orleans.

* otro país, otras costumbres (*N. de la T.*)

5 de mayo
En el tren, cruzando Georgia y Carolina del Norte

Llegamos a Nueva Orleans ayer a las 6:30 de la mañana, bajo un sol ardiente. Había muchísimos reporteros y fotógrafos esperando en el muelle para recibirnos, a nosotros y al buen barco *Yankton*. Sin embargo, no consiguieron sacar mucho de Nelson, quien se negó a hablar de la situación en México. No obstante, *sí* pasamos frente a las cámaras; nos fotografiaron en el barco, en el muelle, en las ruidosas calles cercanas, entre un horror de camiones y carros que traqueteaban sobre el empedrado, y a través de su tinta transmitirán otras barbaridades. Enseguida fui a la más cercana de las mejores tiendas y me compré un vestido de tafetán negro (un modelo de Paquin con cuello bajo de tul blanco) y así empecé a sentirme humana de nuevo. Después anduvimos varias horas paseando en automóvil con uno de los oficiales por una ciudad de casas hermosas, interesantes barrios antiguos y el barrio francés, y por fin manejando sobre una buena calzada. A un lado había un pantano lleno de vegetación tropical de todas clases, sin duda habitado por cosas húmedas y rastreras; al otro lado, un amplio canal. Llegamos a un lugar llamado West End, sobre el lago Pontchartrain, donde almorzamos camarones, cangrejos de concha blanda y pollo asado, muy a la altura de la fama de Nueva Orleans. Después regresamos al barco bajo un implacable sol y sobre esos incómodos empedrados.

Yo estaba totalmente exhausta. Cuando llegamos de regreso al barco estaban cargando carbón, pero los marineros de inmediato abrieron un paso para mí y me arrojé sobre mi cama en estado de agotamiento total. Cuando volví a salir a cubierta a las cinco y media ya habían acabado con el repugnante carbón y lavado la cubierta y todo estaba en perfecto orden. De nuevo había multitudes en el muelle y los fotógrafos continuaron su trabajo. La figura dorada de Cleopatra que adorna la proa era rojo sangre en el sol de la tarde. A las seis salimos con el capitán Joyce, quien literalmente había estado de pie en la cubierta ardiente todo el día, supervisando la carga del carbón. Queríamos mostrarle un poco de la ciudad en el súbito, hermoso y balsámico ocaso. Nos detuvimos un momento en el St. Charles, donde despaché mi larga carta del *Yankton*, y lo encontramos repleto de estadunidenses provenientes de México, con sonrisas unos, ceñudos otros, según depositaban o retiraban de su cuenta de banco. Después fuimos a Antoine's, que celebra sus setenta y cinco años, donde tuvimos una cena perfecta, precedida por una bebida misteriosa y deliciosa llamada "ángel rosa" o algo parecido, de efecto muy tranquilizador. (Resultó que está hecha con el prohibido ajenjo.) También hubo ostras, asadas de alguna manera exquisita, *okra* con pollo, de nuevo cangrejos de concha blanda y tomates congelados rellenos.

Nueva Orleans aún conserva cierto aspecto pintoresco y sabor del Viejo Mundo. Aquí se podría hasta soñar. Nada se ha sacrificado en aras de eso que llaman eficiencia, esa famosa palabra estadunidense que golpea por todas partes al nativo que regresa.

Algunos periódicos fueron bastante divertidos y todos estuvieron elogiosos. Uno felicita a Nelson por haberse liberado "de la tarea diaria de entregar ultimátums a Huerta y ser abrazado por él". Otros están ansiosos por saber si "Vic Huerta" besó y abrazó al señor O'Shaughnessy antes de partir. Ciertamente el abrazo no es bien visto en los reticentes Estados Unidos de América.

Richmond Hotel, Washington, D.C.

Llegamos a las siete y, acompañados por el habitual contingente de la prensa, vinimos a este hotel. El propietario nos telegrafió a Nueva Orleans diciendo que Nelson es el más grande diplomático del siglo, un patriota y un héroe. Pensamos probar suerte con él, ya que parecía *tan* agradable, y encontramos habitaciones muy cómodas. Ahora tengo estos pocos minutos mientras esperamos el desayuno, que ordenamos a un portugués.

Tengo aquí una carta divertida de Richard Harding Davis, que manda titulares de periódicos en letras de dos pulgadas y media de alto: "O'Shaughnessy a salvo". Y agrega: "Cualquier persona cuyo nombre se publica en letras de este tamaño debe convencerse de que las repúblicas no son ingratas".

Me espera una pila de cartas y notas; el teléfono ha empezado a sonar. ¿Cómo escribirá Washington su propia página? ¡Adelante!

Fotografías

Señora Emilia Aguila de Huerta, esposa del señor Presidente de la República, que acaba de ofrecer una brillante recepción en el Castillo de Chapultepec.

Plaza de Toros
"La Libertad"
Espadas:
"Bigotazos" = "Saca-Muelas" = Sobresaliente "Ostioncito"
Banderilleros = "El Irlandes" = "El Moro Muza" = "Sordolores"
Picadores = "El Pinto" = "El Roatan" = "Lengüitas"
Rocines = (De GRAN ALZADA)
Mulas
Tancredo - El viejo Sátiro
Veterinario
Murga
Diciembre 21 de 1913

“ MAN ESTACION ”
D TRABAJO

Cronología

Febrero de 1913 a agosto de 1914

Febrero de 1913

2 Pago anual para el Fondo Piadoso de las Californias.

9-18 Decena Trágica. Aprehensión de Madero y Pino Suárez. Se firma el Pacto de la Embajada, o de la Ciudadela, entre Huerta y Félix Díaz

19 Huerta, después de ser nombrado secretario de Gobernación por Pedro Lascuráin, presidente provisional, asume la presidencia tras la renuncia de éste. La legislatura de Coahuila desconoce su gobierno.

21 El embajador de Estados Unidos, Lane Wilson, solicita a Washington el reconocimiento del gobierno de Huerta. Tras un pequeño titubeo, Carranza desconoce a Huerta. En la capital, gran manifestación de apoyo a Félix Díaz, a Manuel Mondragón y a Huerta.

22 Asesinato de Madero y Pino Suárez.

26 Carranza envía un telegrama al presidente republicano Taft solicitando no reconocer el gobierno de Huerta.

Marzo

Se empiezan a organizar algunos clubes de apoyo a la candidatura a la presidencia de Félix Díaz. Por su parte, Huerta recibe adhesiones a su gobierno provisional. Los constitucionalistas decretan la expropiación de los bienes de Porfirio y Félix Díaz.

4 Asume la presidencia de Estados Unidos el demócrata Woodrow Wilson.

12 El embajador H. L. Wilson sigue urgiendo al presidente W. Wilson para que reconozca el gobierno provisional de Huerta.

16 El general Félix Díaz da a conocer su programa de gobierno. Obreros fabriles de Contreras y San Ángel sostienen también su candidatura.

26 Carranza proclama el Plan de Guadalupe.

27 Carranza solicita a Estados Unidos el permiso para comprar armas en su territorio.

28 El gobierno de Huerta comienza a entablar negociaciones con Washington con la posibilidad de renunciar al Chamizal.

31 Gran Bretaña reconoce el gobierno de Victoriano Huerta.

Abril

El gobierno de Washington reconoce el gobierno golpista de Óscar Benavides en Perú.

1 El congreso abre su segundo periodo de sesiones ordinarias; Huerta rinde el informe de su gestión administrativa.

2 El presidente Wilson declara el embargo de armas a todos los grupos beligerantes.

13 Atentado contra Alfonso XIII en España.
28 El embajador Wilson logra un acuerdo con la secretaría de Fomento para que la Compañía Tlahualilo otorgue derechos de agua a perpetuidad a favor de Estados Unidos.

Mayo

Durante todo el mes reconocen el gobierno de Huerta: Colombia, Francia, Japón, China, Guatemala, Rusia y Austria-Hungría.
10 Carranza ofrece crear comisiones mixtas de reclamaciones para atender las quejas de todos los países en cuanto triunfe la Revolución.
14 Con fundamento en la ley del 25 de enero de 1862, Carranza condena a Huerta considerándolo traidor a la patria.
30 Emiliano Zapata hace enmiendas al Plan de Ayala.

Junio

El presidente Wilson envía a William Bayard Hale como agente confidencial para investigar al embajador Wilson.
A lo largo del mes diferentes países continúan reconociendo el gobierno de Huerta: España, Alemania y Bélgica.
8 El gobierno mexicano designa a Félix Díaz embajador en Japón.
13 Queda cancelado el Pacto de la Ciudadela, firmado en febrero entre Huerta y Félix Díaz.

Julio

El agente confidencial informa a Washington de la injerencia del embajador Wilson en el cuartelazo de la Ciudadela.
Honduras, Italia, Noruega, Holanda, Ecuador y Turquía reconocen también el gobierno provisional de Huerta.
17 El embajador Wilson es llamado a Washington. Se acepta su renuncia.
18 Junto con su gabinete, Huerta preside el 41° aniversario luctuoso de Benito Juárez en el hemiciclo que lleva su nombre.
27 Por órdenes de su gobierno los cónsules en México empiezan a aconsejar a los estadunidenses para que abandonen el país.

Agosto

Se inicia la instrucción militar obligatoria. Nelson O'Shaughnessy queda como encargado de negocios de la embajada.
John Lind es enviado como agente confidencial.
17 En el Alcázar del Castillo de Chapultepec, el presidente ofrece una cena de despedida al ministro Strongge de Inglaterra.
26 Federico Gamboa envía una carta a Lind rechazando comprometer la soberanía a cambio del reconocimiento estadunidense.

28 El presidente Wilson anuncia al congreso estadunidense su política de "espera vigilante" hacia México.
30 El presidente se presentó al banquete del diario *Noticioso Mexicano* y agradeció a la prensa su labor en pro de la paz.

Septiembre

16 Se inaugura el primer periodo del segundo año de sesiones de la XXVI Legislatura; Huerta presenta su informe de gobierno.
23 Belisario Domínguez hace circular, por escrito, un discurso en contra de Huerta, luego de que la cámara de senadores rechazara su lectura.

Octubre

8 Asesinato de Belisario Domínguez.
10 Huerta ordena disolver la cámara de diputados y encarcela a 84 de 110 diputados.
20 Carranza instala su gobierno en Hermosillo, Sonora.
26 Elecciones en México. Huerta declara que continuará en la presidencia provisional.
27 Ataques de Estados Unidos a Inglaterra por reconocer el gobierno huertista. A pesar de haber reconocido a Huerta, Gran Bretaña deja de apoyarlo para no provocar un enfrentamiento con Estados Unidos ya que, en la eventualidad de una conflagración europea, le podría servir de aliado. Alemania aprueba la disolución de la cámara.

Noviembre

Huerta solicita un préstamo a bancos europeos.
2 En un mensaje al congreso de Estados Unidos el presidente Wilson anuncia que se continuará en México con la "espera vigilante".
12 Washington ordena a O'Shaughnessy notificar a Huerta que de no someterse a sus demandas empleará los medios necesarios para obtenerlas.
15 Desde Veracruz, Lind envía un telegrama al secretario de Estado, Bryan, sugiriendo la ocupación militar.
16 El agente confidencial Hale insta a Carranza a ceder en su intransigencia.
24 El Departamento de Estado estadunidense comunica a John Lind su decisión de aislar al gobierno de Huerta. O'Shaughnessy presenta el ultimátum a Huerta.

Diciembre

La producción petrolera de Inglaterra en pozos mexicanos alcanza la cifra de 25'902,439 barriles.
La cámara de diputados nulifica las elecciones para presidente y vicepresidente; acuerdan que Huerta continúe al frente del ejecutivo.
Brasil y Argentina hacen un llamado para formar grupos voluntarios en apoyo de México en caso de una intervención estadunidense.
9 El gobierno provisional echa mano de las reservas bancarias.

Enero de 1914

Rumores de crisis ministerial dentro del gabinete de Huerta.
8 Nelson O'Shaughnessy sale a Veracruz para sostener una entrevista con John Lind.
12 Huerta expide el Reglamento para la Inspección Superior de primarias y jardines de niños, así como el Reglamento Moral del Personal de las Escuelas Públicas. Para poder hacer frente a los gastos de pacificación, anuncia suspender por un semestre la deuda nacional.
21 La prensa informa del arribo a Mazatlán de cinco acorazados estadunidenses, uno inglés y un crucero alemán.

Febrero

Francia y Alemania protestan por la suspensión de pagos. Estados Unidos declara que los barcos anclados en Veracruz sólo desembarcarán para proteger extranjeros y no para inmiscuirse en asuntos internos de México.
2 Pago anual para el Fondo Piadoso de las Californias.
3 El gobierno estadunidense levanta el embargo de armas favoreciendo a los rebeldes.
4 Los rebeldes norteños vuelan un tren donde mueren 16 estadunidenses.
6 Villa ordena la muerte del inglés William Benton, alegando defensa propia.
17 Se crea la Secretaría de Agricultura y Colonización.
25 Eduardo Tamariz, terrateniente, encargado de Agricultura propone una reforma al sistema tributario de las grandes propiedades agrarias, eximiendo a las pequeñas.

Marzo

4 A través de O'Shaughnessy el presidente Wilson envía a Huerta una invitación para reunirse y llegar a un acuerdo. El gobierno de México acepta la invitación pidiendo que el acuerdo sea a través del Tribunal de Arbitraje de La Haya.
12 En Jojutla, Morelos, la guarnición del ejército federal se amotina pasándose a las filas zapatistas.
20 Se deja en libertad a quince de los diputados presos desde octubre.
28 El gobierno constitucionalista decreta que el papel moneda emitido por él es de circulación forzosa dentro del territorio dominado por su ejército.
30 Se anuncia la reanudación del pago de la deuda nacional.

Abril

Woodrow Wilson se decide por la intervención en México. La armada estadunidense confisca un envió de armas al gobierno de Huerta.
2 John Lind abandona Veracruz.
9 El jueves santo se suscita el incidente en Tampico.

10-20 Estira y afloja entre México y Estados Unidos para lograr el desagravio de la bandera estadunidense.
21 El agente George C. Carothers informa a Carranza del desembarque en Veracruz.
22 Da inicio la intervención estadunidense con el bombardeo a la Academia Naval de Veracruz.
En las plazas ocupadas por los huertistas se aprehende a los cónsules de Estados Unidos y se destroza su bandera.
Los constitucionalistas liberan a los estadunidenses en cuanto vencen a los federales.
En la ciudad de México se llevan a cabo manifestaciones de apoyo a Huerta.
25 Argentina, Brasil y Chile (ABC) ofrecen su mediación para acabar con el conflicto entre México y Estados Unidos.

Mayo

14 Los constitucionalistas se apoderan de Tampico.
18 Inician en Niagara Falls las conferencias de mediación del ABC.
23 W. Wilson declara a la prensa su deseo de constituir en México un gobierno que repare las injusticias cometidas contra el pueblo mexicano.
24 El secretario de Estado, Bryan, avisa a su delegación ante el ABC que desistirá de la intervención siempre y cuando sus negociaciones puedan ser aceptables para los revolucionarios.
27 Vuelve a insistir ante el ABC para que se proponga un gobierno que favorezca las reformas agrarias y políticas propuestas por el representante constitucionalista en Washington.

Junio

16 Fernando Iglesias Calderón, Luis Cabrera y José Vasconcelos, representantes de Carranza, se entrevistan en Buffalo, Nueva York, con la delegación estadunidense de las negociaciones del ABC para pedirles se abstengan de intervenir en asuntos internos de México.
23 Pancho Villa toma Zacatecas al mando de la División del Norte.
28 Asesinato del archiduque Francisco Fernando en Sarajevo.
30 Se firma el protocolo del ABC y en él se declara que se deberá establecer en México un gobierno provisional que decrete una amnistía general y convoque a elecciones libres, sin reclamar ninguna indemnización por el desembarco y ocupación de Veracruz.

Julio

3 Bryan urge a Carothers para convencer a Carranza de dialogar con Huerta. El Primer Jefe constitucionalista se niega.
8 En el congreso huertista se da lectura al Protocolo del ABC.

10 Huerta nombra a Francisco Carbajal secretario de Relaciones Exteriores con miras a que lo suceda en la presidencia.
15 Huerta presenta su renuncia y sale al exilio en el *Ypiranga,* el mismo buque que tres años atrás llevara a Díaz también al destierro. Carbajal asume la presidencia interina.
23 En Europa Austria-Hungría presenta un ultimátum a Serbia.
28 Declaración de guerra de Austria-Hungría a Serbia.
30 España se declara neutral en la eventualidad de un conflicto mundial.
31 Bryan amenaza a Carranza con negarle el reconocimiento si persiste su inflexibilidad.

Agosto

Álvaro Obregón comienza los preparativos para tomar la capital del país.
1 Carranza se entrevista con los agentes de Carbajal a insistencia del Embajador Cardoso de Brasil, quien estaba a cargo de los asuntos estadunidenses. Alemania declara la guerra a Rusia.
3 Alemania declara la guerra Francia.
4 Inglaterra declara la guerra a Alemania.
12 Carbajal renuncia al gobierno provisional y deja la capital en manos de Eduardo Iturbide, su gobernador.
13 Se forman los Tratados de Teoloyucan. A petición de Carranza se disuelve el Ejército Federal.
15 Obregón entra en la capital. En Centroamérica se abre la navegación en el canal de Panamá.
20 Caída de la ciudad de México en manos de los constitucionalistas. Entrada triunfal de Carranza.

Silvia L. Cuesy

La esposa de un diplomático en México,
escrito por Edith Coues O'Shaughnessy,
ofrece una perspectiva única acerca
de la oscura época del huertismo,
sus protagonistas y los intereses
que intervinieron en el destino
del dictador.
La edición de esta obra fue compuesta
en fuente palatino y formada en 11:13.
Fue impresa en este mes de julio de 2005
en los talleres de Acabados Editoriales Incorporados, S.A. de C.V.,
que se localizan en la calle de Arroz 226,
colonia Santa Isabel Industrial, en la ciudad de México, D.F.
La encuadernación de los ejemplares se hizo
en los talleres de Dinámica de Acabado Editorial, S.A. de C.V.,
que se localizan en la calle de Centeno 4-B,
colonia Granjas Esmeralda, en la ciudad de México, D.F.